第十八改正 日本薬局方 第一追補

条文と注釈

2022

株式会社 廣川書店

序　　文

第十八改正日本薬局方第一追補は令和4年 12 月 12 日に施行されました．

この第一追補では，一般試験法及び医薬品各条等について一部改訂が行われました．一般試験法では 3 試験法が新規に収載され，8 試験法が改正されました．医薬品各条では新たに 11 品目が収載され，82 品目について改正され，2 品目が削除されました．これらの改正に伴い，一般試験法中の標準品の項で，3 品目の標準品が新たに追加されました．更に，4 品目の参照紫外可視吸収スペクトルと 7 品目の参照赤外吸収スペクトルが新たに収載されました．これらの新規収載や改正はいずれも時代の進歩を速やかに反映させたものであります．

本書においては，これまでと同様，これらの新規収載項目及び改正項目に対し，適切な注及び解説を付しましたので，本書を通して日本薬局方の理解と利用を高め，医薬品の適正使用に役立てられますよう望むものであります．

令和 5 年 1 月

日本薬局方解説書編集委員会

○厚生労働省告示第 355 号

医薬品、医療機器等の品質、有効性及び安全性の確保等に関する法律（昭和 35 年法律第 145 号）第 41 条第 1 項の規定に基づき、日本薬局方（令和 3 年厚生労働省告示第 220 号）の一部を次のように改正する。

令和 4 年 12 月 12 日

厚生労働大臣　加藤　勝信

（「次のよう」は省略し、この告示による改正後の日本薬局方の全文を厚生労働省医薬・生活衛生局医薬品審査管理課及び地方厚生局並びに都道府県庁に備え置いて縦覧に供するとともに、厚生労働省のホームページに掲載する方法により公表する。）

附　則

（適用期日）

1　この告示は、告示の日（次項及び第 3 項において「告示日」という。）から適用する。

（経過措置）

2　この告示による改正前の日本薬局方（以下「旧薬局方」という。）に収められていた医薬品（この告示による改正後の日本薬局方（以下「新薬局方」という。）に収められているものに限る。）であって告示日において現に医薬品、医療機器等の品質、有効性及び安全性の確保等に関する法律第 14 条第 1 項の規定による承認を受けているもの（告示日の前日において、医薬品、医療機器等の品質、有効性及び安全性の確保等に関する法律第 14 条第 1 項の規定に基づき製造販売の承認を要しないものとして厚生労働大臣の指定する医薬品等（平成 6 年厚生省告示第 104 号）により製造販売の承認を要しない医薬品として指定されている医薬品を含む。）については、令和 6 年 6 月 30 日までの間は、旧薬局方で定める基準（当該医薬品に関する部分に限る。）は新薬局方で定める基準とみなすことができるものとする。

3　新薬局方に収められている医薬品（旧薬局方に収められていたものを

除く。）であって告示日において現に医薬品、医療機器等の品質、有効性及び安全性の確保等に関する法律第 14 条第 1 項の規定による承認を受けている医薬品については、令和 6 年 6 月 30 日までの間は、新薬局方に収められていない医薬品とみなすことができるものとする。

（なお、「次のよう」とは、「一般試験法」から始まり、「参照赤外吸収スペクトル」までをいう。）

目　　　次

第十八改正日本薬局方第一追補
医薬品各条目次

ハ

ヒ

フ

ヘ

ホ

マ

メ

モ

ワ

第十八改正日本薬局方第一追補
医薬品各条(生薬等)目次

まえがき

第十八改正日本薬局方は令和 3 年 6 月 7 日厚生労働省告示第 220 号をもって公布された．

その後，令和 3 年 7 月に日本薬局方部会を開催し，審議の結果，日本薬局方の役割と性格，作成方針，作成方針に沿った第十九改正に向けての具体的な方策，施行時期に関する事項を決定した．

日本薬局方は，公衆衛生の確保に資するため，学問・技術の進歩と医療需要に応じて，我が国の医薬品の品質を適正に確保するために必要な規格・基準及び標準的試験法等を示す公的な規範書であり，医薬品全般の品質を総合的に保証するための規格及び試験法の標準を示すとともに医療上重要とされた医薬品の品質等に係る判断基準を明確にする役割を有するとされた．また，その作成に当たって，多くの医薬品関係者の知識と経験が結集されており，関係者に広く活用されるべき公共の規格書としての性格を有するとともに，国民に医薬品の品質に関する情報を公開し，説明責任を果たす役割をもち，加えて，国際社会の中で，医薬品の品質規範書として，国レベルを越えた医薬品の品質確保に向け，先進技術の活用及び国際的整合の推進に応分の役割を果たし，貢献することとされた．

作成方針として，保健医療上重要な医薬品を優先して収載することによる収載品目の充実，最新の学問・技術の積極的導入による質的向上，医薬品のグローバル化に対応した国際化の一層の推進，必要に応じた速やかな部分改正及び行政によるその円滑な運用，日本薬局方改正過程における透明性の確保及び日本薬局方の国内外への普及の「5本の柱」が打ち立てられた．この基本的考えに立って，関係部局等の理解と協力を得つつ，各般の施策を講じ，広く保健医療の場において，日本薬局方が有効に活用されうるものとなるよう努めることとされた．

収載品目の選定については，医療上の必要性，繁用度又は使用経験等を指標に，保健医療上重要な医薬品は可能な限り速やかな収載を目指すこととされた．

また，第十九改正の時期は令和 8 年 4 月を目標とすることとされた．

日本薬局方の原案は，独立行政法人医薬品医療機器総合機構に設置された総合委員会，製法問題検討小委員会，化学薬品委員会，抗生物質委員会，生物薬品委員会，生薬等委員会，医薬品添加物委員会，理化学試験法委員会，製剤委員会，物性試験法委員会，生物試験法委員会，医薬品名称委員会，国際調和検討委員会及び標準品委員会で検討されている．その他，総合委員会，生物薬品委員会，医薬品添加物委員会及び製剤委

員会の下に，それぞれワーキンググループが設置されている．

各委員会は各種改正の検討を開始した，検討事項のうち，一般試験法，医薬品各条，参照紫外可視吸収スペクトル及び参照赤外吸収スペクトルについては，令和 2 年 9 月から令和 4 年 6 月までの期間に検討を終了した分を，第十八改正日本薬局方の一部改正としてとりまとめることとした．

この期間に改正原案作成のために開催した委員会の回数は，総合委員会 17 回（ワーキンググループを含む），製法問題検討小委員会 1 回，化学薬品委員会 23 回，抗生物質委員会 4 回，生物薬品委員会 7 回，生薬等委員会 16 回，医薬品添加物委員会 13 回（ワーキンググループを含む），理化学試験法委員会 8 回，製剤委員会 17 回（ワーキンググループを含む），物性試験法委員会 6 回，生物試験法委員会 6 回，医薬品名称委員会 4 回，国際調和検討委員会 7 回，標準品委員会 3 回（ワーキンググループを含む）である．

なお，この改正の原案作成に当たっては，関西医薬品協会技術研究委員会，東京医薬品工業協会局方委員会，東京生薬協会，日本医薬品添加剤協会，日本家庭薬協会，日本漢方生薬製剤協会，日本香料工業会，日本生薬連合会，日本製薬工業協会，日本製薬団体連合会，日本 PDA 製薬学会，日本試薬協会，日本植物油協会，日本分析機器工業会，創包工学研究会等の協力を得た．

この一部改正原案は令和 4 年 7 月に日本薬局方部会で審議のうえ，同年 9 月に薬事・食品衛生審議会に上程され，報告された後，厚生労働大臣に答申された．日本薬局方部会長については，平成 23 年 1 月から令和 2 年 12 月まで橋田充が，令和 3 年 1 月から令和 4 年 12 月まで太田茂がその任に当たった．

この改正の結果，第十八改正日本薬局方第一追補の収載は 2042 品目となった．このうち改正により新たに収載したものが 11 品，削除した品目は 2 品である．

本改正の記載法の原則と改正の要旨は次のとおりである．

1. 日本薬局方の記載は口語体で横書きとし，常用漢字及び現代かなづかい，文部科学省学術用語集などに従うことを原則としたが，著しく誤解を招きやすいものについては常用漢字以外の漢字も用いた．

2. 薬品名，試薬名は原則として常用漢字及びかたかな書きとした．

3. 収載の順序は，告示，目次，まえがきに続いて，一般試験法，医薬品各条の順とし，更に医薬品各条の参照紫外可視吸収スペクトル，参照赤外吸収スペクトルを付し，終わりに参考情報，附録として第十八改正日本薬局方，第十八改正日本薬局方第一追補を合わせた索引を付した．

4. 医薬品各条，参照紫外可視吸収スペクトル及び参照赤外吸収スペクトルの配列順序は，原則として五十音順に従った．

5. 医薬品各条中の記載順序は，次によったが，必要のない項目は除いてある．

（1）日本名　（2）英名　（3）ラテン名（生薬関係

品目についてのみ記載する.）

（4）　日本名別名

（5）　構造式

（6）　分子式及び分子量（組成式及び式量）

（7）　化学名

（8）　ケミカル・アブストラクツ・サービス（CAS）登録番号

（9）　基原

（10）　成分の含量規定

（11）　表示規定

（12）　製法

（13）　製造要件

（14）　性状

（15）　確認試験

（16）　示性値

（17）　純度試験

（18）　意図的混入有害物質

（19）　乾燥減量，強熱減量又は水分

（20）　強熱残分，灰分又は酸不溶性灰分

（21）　製剤試験

（22）　その他の特殊試験

（23）　定量法

（24）　貯法

（25）　有効期間

（26）　その他

6. 医薬品の性状及び品質に関係のある示性値の記載の順序は，次によったが，必要のない項目は除いてある.

（1）　アルコール数

（2）　吸光度

（3）　凝固点

（4）　屈折率

（5）　浸透圧比

（6）　旋光度

（7）　構成アミノ酸

（8）　粘度

（9）　pH

（10）　成分含量比

（11）　比重

（12）　沸点

（13）　融点

（14）　酸価

（15）　けん化価

（16）　エステル価

（17）　水酸基価

（18）　ヨウ素価

7. 確認試験の記載の順序は，原則として次によった.

（1）　呈色反応

（2）　沈殿反応

（3）　分解反応

（4）　誘導体

（5）　可視，紫外，赤外吸収スペクトル

（6）　核磁気共鳴スペクトル

（7）　クロマトグラフィー

（8）　特殊反応

（9）　陽イオン

（10）　陰イオン

8. 純度試験の記載の順序は，原則として次によったが，必要のない項目は除いてある.

（1）　色

（2）　におい

（3）　溶状

（4）　液性

（5）　酸

（6）　アルカリ

（7）　塩化物

（8）　硫酸塩

（9）　亜硫酸塩

（10）　硝酸塩

（11）　亜硝酸塩

（12）　炭酸塩

（13）　臭化物

（14）　ヨウ化物

（15）　可溶性ハロゲン化物

（16）　チオシアン化物

（17）　セレン

（18）　陽イオンの塩

（19）　アンモニウム

（20）　重金属

（21）　鉄

（22）　マンガン

（23）　クロム

（24）　ビスマス

（25）　スズ

（26）　アルミニウム

（27）　亜鉛

（28）　カドミウム

（29）　水銀

（30）　銅

（31）　鉛

（32）　銀

（33）　アルカリ土類金属

（34）　ヒ素

（35）　遊離リン酸

（36）　異物

（37）　類縁物質

（38）　異性体

（39）　鏡像異性体

(40)　ジアステレオマー
(41)　多量体
(42)　残留溶媒
(43)　その他の混在物
(44)　蒸発残留物
(45)　硫酸呈色物

9. 一般試験法中，新たに追加した試験法は次のとおりである．

(1)　2.00 クロマトグラフィー総論
(2)　2.27 近赤外吸収スペクトル測定法
(3)　2.28 円偏光二色性測定法

10. 一般試験法中，改正した試験法は次のとおりである．

(1)　2.01 液体クロマトグラフィー
(2)　2.02 ガスクロマトグラフィー
(3)　2.22 蛍光光度法
(4)　2.58 粉末 X 線回折測定法
(5)　3.04 粒度測定法
(6)　9.01 標準品
(7)　9.41 試薬・試液
(8)　9.42 クロマトグラフィー用担体/充塡剤

11. 一般試験法中，新たに追加した標準品は次のとおりである．

(1)　アナストロゾール標準品
(2)　テモゾロミド標準品
(3)　ブデソニド標準品

12. 一般試験法中，削除した標準品は次のとおりである．

(1)　ナルトグラスチム標準品

13. 一般試験法中，「9.01 (2) 国立感染症研究所が製造する標準品」から削り，「9.01 (1) 別に厚生労働大臣が定めるところにより厚生労働大臣の登録を受けた者が製造する標準品」へ加えた標準品は次のとおりである．

(1)　アミカシン硫酸塩標準品
(2)　クリンダマイシンリン酸エステル標準品
(3)　セファクロル標準品
(4)　セファレキシン標準品
(5)　ドキソルビシン塩酸塩標準品

14. 医薬品各条中，新たに収載した品目は次のとおりである．

(1)　アナストロゾール
(2)　アナストロゾール錠
(3)　オキシブチニン塩酸塩
(4)　テモゾロミド
(5)　テモゾロミドカプセル
(6)　注射用テモゾロミド
(7)　ビカルタミド錠
(8)　ブデソニド
(9)　ボグリボース口腔内崩壊錠
(10)　柴胡桂枝乾姜湯エキス
(11)　抑肝散加陳皮半夏エキス

15. 医薬品各条中，改正した品目は次のとおりである．

(1)　アムホテリシン B 錠
(2)　注射用アムホテリシン B
(3)　注射用アンピシリンナトリウム・スルバクタムナトリウム
(4)　注射用イミペネム・シラスタチンナトリウム
(5)　インスリン　ヒト（遺伝子組換え）
(6)　インスリン　ヒト（遺伝子組換え）注射液
(7)　イソフェンインスリン　ヒト（遺伝子組換え）水性懸濁注射液
(8)　二相性イソフェンインスリン　ヒト（遺伝子組換え）水性懸濁注射液
(9)　エタノール
(10)　無水エタノール
(11)　エポエチン　ベータ（遺伝子組換え）
(12)　塩化ナトリウム
(13)　エンビオマイシン硫酸塩
(14)　クロスカルメロース

ナトリウム
(15) サルポグレラート塩酸塩細粒
(16) ステアリン酸
(17) ステアリン酸マグネシウム
(18) 注射用スペクチノマイシン塩酸塩
(19) 注射用セフォペラゾンナトリウム・スルバクタムナトリウム
(20) 粉末セルロース
(21) コムギデンプン
(22) パラオキシ安息香酸エチル
(23) パラオキシ安息香酸ブチル
(24) パラオキシ安息香酸プロピル
(25) パラオキシ安息香酸メチル
(26) ヒプロメロースフタル酸エステル
(27) ブトロピウム臭化物
(28) ブロムヘキシン塩酸塩
(29) ベンジルアルコール
(30) ボグリボース錠
(31) ポリソルベート 80
(32) ホルモテロールフマル酸塩水和物
(33) D-マンニトール
(34) *dl*-メントール
(35) *l*-メントール
(36) モノステアリン酸グリセリン
(37) 黄色ワセリン
(38) 白色ワセリン
(39) インチンコウ
(40) ウコン
(41) ウワウルシ
(42) エンゴサク
(43) エンゴサク末
(44) ガイヨウ
(45) カンキョウ
(46) キョウニン
(47) 桂枝茯苓丸エキス
(48) コウボク
(49) ゴシツ
(50) 牛車腎気丸エキス
(51) 呉茱萸湯エキス
(52) ゴボウシ
(53) サンシシ
(54) サンシュユ
(55) シャカンゾウ
(56) ジャショウシ
(57) シャゼンソウ
(58) ショウキョウ
(59) ショウキョウ末
(60) ショウズク
(61) ショウマ
(62) 真武湯エキス
(63) センナ
(64) センナ末
(65) 無コウイ大建中湯エキス
(66) チョウジ
(67) チョウジ油
(68) チョウトウコウ
(69) 桃核承気湯エキス
(70) トウニン
(71) トウニン末
(72) ニガキ
(73) ニガキ末
(74) ニクズク
(75) 八味地黄丸エキス
(76) ハマボウフウ
(77) 半夏厚朴湯エキス
(78) ボウイ
(79) 麻黄湯エキス
(80) モクツウ
(81) ヤクチ
(82) ヤクモソウ

16. 医薬品各条中，純度試験の項中の一部の目を削除した品目は次のとおりである．

(1) アクラルビシン塩酸塩
(2) アクリノール水和物
(3) アザチオプリン
(4) アシクロビル
(5) アジスロマイシン水和物
(6) アスコルビン酸
(7) アズトレオナム
(8) L-アスパラギン酸
(9) アスピリン
(10) アスポキシシリン水和物
(11) アセタゾラミド
(12) 注射用アセチルコリン塩化物
(13) アセチルシステイン
(14) アセトアミノフェン
(15) アセトヘキサミド
(16) アセブトロール塩酸塩
(17) アセメタシン
(18) アゼラスチン塩酸塩
(19) アゼルニジピン
(20) アゾセミド
(21) アテノロール

(22)　アトルバスタチンカルシウム水和物
(23)　アドレナリン
(24)　アプリンジン塩酸塩
(25)　アフロクアロン
(26)　アマンタジン塩酸塩
(27)　アミオダロン塩酸塩
(28)　アミカシン硫酸塩
(29)　アミドトリゾ酸
(30)　アミトリプチリン塩酸塩
(31)　アミノ安息香酸エチル
(32)　アミノフィリン水和物
(33)　アムロジピンベシル酸塩
(34)　アモキサピン
(35)　アモキシシリン水和物
(36)　アモスラロール塩酸塩
(37)　アモバルビタール
(38)　アラセプリル
(39)　L-アラニン
(40)　アリメマジン酒石酸塩
(41)　亜硫酸水素ナトリウム
(42)　乾燥亜硫酸ナトリウム
(43)　アルガトロバン水和物
(44)　L-アルギニン
(45)　L-アルギニン塩酸塩
(46)　アルジオキサ
(47)　アルプラゾラム
(48)　アルプレノロール塩酸塩
(49)　アルプロスタジル注射液
(50)　アルベカシン硫酸塩
(51)　アレンドロン酸ナトリウム水和物
(52)　アロチノロール塩酸塩
(53)　アロプリノール
(54)　安息香酸
(55)　安息香酸ナトリウム
(56)　安息香酸ナトリウムカフェイン
(57)　アンチピリン
(58)　無水アンピシリン
(59)　アンピシリン水和物
(60)　アンピシリンナトリウム
(61)　アンピロキシカム
(62)　アンベノニウム塩化物
(63)　アンモニア水
(64)　アンレキサノクス
(65)　イオウ
(66)　イオタラム酸
(67)　イオトロクス酸
(68)　イオパミドール
(69)　イオヘキソール
(70)　イコサペント酸エチル
(71)　イセパマイシン硫酸塩
(72)　イソクスプリン塩酸塩
(73)　イソソルビド
(74)　イソニアジド
(75)　*l*-イソプレナリン塩酸塩
(76)　イソプロピルアンチピリン
(77)　イソマル水和物
(78)　L-イソロイシン
(79)　イダルビシン塩酸塩
(80)　70%一硝酸イソソルビド乳糖末
(81)　イドクスウリジン
(82)　イトラコナゾール
(83)　イフェンプロジル酒石酸塩
(84)　イブジラスト
(85)　イブプロフェン
(86)　イブプロフェンピコノール
(87)　イプラトロピウム臭化物水和物
(88)　イプリフラボン
(89)　イミダプリル塩酸塩
(90)　イミペネム水和物
(91)　イリノテカン塩酸塩水和物
(92)　イルソグラジンマレイン酸塩
(93)　イルベサルタン
(94)　インジゴカルミン
(95)　インダパミド
(96)　インデノロール塩酸塩
(97)　インドメタシン
(98)　ウベニメクス
(99)　ウラピジル
(100)　ウリナスタチン
(101)　ウルソデオキシコール酸
(102)　ウロキナーゼ
(103)　エカベトナトリウム水和物
(104)　エコチオパートヨウ化物
(105)　エスタゾラム
(106)　エストリオール
(107)　エタクリン酸
(108)　エダラボン
(109)　エタンブトール塩酸塩
(110)　エチオナミド
(111)　エチゾラム
(112)　エチドロン酸二ナ

トリウム
(113)　L-エチルシステイン塩酸塩
(114)　エチルセルロース
(115)　エチレフリン塩酸塩
(116)　エチレンジアミン
(117)　エデト酸カルシウムナトリウム水和物
(118)　エデト酸ナトリウム水和物
(119)　エテンザミド
(120)　エトスクシミド
(121)　エトドラク
(122)　エトポシド
(123)　エドロホニウム塩化物
(124)　エナラプリルマレイン酸塩
(125)　エノキサシン水和物
(126)　エバスチン
(127)　エパルレスタット
(128)　エピリゾール
(129)　エピルビシン塩酸塩
(130)　エフェドリン塩酸塩
(131)　エプレレノン
(132)　エペリゾン塩酸塩
(133)　エメダスチンフマル酸塩
(134)　エモルファゾン
(135)　エリスロマイシン
(136)　エリブリンメシル酸塩
(137)　塩化亜鉛
(138)　塩化カリウム
(139)　塩化カルシウム水和物
(140)　塩化ナトリウム
(141)　塩酸
(142)　希塩酸
(143)　エンタカポン
(144)　エンビオマイシン硫酸塩
(145)　オキサゾラム
(146)　オキサピウムヨウ化物
(147)　オキサプロジン
(148)　オキシテトラサイクリン塩酸塩
(149)　オキシドール
(150)　オキシブプロカイン塩酸塩
(151)　オキセサゼイン
(152)　オクスプレノロール塩酸塩
(153)　オザグレルナトリウム
(154)　オフロキサシン
(155)　オメプラゾール
(156)　オーラノフィン
(157)　オルシプレナリン硫酸塩
(158)　オルメサルタンメドキソミル
(159)　オロパタジン塩酸塩
(160)　カイニン酸水和物
(161)　ガチフロキサシン水和物
(162)　果糖
(163)　果糖注射液
(164)　カドララジン
(165)　カナマイシン一硫酸塩
(166)　カナマイシン硫酸塩
(167)　無水カフェイン
(168)　カフェイン水和物
(169)　カプトプリル
(170)　ガベキサートメシル酸塩
(171)　カベルゴリン
(172)　過マンガン酸カリウム
(173)　カモスタットメシル酸塩
(174)　β-ガラクトシダーゼ(アスペルギルス)
(175)　β-ガラクトシダーゼ(ペニシリウム)
(176)　カルテオロール塩酸塩
(177)　カルバゾクロムスルホン酸ナトリウム水和物
(178)　カルバマゼピン
(179)　カルビドパ水和物
(180)　カルベジロール
(181)　L-カルボシステイン
(182)　カルメロース
(183)　カルメロースカルシウム
(184)　カルメロースナトリウム
(185)　クロスカルメロースナトリウム
(186)　カルモナムナトリウム
(187)　カルモフール
(188)　カンデサルタンシレキセチル
(189)　カンレノ酸カリウム
(190)　キシリトール
(191)　キタサマイシン酒

石酸塩
(192)　キナプリル塩酸塩
(193)　キニーネエチル炭酸エステル
(194)　キニーネ硫酸塩水和物
(195)　金チオリンゴ酸ナトリウム
(196)　グアイフェネシン
(197)　グアナベンズ酢酸塩
(198)　グアネチジン硫酸塩
(199)　クエチアピンフマル酸塩
(200)　無水クエン酸
(201)　クエン酸水和物
(202)　クエン酸ナトリウム水和物
(203)　クラブラン酸カリウム
(204)　クラリスロマイシン
(205)　グリクラジド
(206)　グリシン
(207)　グリセリン
(208)　濃グリセリン
(209)　クリノフィブラート
(210)　グリベンクラミド
(211)　グリメピリド
(212)　クリンダマイシン塩酸塩
(213)　クリンダマイシンリン酸エステル
(214)　グルコン酸カルシウム水和物
(215)　グルタチオン
(216)　L-グルタミン
(217)　L-グルタミン酸
(218)　クレボプリドリンゴ酸塩
(219)　クレマスチンフマル酸塩
(220)　クロカプラミン塩酸塩水和物
(221)　クロキサシリンナトリウム水和物
(222)　クロキサゾラム
(223)　クロコナゾール塩酸塩
(224)　クロスポビドン
(225)　クロチアゼパム
(226)　クロトリマゾール
(227)　クロナゼパム
(228)　クロニジン塩酸塩
(229)　クロピドグレル硫酸塩
(230)　クロフィブラート
(231)　クロフェダノール塩酸塩
(232)　クロベタゾールプロピオン酸エステル
(233)　クロペラスチン塩酸塩
(234)　クロペラスチンフェンジゾ酸塩
(235)　クロミフェンクエン酸塩
(236)　クロミプラミン塩酸塩
(237)　クロモグリク酸ナトリウム
(238)　クロラゼプ酸二カリウム
(239)　クロラムフェニコール
(240)　クロラムフェニコールコハク酸エステルナトリウム
(241)　クロラムフェニコールパルミチン酸エステル
(242)　クロルジアゼポキシド
(243)　クロルフェニラミンマレイン酸塩
(244)　*d*-クロルフェニラミンマレイン酸塩
(245)　クロルフェネシンカルバミン酸エステル
(246)　クロルプロパミド
(247)　クロルプロマジン塩酸塩
(248)　クロルヘキシジン塩酸塩
(249)　クロルマジノン酢酸エステル
(250)　軽質無水ケイ酸
(251)　合成ケイ酸アルミニウム
(252)　天然ケイ酸アルミニウム
(253)　ケイ酸アルミン酸マグネシウム
(254)　メタケイ酸アルミン酸マグネシウム
(255)　ケタミン塩酸塩
(256)　ケトコナゾール
(257)　ケトチフェンフマル酸塩
(258)　ケトプロフェン
(259)　ケノデオキシコール酸
(260)　ゲファルナート

(261)　ゲフィチニブ
(262)　ゲンタマイシン硫酸塩
(263)　硬化油
(264)　コポビドン
(265)　コリスチンメタンスルホン酸ナトリウム
(266)　コレスチミド
(267)　サイクロセリン
(268)　酢酸
(269)　氷酢酸
(270)　酢酸ナトリウム水和物
(271)　サッカリン
(272)　サッカリンナトリウム水和物
(273)　サラゾスルファピリジン
(274)　サリチル酸
(275)　サリチル酸ナトリウム
(276)　サリチル酸メチル
(277)　ザルトプロフェン
(278)　サルブタモール硫酸塩
(279)　サルポグレラート塩酸塩
(280)　酸化亜鉛
(281)　酸化マグネシウム
(282)　ジアゼパム
(283)　シアナミド
(284)　ジエチルカルバマジンクエン酸塩
(285)　シクラシリン
(286)　シクロスポリン
(287)　ジクロフェナクナトリウム
(288)　シクロペントラート塩酸塩
(289)　シクロホスファミド水和物
(290)　ジスチグミン臭化物
(291)　L-シスチン
(292)　L-システイン
(293)　L-システイン塩酸塩水和物
(294)　ジスルフィラム
(295)　ジソピラミド
(296)　シタグリプチンリン酸塩水和物
(297)　シタラビン
(298)　シチコリン
(299)　ジドブジン
(300)　ジドロゲステロン
(301)　シノキサシン
(302)　ジヒドロエルゴトキシンメシル酸塩
(303)　ジピリダモール
(304)　ジフェニドール塩酸塩
(305)　ジフェンヒドラミン
(306)　ジフェンヒドラミン塩酸塩
(307)　ジブカイン塩酸塩
(308)　ジフルコルトロン吉草酸エステル
(309)　シプロフロキサシン
(310)　シプロフロキサシン塩酸塩水和物
(311)　シプロヘプタジン塩酸塩水和物
(312)　ジフロラゾン酢酸エステル
(313)　ジベカシン硫酸塩
(314)　シベレスタットナトリウム水和物
(315)　シベンゾリンコハク酸塩
(316)　シメチジン
(317)　ジメモルファンリン酸塩
(318)　ジメルカプロール
(319)　次没食子酸ビスマス
(320)　ジモルホラミン
(321)　臭化カリウム
(322)　臭化ナトリウム
(323)　酒石酸
(324)　硝酸銀
(325)　硝酸イソソルビド
(326)　ジョサマイシン
(327)　ジョサマイシンプロピオン酸エステル
(328)　シラザプリル水和物
(329)　シラスタチンナトリウム
(330)　ジラゼプ塩酸塩水和物
(331)　ジルチアゼム塩酸塩
(332)　シルニジピン
(333)　シロスタゾール
(334)　シロドシン
(335)　シンバスタチン
(336)　乾燥水酸化アルミニウムゲル
(337)　水酸化カリウム
(338)　水酸化カルシウム
(339)　水酸化ナトリウム
(340)　スクラルファート水和物
(341)　ステアリン酸
(342)　ステアリン酸カル

シウム
(343)　ステアリン酸ポリオキシル 40
(344)　ステアリン酸マグネシウム
(345)　ストレプトマイシン硫酸塩
(346)　スピラマイシン酢酸エステル
(347)　スリンダク
(348)　スルタミシリントシル酸塩水和物
(349)　スルチアム
(350)　スルバクタムナトリウム
(351)　スルピリド
(352)　スルピリン水和物
(353)　スルファメチゾール
(354)　スルファメトキサゾール
(355)　スルファモノメトキシン水和物
(356)　スルフイソキサゾール
(357)　スルベニシリンナトリウム
(358)　スルホブロモフタレインナトリウム
(359)　生理食塩液
(360)　セチリジン塩酸塩
(361)　セトチアミン塩酸塩水和物
(362)　セトラキサート塩酸塩
(363)　セファクロル
(364)　セファゾリンナトリウム
(365)　セファゾリンナトリウム水和物
(366)　セファトリジンプロピレングリコール
(367)　セファドロキシル
(368)　セファレキシン
(369)　セファロチンナトリウム
(370)　セフェピム塩酸塩水和物
(371)　セフォジジムナトリウム
(372)　セフォゾプラン塩酸塩
(373)　セフォタキシムナトリウム
(374)　セフォチアム塩酸塩
(375)　セフォチアム　ヘキセチル塩酸塩
(376)　セフォテタン
(377)　セフォペラゾンナトリウム
(378)　セフカペン　ピボキシル塩酸塩水和物
(379)　セフジトレン　ピボキシル
(380)　セフジニル
(381)　セフスロジンナトリウム
(382)　セフタジジム水和物
(383)　セフチゾキシムナトリウム
(384)　セフチブテン水和物
(385)　セフテラム　ピボキシル
(386)　セフトリアキソンナトリウム水和物
(387)　セフピラミドナトリウム
(388)　セフピロム硫酸塩
(389)　セフブペラゾンナトリウム
(390)　セフポドキシムプロキセチル
(391)　セフミノクスナトリウム水和物
(392)　セフメタゾールナトリウム
(393)　セフメノキシム塩酸塩
(394)　セフロキサジン水和物
(395)　セフロキシム　アキセチル
(396)　セラセフェート
(397)　ゼラチン
(398)　精製ゼラチン
(399)　精製セラック
(400)　白色セラック
(401)　L-セリン
(402)　結晶セルロース
(403)　粉末セルロース
(404)　セレコキシブ
(405)　ゾニサミド
(406)　ゾピクロン
(407)　ソルビタンセスキオレイン酸エステル
(408)　ゾルピデム酒石酸塩
(409)　D-ソルビトール
(410)　D-ソルビトール液
(411)　ダウノルビシン塩酸塩
(412)　タウリン
(413)　タクロリムス水和物

(414) タゾバクタム
(415) ダナゾール
(416) タムスロシン塩酸塩
(417) タモキシフェンクエン酸塩
(418) タランピシリン塩酸塩
(419) タルチレリン水和物
(420) 炭酸カリウム
(421) 沈降炭酸カルシウム
(422) 炭酸水素ナトリウム
(423) 乾燥炭酸ナトリウム
(424) 炭酸ナトリウム水和物
(425) 炭酸マグネシウム
(426) 炭酸リチウム
(427) ダントロレンナトリウム水和物
(428) タンニン酸ジフェンヒドラミン
(429) チアプリド塩酸塩
(430) チアマゾール
(431) チアミラールナトリウム
(432) チアミン塩化物塩酸塩
(433) チアミン硝化物
(434) チアラミド塩酸塩
(435) チオペンタールナトリウム
(436) 注射用チオペンタールナトリウム
(437) チオリダジン塩酸塩
(438) チオ硫酸ナトリウム水和物
(439) チクロピジン塩酸塩
(440) チザニジン塩酸塩
(441) チニダゾール
(442) チペピジンヒベンズ酸塩
(443) チメピジウム臭化物水和物
(444) チモロールマレイン酸塩
(445) L-チロシン
(446) ツロブテロール
(447) ツロブテロール塩酸塩
(448) テイコプラニン
(449) テオフィリン
(450) テガフール
(451) デキサメタゾン
(452) デキストラン 40
(453) デキストラン 70
(454) デキストラン硫酸エステルナトリウムイオウ 5
(455) デキストラン硫酸エステルナトリウムイオウ 18
(456) デキストリン
(457) デキストロメトルファン臭化水素酸塩水和物
(458) テトラカイン塩酸塩
(459) テトラサイクリン塩酸塩
(460) デヒドロコール酸
(461) 精製デヒドロコール酸
(462) デヒドロコール酸注射液
(463) デフェロキサミンメシル酸塩
(464) テプレノン
(465) デメチルクロルテトラサイクリン塩酸塩
(466) テモカプリル塩酸塩
(467) テルビナフィン塩酸塩
(468) テルブタリン硫酸塩
(469) テルミサルタン
(470) デンプングリコール酸ナトリウム
(471) ドキサゾシンメシル酸塩
(472) ドキサプラム塩酸塩水和物
(473) ドキシサイクリン塩酸塩水和物
(474) ドキシフルリジン
(475) トコフェロール
(476) トコフェロール酢酸エステル
(477) トコフェロールニコチン酸エステル
(478) トスフロキサシントシル酸塩水和物
(479) ドセタキセル水和物
(480) トドララジン塩酸塩水和物
(481) ドネペジル塩酸塩
(482) ドパミン塩酸塩
(483) トフィソパム
(484) ドブタミン塩酸塩
(485) トブラマイシン
(486) トラニラスト
(487) トラネキサム酸
(488) トラピジル
(489) トラマドール塩酸塩
(490) トリアゾラム

(491)　トリアムシノロン
(492)　トリアムシノロンアセトニド
(493)　トリアムテレン
(494)　トリエンチン塩酸塩
(495)　トリクロホスナトリウム
(496)　トリクロルメチアジド
(497)　L-トリプトファン
(498)　トリヘキシフェニジル塩酸塩
(499)　ドリペネム水和物
(500)　トリメタジオン
(501)　トリメタジジン塩酸塩
(502)　トリメトキノール塩酸塩水和物
(503)　トリメブチンマレイン酸塩
(504)　ドルゾラミド塩酸塩
(505)　トルナフタート
(506)　トルブタミド
(507)　トルペリゾン塩酸塩
(508)　L-トレオニン
(509)　トレハロース水和物
(510)　トレピブトン
(511)　ドロキシドパ
(512)　トロキシピド
(513)　トロピカミド
(514)　ドロペリドール
(515)　ドンペリドン
(516)　ナイスタチン
(517)　ナテグリニド
(518)　ナドロール
(519)　ナファゾリン硝酸塩
(520)　ナファモスタットメシル酸塩
(521)　ナフトピジル
(522)　ナブメトン
(523)　ナプロキセン
(524)　ナリジクス酸
(525)　ニカルジピン塩酸塩
(526)　ニコチン酸
(527)　ニコチン酸アミド
(528)　ニコモール
(529)　ニコランジル
(530)　ニザチジン
(531)　ニセリトロール
(532)　ニセルゴリン
(533)　ニトラゼパム
(534)　ニトレンジピン
(535)　ニフェジピン
(536)　乳酸
(537)　L-乳酸
(538)　乳酸カルシウム水和物
(539)　L-乳酸ナトリウム液
(540)　L-乳酸ナトリウムリンゲル液
(541)　無水乳糖
(542)　乳糖水和物
(543)　尿素
(544)　ニルバジピン
(545)　ノスカピン
(546)　ノルゲストレル
(547)　ノルトリプチリン塩酸塩
(548)　ノルフロキサシン
(549)　バカンピシリン塩酸塩
(550)　白糖
(551)　バクロフェン
(552)　バシトラシン
(553)　パズフロキサシンメシル酸塩
(554)　パニペネム
(555)　バメタン硫酸塩
(556)　パラアミノサリチル酸カルシウム水和物
(557)　パラオキシ安息香酸エチル
(558)　パラオキシ安息香酸ブチル
(559)　パラオキシ安息香酸プロピル
(560)　パラオキシ安息香酸メチル
(561)　バラシクロビル塩酸塩
(562)　パラフィン
(563)　流動パラフィン
(564)　軽質流動パラフィン
(565)　L-バリン
(566)　バルサルタン
(567)　パルナパリンナトリウム
(568)　バルビタール
(569)　バルプロ酸ナトリウム
(570)　ハロキサゾラム
(571)　パロキセチン塩酸塩水和物
(572)　ハロペリドール
(573)　バンコマイシン塩酸塩
(574)　パンテチン
(575)　パントテン酸カルシウム
(576)　精製ヒアルロン酸ナトリウム

(577) ピオグリタゾン塩酸塩
(578) ビオチン
(579) ビカルタミド
(580) ピコスルファートナトリウム水和物
(581) ビサコジル
(582) L-ヒスチジン
(583) L-ヒスチジン塩酸塩水和物
(584) ビソプロロールフマル酸塩
(585) ピタバスタチンカルシウム水和物
(586) ヒドララジン塩酸塩
(587) ヒドロキシエチルセルロース
(588) ヒドロキシジン塩酸塩
(589) ヒドロキシジンパモ酸塩
(590) ヒドロキシプロピルセルロース
(591) 低置換度ヒドロキシプロピルセルロース
(592) ヒドロクロロチアジド
(593) ヒドロコタルニン塩酸塩水和物
(594) ヒドロコルチゾン酪酸エステル
(595) ヒドロコルチゾンリン酸エステルナトリウム
(596) ピブメシリナム塩酸塩
(597) ヒプロメロース
(598) ヒプロメロース酢酸エステルコハク酸エステル
(599) ヒプロメロースフタル酸エステル
(600) ピペミド酸水和物
(601) ピペラシリン水和物
(602) ピペラシリンナトリウム
(603) ピペラジンアジピン酸塩
(604) ピペラジンリン酸塩水和物
(605) ビペリデン塩酸塩
(606) ビホナゾール
(607) ピマリシン
(608) ヒメクロモン
(609) ピモジド
(610) ピラジナミド
(611) ピラルビシン
(612) ピランテルパモ酸塩
(613) ピリドキサールリン酸エステル水和物
(614) ピリドキシン塩酸塩
(615) ピリドスチグミン臭化物
(616) ピルシカイニド塩酸塩水和物
(617) ピレノキシン
(618) ピレンゼピン塩酸塩水和物
(619) ピロ亜硫酸ナトリウム
(620) ピロキシカム
(621) ピンドロール
(622) ファモチジン
(623) ファロペネムナトリウム水和物
(624) フィトナジオン
(625) フェキソフェナジン塩酸塩
(626) フェニトイン
(627) 注射用フェニトインナトリウム
(628) L-フェニルアラニン
(629) フェニルブタゾン
(630) フェネチシリンカリウム
(631) フェノバルビタール
(632) フェノフィブラート
(633) フェルビナク
(634) フェロジピン
(635) フェンタニルクエン酸塩
(636) フェンブフェン
(637) ブクモロール塩酸塩
(638) フシジン酸ナトリウム
(639) ブシラミン
(640) ブスルファン
(641) ブチルスコポラミン臭化物
(642) ブテナフィン塩酸塩
(643) ブドウ酒
(644) ブドウ糖
(645) 精製ブドウ糖
(646) ブドウ糖水和物
(647) フドステイン
(648) ブトロピウム臭化物
(649) ブナゾシン塩酸塩
(650) ブピバカイン塩酸塩水和物
(651) ブフェトロール塩酸塩

(652)　ブプラノロール塩酸塩
(653)　ブプレノルフィン塩酸塩
(654)　ブホルミン塩酸塩
(655)　ブメタニド
(656)　フラジオマイシン硫酸塩
(657)　プラステロン硫酸エステルナトリウム水和物
(658)　プラゼパム
(659)　プラゾシン塩酸塩
(660)　プラノプロフェン
(661)　プラバスタチンナトリウム
(662)　フラビンアデニンジヌクレオチドナトリウム
(663)　フラボキサート塩酸塩
(664)　プランルカスト水和物
(665)　プリミドン
(666)　フルオロウラシル
(667)　フルオロメトロン
(668)　フルコナゾール
(669)　フルジアゼパム
(670)　フルシトシン
(671)　フルスルチアミン塩酸塩
(672)　フルタミド
(673)　フルトプラゼパム
(674)　フルドロコルチゾン酢酸エステル
(675)　フルニトラゼパム
(676)　フルフェナジンエナント酸エステル
(677)　フルボキサミンマレイン酸塩
(678)　フルラゼパム塩酸塩
(679)　プルラン
(680)　フルルビプロフェン
(681)　ブレオマイシン塩酸塩
(682)　ブレオマイシン硫酸塩
(683)　フレカイニド酢酸塩
(684)　プレドニゾロン
(685)　プレドニゾロンリン酸エステルナトリウム
(686)　プロカイン塩酸塩
(687)　プロカインアミド塩酸塩
(688)　プロカテロール塩酸塩水和物
(689)　プロカルバジン塩酸塩
(690)　プログルミド
(691)　プロクロルペラジンマレイン酸塩
(692)　フロセミド
(693)　プロチオナミド
(694)　ブロチゾラム
(695)　プロチレリン
(696)　プロチレリン酒石酸塩水和物
(697)　プロパフェノン塩酸塩
(698)　プロピベリン塩酸塩
(699)　プロピレングリコール
(700)　プロブコール
(701)　プロプラノロール塩酸塩
(702)　フロプロピオン
(703)　プロベネシド
(704)　ブロマゼパム
(705)　ブロムフェナクナトリウム水和物
(706)　ブロムヘキシン塩酸塩
(707)　プロメタジン塩酸塩
(708)　フロモキセフナトリウム
(709)　ブロモクリプチンメシル酸塩
(710)　ブロモバレリル尿素
(711)　L-プロリン
(712)　ベカナマイシン硫酸塩
(713)　ベクロメタゾンプロピオン酸エステル
(714)　ベザフィブラート
(715)　ベタキソロール塩酸塩
(716)　ベタネコール塩化物
(717)　ベタヒスチンメシル酸塩
(718)　ベタミプロン
(719)　ベタメタゾン
(720)　ベタメタゾンジプロピオン酸エステル
(721)　ベニジピン塩酸塩
(722)　ヘパリンカルシウム
(723)　ヘパリンナトリウム
(724)　ヘパリンナトリウム注射液
(725)　ペプロマイシン硫酸塩
(726)　ベポタスチンベシ

ル酸塩
(727)　ペミロラストカリウム
(728)　ベラパミル塩酸塩
(729)　ペルフェナジン
(730)　ペルフェナジンマレイン酸塩
(731)　ベルベリン塩化物水和物
(732)　ベンジルペニシリンカリウム
(733)　ベンジルペニシリンベンザチン水和物
(734)　ベンズブロマロン
(735)　ベンセラジド塩酸塩
(736)　ペンタゾシン
(737)　ペントキシベリンクエン酸塩
(738)　ペントバルビタールカルシウム
(739)　ペンブトロール硫酸塩
(740)　ホウ酸
(741)　ホウ砂
(742)　ボグリボース
(743)　ホスホマイシンカルシウム水和物
(744)　ホスホマイシンナトリウム
(745)　ポビドン
(746)　ポビドンヨード
(747)　ホモクロルシクリジン塩酸塩
(748)　ポラプレジンク
(749)　ボリコナゾール
(750)　ポリスチレンスルホン酸カルシウム
(751)　ポリスチレンスルホン酸ナトリウム
(752)　ポリソルベート 80
(753)　ホリナートカルシウム水和物
(754)　ポリミキシン B 硫酸塩
(755)　ホルモテロールフマル酸塩水和物
(756)　マニジピン塩酸塩
(757)　マプロチリン塩酸塩
(758)　マルトース水和物
(759)　D-マンニトール
(760)　ミグリトール
(761)　ミグレニン
(762)　ミクロノマイシン硫酸塩
(763)　ミコナゾール
(764)　ミコナゾール硝酸塩
(765)　ミゾリビン
(766)　ミチグリニドカルシウム水和物
(767)　ミデカマイシン
(768)　ミデカマイシン酢酸エステル
(769)　ミノサイクリン塩酸塩
(770)　ムピロシンカルシウム水和物
(771)　メキシレチン塩酸塩
(772)　メキタジン
(773)　メグルミン
(774)　メクロフェノキサート塩酸塩
(775)　メサラジン
(776)　メストラノール
(777)　メダゼパム
(778)　L-メチオニン
(779)　メチクラン
(780)　メチラポン
(781)　*dl*-メチルエフェドリン塩酸塩
(782)　メチルジゴキシン
(783)　メチルセルロース
(784)　メチルドパ水和物
(785)　メチルプレドニゾロンコハク酸エステル
(786)　メテノロンエナント酸エステル
(787)　メテノロン酢酸エステル
(788)　メトキサレン
(789)　メトクロプラミド
(790)　メトプロロール酒石酸塩
(791)　メトホルミン塩酸塩
(792)　メドロキシプロゲステロン酢酸エステル
(793)　メトロニダゾール
(794)　メナテトレノン
(795)　メピチオスタン
(796)　メピバカイン塩酸塩
(797)　メフェナム酸
(798)　メフルシド
(799)　メフロキン塩酸塩
(800)　メペンゾラート臭化物
(801)　メルカプトプリン水和物
(802)　メルファラン
(803)　メロペネム水和物
(804)　モサプリドクエン酸塩水和物
(805)　モノステアリン酸

アルミニウム
(806)　モンテルカストナトリウム
(807)　薬用石ケン
(808)　薬用炭
(809)　ユビデカレノン
(810)　ヨウ化カリウム
(811)　ヨウ化ナトリウム
(812)　ラクツロース
(813)　ラタモキセフナトリウム
(814)　ラニチジン塩酸塩
(815)　ラノコナゾール
(816)　ラフチジン
(817)　ラベタロール塩酸塩
(818)　ラベプラゾールナトリウム
(819)　ランソプラゾール
(820)　リシノプリル水和物
(821)　L-リシン塩酸塩
(822)　L-リシン酢酸塩
(823)　リスペリドン
(824)　リセドロン酸ナトリウム水和物
(825)　リゾチーム塩酸塩
(826)　リドカイン
(827)　リトドリン塩酸塩
(828)　リバビリン
(829)　リファンピシン
(830)　リボスタマイシン硫酸塩
(831)　リボフラビン酪酸エステル
(832)　硫酸亜鉛水和物
(833)　硫酸アルミニウムカリウム水和物
(834)　硫酸カリウム
(835)　硫酸鉄水和物
(836)　硫酸バリウム
(837)　硫酸マグネシウム水和物
(838)　リルマザホン塩酸塩水和物
(839)　リンゲル液
(840)　リンコマイシン塩酸塩水和物
(841)　無水リン酸水素カルシウム
(842)　リン酸水素カルシウム水和物
(843)　リン酸水素ナトリウム水和物
(844)　リン酸二水素カルシウム水和物
(845)　レナンピシリン塩酸塩
(846)　レバミピド
(847)　レバロルファン酒石酸塩
(848)　レボドパ
(849)　レボフロキサシン水和物
(850)　レボホリナートカルシウム水和物
(851)　レボメプロマジンマレイン酸塩
(852)　L-ロイシン
(853)　ロキサチジン酢酸エステル塩酸塩
(854)　ロキシスロマイシン
(855)　ロキソプロフェンナトリウム水和物
(856)　ロサルタンカリウム
(857)　ロスバスタチンカルシウム
(858)　ロフラゼプ酸エチル
(859)　ロベンザリットナトリウム
(860)　ロラゼパム
(861)　黄色ワセリン
(862)　白色ワセリン
(863)　ワルファリンカリウム

17. 医薬品各条中，削除した品目は次のとおりである．
(1)　ナルトグラスチム(遺伝子組換え)
(2)　注射用ナルトグラスチム(遺伝子組換え)

18. 参照紫外可視吸収スペクトル中，新たに収載した品目は次のとおりである．
(1)　アナストロゾール
(2)　オキシブチニン塩酸塩
(3)　テモゾロミド
(4)　ブデソニド

19. 参照赤外吸収スペクトル中，新たに収載した品目は次のとおりである．
(1)　アナストロゾール
(2)　オキシブチニン塩酸塩
(3)　クロスカルメロースナトリウム
(4)　テモゾロミド
(5)　ブデソニド
(6)　黄色ワセリン
(7)　白色ワセリン

第十八改正日本薬局方第一追補の作成に従事した者は，次のとおりである．

浅井由美　足利太可雄　芦澤一英　安部美里
阿部康弘　天倉吉章　荒戸照世　有賀直樹
五十嵐良明　池田浩二　池戸真吾　池松靖人
石井明子　石田誠一　石田正登　泉谷悠介
市川浩之　市瀬浩志　伊豆津健一　伊藤美千穂
伊藤亮一　井上貴之　後田修　内田恵理子
内山奈穂子　江村誠　大神泰孝　大久保恒夫
◎太田茂　大村浩一　大屋賢司　小川潔
小川徹　奥田章博　奥田晴宏　小椋康光
小栗一輝　落合雅樹　小野田洋　尾原栄
改田直樹　柿沼清香　片山博仁　加藤くみ子
加藤洋　香取典子　川合保　川口正美
河野徳昭　川原信夫　川原崎芳彦　神本敏弘
木内文之　菊池裕　北島昭人　橘髙敦史
木下英治　木下充弘　木村宣貴　楠英樹
楠瀬直人　工藤由起子　久保田清　熊坂謙一
栗原正明　黒岩祐貴　黒川洵子　小出達夫
合田幸広　光地理香　五島隆志　後藤玉美
小浜亜以　小比田英機　小松かつ子　近藤誠三
近藤涼　齋藤秀之　齋藤嘉朗　酒井英二
坂本知昭　佐々木裕子　佐藤恭子　佐藤浩二
三田智文　志田静夏　篠崎陽子　柴﨑恵子
柴田寛子　嶋澤るみ子　下川さゆり　正見さおり
正田卓司　白鳥誠　代田修　杉本聡
杉本智潮　杉本直樹　鈴木茂生　鈴木紀行
鈴木幹雄　鈴木良二　須藤浩孝　田岡裕佳子
髙井良彰　高尾正樹　髙谷和広　髙野昭人
田上貴臣　高柳庸一郎　竹内尚　竹内洋文
竹田智子　竹林憲司　多田稔　只木晋一
田中智之　田中正一　田中理恵　谷本剛
張紅燕　辻厳一郎　津田重城　津田翼
土屋絢　常弘昌弥　出水庸介　徳岡庄吾
徳本廣子　豊田太一　中岡恭平　中川晋作
仲川勉　中川秀彦　中川ゆかり　中子真由美
中野達也　南雲誠心　並河信寛　成相亮介
野口修治　河賢成　蓜島由二　袴田秀樹

袴塚　高志
早川　昌子
林　　美則
樋口　賢治
深澤　秀輔
藤井　晋也
渕野　裕之
前川　直也
松浦　　匡
三澤　隆史
宮﨑　　隆
室井　正志
森部久仁一
山口　茂治
山根ゑみ子
吉田　寛幸
渡邊　英二
橋井　則貴
林　　あい
原園　　景
樋口　泰彦
深澤　征義
藤井　紀和
古川　祐光
牧浦　利信
松本　和弘
水野　　毅
宮﨑　玉樹
餅田貴美子
森本　隆司
山口　哲司
山本　栄一
吉松　嘉代
渡邊　　匠
長谷川淳博
林　　　晃
原矢　佑樹
日向　昌司
深水　啓朗
藤井　啓達
○本間　正充
政田さやか
松本　　誠
水野　諒一
村田　幸久
森　　充生
守安　貴子
山下　親正
山本　浩充
米田　幸世
花尻　瑠理
林　　克彦
日向野太郎
平田　真央
福原　　潔
藤井まき子
前川　京子
増本　直子
丸山　卓郎
三橋　隆夫
村林　美香
森﨑　崇人
安原　眞人
山田　裕子
山本　　豊
米持　悦生

◎日本薬局方部会長　○日本薬局方部会長代理

第十八改正
日本薬局方
第一追補

一般試験法　改正事項

一般試験法の部　2.01　液体クロマトグラフィーの前に次の一条を加える．

2.00　クロマトグラフィー総論

本試験法は，三薬局方での調和合意に基づき規定した試験法である．

なお，三薬局方で調和されていない部分のうち，調和合意において，調和の対象とされた項中非調和となっている項の該当箇所は「◆　◆」で，調和の対象とされた項以外に日本薬局方が独自に規定することとした項は「◇　◇」で囲むことにより示す．

三薬局方の調和合意に関する情報については，独立行政法人医薬品医療機器総合機構のウェブサイトに掲載している．

1.　はじめに

クロマトグラフィーの分離技術は多段階の分離法であり，試料の組成成分は固定相と移動相の2相間に分配される．固定相は，固体，又は固体やゲルに支持された液体である．固定相はカラムに充塡されたり，層状に塗布されたり，又は膜などとして配置される．移動相は，ガス，液体，又は超臨界流体である．分離は吸着，質量分布（分配），イオン交換などに基づき，また，大きさ，質量，体積などの分子の物理化学的特性の違いによって行われる．本法では，共通のパラメーターの定義と計算方法，及び一般に適用できるシステム適合性の必要条件を記載する．◇液体クロマトグラフィーのシステム適合性は，本法の規定のほか，液体クロマトグラフィー〈*2.01*〉に記載の規定を適用することができる．◇ 分離の原理，装置，測定方法は，対応する一般試験法に記載する．

2.　定義

医薬品各条におけるシステム適合性と適否の判定基準は，以下に定義されるパラメーターを使用して設定される．装置によっては，SN比と分離度のようなパラメーターは，装置メーカーの提供するソフトウェアを使って計算する．使用者には，そのソフトウェアで使われている計算方法が日本薬局方の規定と同等のものであることを確認し，もしそうでなければ，必要な補正を行う責任がある．

クロマトグラム

時間，又は容量に対して検出器の応答，溶出液中の濃度，又は溶出液中の濃度の測定に使われる他の量を，グラフ又は他の図で表したものである．理想的なクロマトグラムは，ベースライン上にガウス型ピークの連続として示される（図2.00-1）．

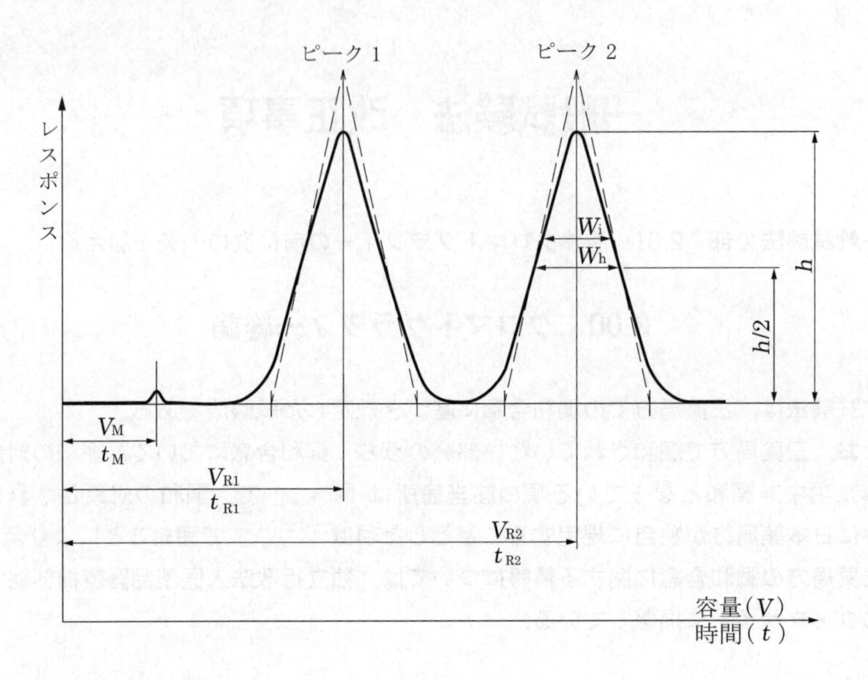

V_M：ホールドアップボリューム

t_M：ホールドアップタイム

V_{R1}：ピーク 1 の保持容量

t_{R1}：ピーク 1 の保持時間

V_{R2}：ピーク 2 の保持容量

t_{R2}：ピーク 2 の保持時間

W_h：ピーク高さの中点におけるピーク幅

W_i：変曲点におけるピーク幅

h：ピーク高さ

$h/2$：ピーク高さの中点

図 2.00-1

分配係数（K_0）

サイズ排除クロマトグラフィーでは，特定のカラムにおけるある成分の溶出特性は，次式で求められる分配係数によって与えられる．

$$K_0 = \frac{t_R - t_0}{t_t - t_0}$$

t_R：保持時間

t_0：カラムに保持されない成分の保持時間

t_t：完全浸透する成分の保持時間

グラジエント遅延容量（dwell volume）（D）（V_D とも呼ばれる）

グラジエント遅延容量は，移動相の混合箇所からカラムの入口までの間の容量である．次の手順によって決定できる．

カラム：クロマトグラフィーのカラムを適切なキャピラリーチューブ（例えば 1 m × 0.12 mm）に交換する．

移動相：

移動相 A：水

移動相 B：0.1 vol%のアセトンを含む水

時間 （分）	移動相 A （vol%）	移動相 B （vol%）
0 ～ 20	100 → 0	0 → 100
20 ～ 30	0	100

流量：十分な背圧が得られるように設定する（例えば 2 mL/分）．

検出：紫外可視吸光光度計 265 nm

吸光度が 50%増加するときの時間 $t_{0.5}$（分）を決定する（図 2.00-2）．

$$D = t_D \times F$$

t_D：$t_{0.5} - 0.5\, t_G$（分）

t_G：あらかじめ決めたグラジエント時間（20 分）

F：流量（mL/分）

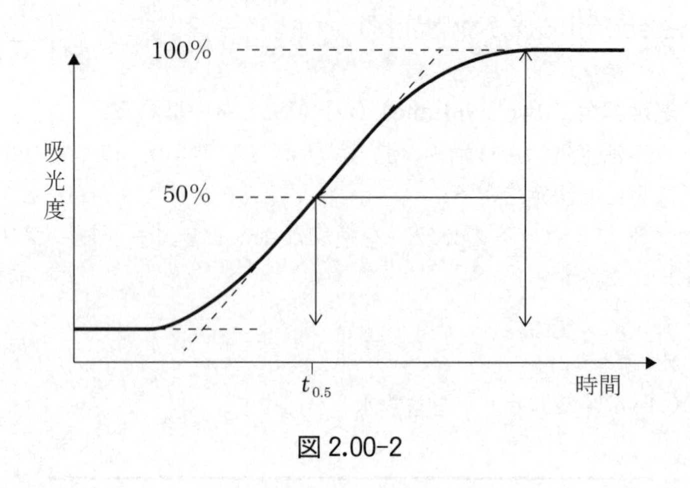

図 2.00-2

注：適用可能なところでは，この測定の試料注入部にはオートサンプラーが用いられ，そのときグラジエント遅延容量にはインジェクションループの容量も含まれる．

ホールドアップタイム（t_M）

カラムに保持されない成分の溶出に必要な時間（図 2.00-1 でベースラインの目盛りは分又は秒）．

サイズ排除クロマトグラフィーでは，カラムに保持されない成分の保持時間（t_0）という．

ホールドアップボリューム（V_M）

カラムに保持されない成分の溶出に必要な移動相の液量．

V_M は次式により，ホールドアップタイムと mL/分で表された流量（F）から計算する．

$$V_M = t_M \times F$$

サイズ排除クロマトグラフィーでは，カラムに保持されない成分の保持容量（V_0）という．

ピーク

単一成分（又は，二つ若しくはそれ以上の分離されない成分）がカラムから溶出されたときに，検出器の応答を記録したクロマトグラムの一部分．

ピークレスポンスは，ピーク面積又はピーク高さ（h）によって表される．

ピークバレー比（p/v）

ピークバレー比は，二つのピークのベースライン分離が達成されないとき，システム適合性の適合要件の一つとして利用される（図 2.00-3）．

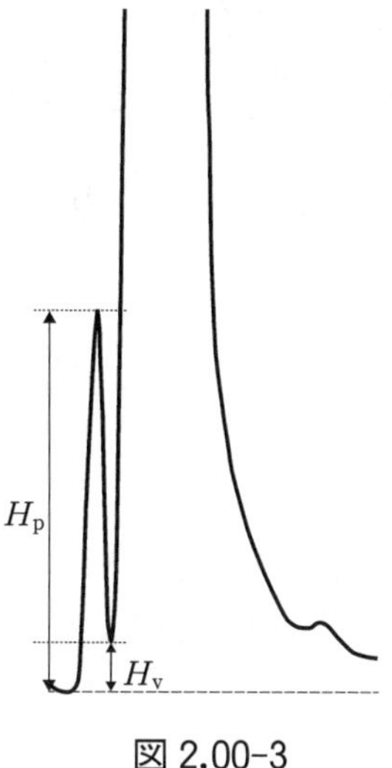

図 2.00-3

$$p/v = \frac{H_p}{H_v}$$

H_p：マイナーピークの基線からの高さ

H_v：マイナーピークとメジャーピークの分離曲線の最下点（ピークの谷）の基線からの高さ

理論段高さ（*H*）（同義語：理論段相当高さ（HETP））

カラムの長さ（L）（μm）と理論段数（N）の比．

$$H = \frac{L}{N}$$

理論段数（*N*）

カラム性能（カラム効率）を示す数値．用いる技術によるものの，恒温，イソクラティック，又は等密度の条件下で得られたデータによってのみ，次式により理論段数として求めることができる．ここで，t_R と w_h は同じ単位で表される．

$$N = 5.54\left(\frac{t_R}{w_h}\right)^2$$

t_R：被検成分のピークの保持時間

w_h：ピーク高さの中点におけるピーク幅（$h/2$）

理論段数は，被検成分はもちろん，カラム，カラム温度，移動相，保持時間によっても変化する.

換算理論段高さ（h）

理論段高さ（H）（μm）と粒子径（d_p）（μm）の比.

$$h = \frac{H}{d_p}$$

相対保持比（R_{rel}）

相対保持比は，薄層クロマトグラフィーで用いられており，標準成分の移動距離に対する被検成分の移動距離の比として求められる（図 2.00-4）.

$$R_{rel} = b／c$$

a：移動相の移動距離
b：被検成分の移動距離
c：標準成分の移動距離

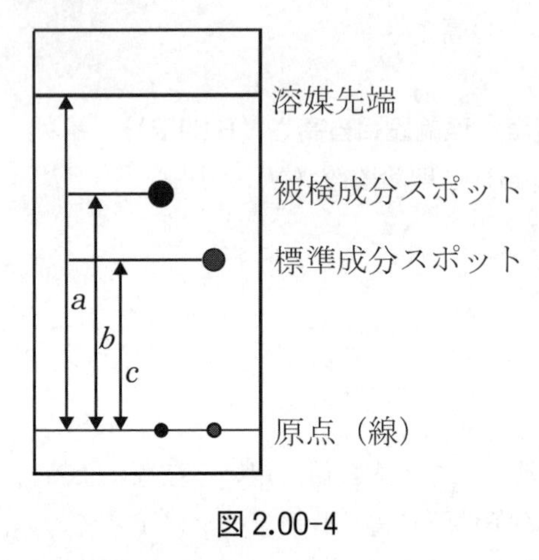

図 2.00-4

保持比（r）

保持比は，次式により概算する.

$$r = \frac{t_{Ri} - t_M}{t_{Rst} - t_M}$$

t_{Ri}：被検成分ピークの保持時間
t_{Rst}：標準成分のピークの保持時間（通常試験される成分に対応するピーク）

t_M：ホールドアップタイム

ホールドアップタイムでの補正なしの保持比（r_G），又は相対保持時間（RRT）

次式により計算する．

$$r_G = \frac{t_{Ri}}{t_{Rst}}$$

別に規定するもののほか，医薬品各条に示す保持比の値は，ホールドアップタイムでの補正なしの保持比である．

相対保持時間（RRT）

ホールドアップタイムでの補正なしの保持比を参照．

分離度（R_S）

二つの成分のピーク間の分離度（図 2.00-1）は，次式により計算する．

$$R_S = \frac{1.18(t_{R2} - t_{R1})}{w_{h1} + w_{h2}}$$

t_{R1}，t_{R2}：それぞれのピークの保持時間．ただし $t_{R2} > t_{R1}$
w_{h1}，w_{h2}：それぞれのピークの高さの中点におけるピーク幅

◇なお，ピークが完全に分離するとは，分離度 1.5 以上を意味する．ベースライン分離ともいう．◇

デンシトメトリーを用いた定量的な薄層クロマトグラフィーでは，保持時間の代わりに，移動距離を用いて次式により，二つの成分のピーク間の分離度を計算する．

$$R_S = \frac{1.18a(R_{F2} - R_{F1})}{w_{h1} + w_{h2}}$$

R_{F1}，R_{F2}：それぞれのピークの R_f 値．ただし $R_{F2} > R_{F1}$
w_{h1}，w_{h2}：それぞれのピークの高さの中点におけるピーク幅
a：原線から溶媒先端までの移動距離

R_f 値（R_F）

R_f 値は，薄層クロマトグラフィーで用いられており，試料を載せた点からスポットの中心までの距離と，同じプレート上で試料を載せた点から溶媒先端までの移動距離の比である（図 2.00-4）．

$$R_F = \frac{b}{a}$$

b：被検成分の移動距離
a：溶媒先端の移動距離

保持係数（k）

保持係数（質量分布比（D_m）又はキャパシティーファクター（k'）としても知られる）は以下のように定義されている．

$$k = \frac{\text{固定相に存在する成分量}}{\text{移動相に存在する成分量}} = K_C \frac{V_S}{V_M}$$

K_C：分配係数（又は平衡分配係数 equilibrium distribution coefficient としても知られる）
V_S：固定相の容量
V_M：移動相の容量

被検成分の保持係数は，次式によりクロマトグラムから求められる．

$$k = \frac{t_R - t_M}{t_M}$$

t_R：保持時間
t_M：ホールドアップタイム

保持時間（t_R）

試料の注入から溶出した試料の最大ピークまでの経過時間（図 2.00-1，基線のスケールは，分又は秒）．

保持容量（V_R）

ある成分が，溶出するために必要な移動相の容量．保持容量は，保持時間と流量（F：mL/分）を用いて次式により計算する．

$$V_R = t_R \times F$$

カラムに保持されない成分の保持時間（t_0）

サイズ排除クロマトグラフィーにおいて，ゲルの最大孔より分子サイズが大きな成分の保持時間（図 2.00-5）．

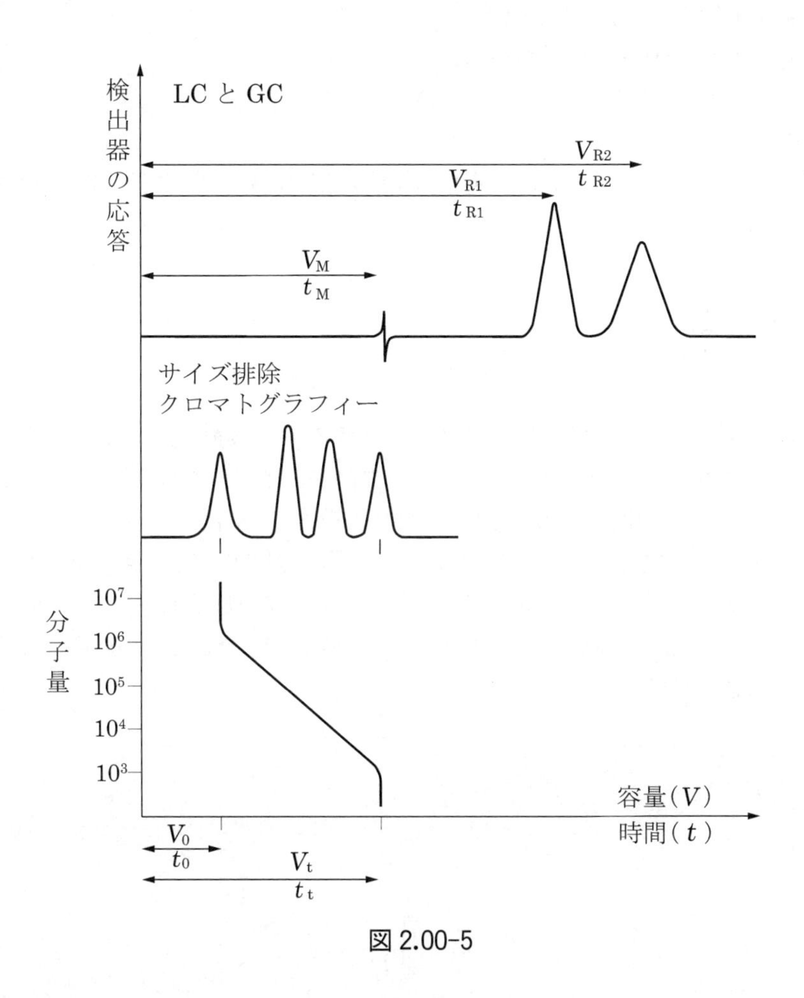

図 2.00-5

カラムに保持されない成分の保持容量（V_0）

サイズ排除クロマトグラフィーにおいて，最大ゲル孔より分子サイズが大きな成分の保持容量．カラムに保持されない成分の保持時間と流量（F：mL/分）を用いて次式により計算する．

$$V_0 = t_0 \times F$$

分離係数（α）

隣り合う二つのピークから計算された保持比（通常は，分離係数は，常に 1 より大きい）．

$$\alpha = k_2 / k_1$$

k_1：最初のピークの保持係数
k_2：2 番目のピークの保持係数

SN 比（*S/N*）

短い時間間隔で生じるノイズは，定量の精度及び真度に影響する．SN 比は次式により計算する．

$$S/N = \frac{2H}{h}$$

H：標準溶液から得られたクロマトグラム中の被検成分のピーク高さ（図 2.00-6）．ピークの頂点から，ピーク高さの中点におけるピーク幅の 20 倍に相当する範囲で測定し外挿された基線までの高さ
h：ブランクを注入後に得られたノイズ幅（図 2.00-7）．標準溶液から得られたクロマトグラム中，ピーク高さの中点におけるピーク幅の 20 倍に相当する範囲で測定する．可能ならば，標準溶液でピークが観察されるのと同じ位置で測定する．

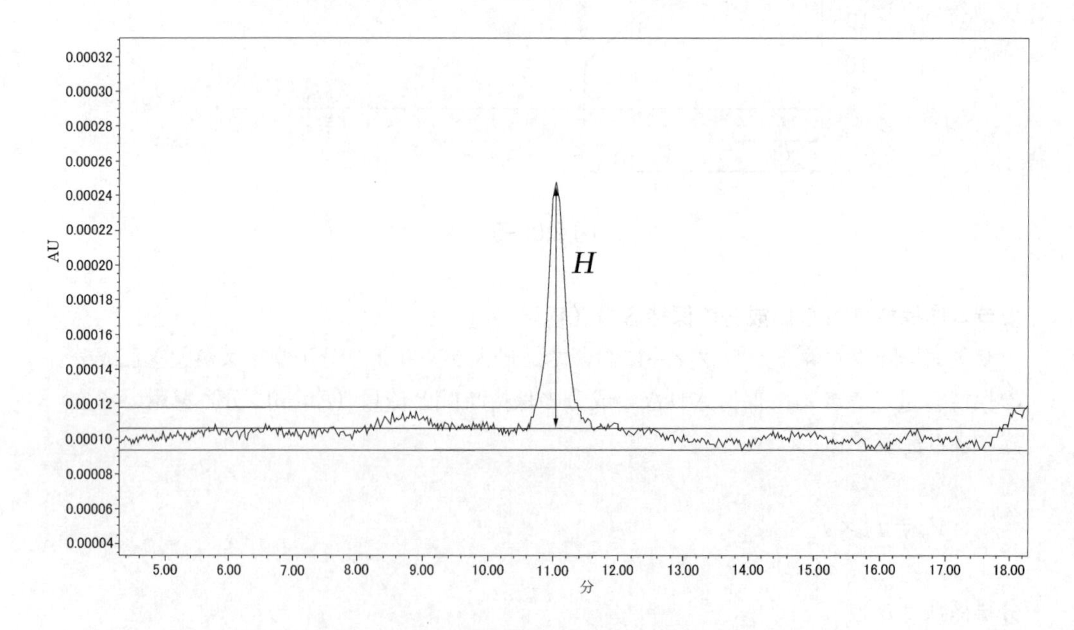

図 2.00-6　標準溶液のクロマトグラム

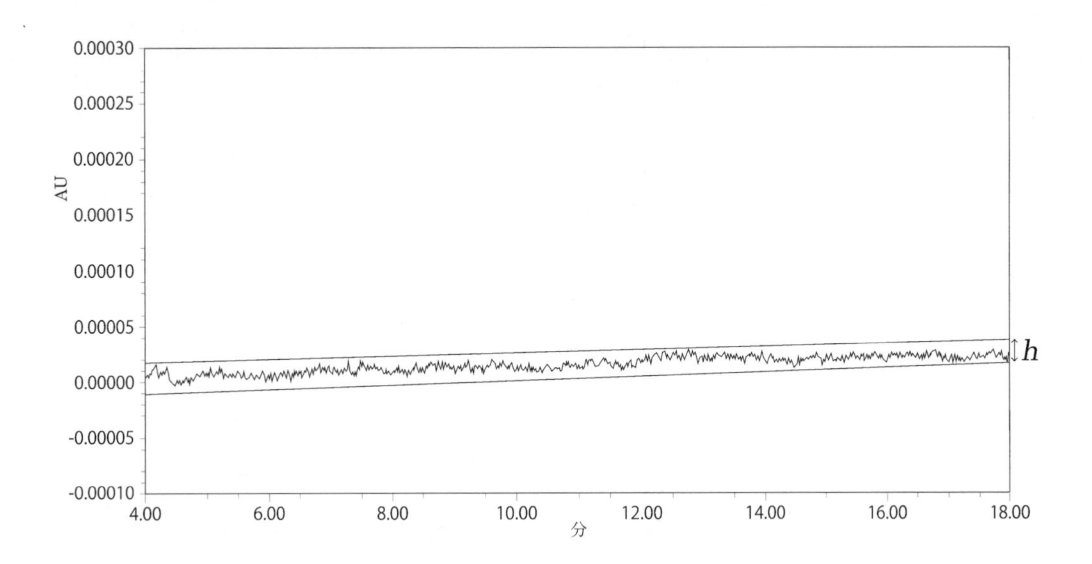

図 2.00-7　ブランクのクロマトグラム

溶媒や試薬，移動相，試料マトリックス，ガスクロマトグラフィーの温度プログラムに由来するピークの影響で，ピークの高さの中点におけるピーク幅の 20 倍に相当する範囲での基線が得られない場合は，ピークの高さの中点におけるピーク幅の少なくとも 5 倍に相当する範囲で基線を求めてもよい．

シンメトリー係数（A_S）

あるピークのシンメトリー係数（アシンメトリー係数又はテーリング係数としても知られる）（図 2.00-8）は，次式により計算する．

$$A_S = \frac{w_{0.05}}{2d}$$

$w_{0.05}$：ピーク高さの 1/20 の高さにおけるピーク幅

d：ピーク頂点から下ろした垂線と，ピーク高さの 1/20 の高さにおけるピーク立ち上がり側の端までの距離

$A_S = 1$ はシンメトリーであることを意味する．$A_S > 1.0$ のときは，ピークはテーリングしている．$A_S < 1.0$ のときは，ピークがリーディングしている．

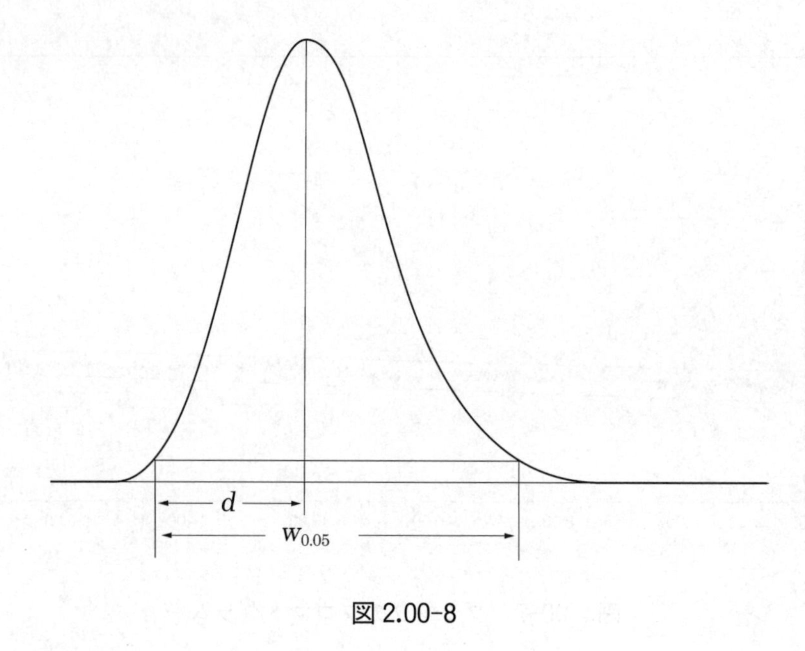

図 2.00-8

システムの再現性

レスポンスの再現性は，標準溶液を連続して3回以上注入し，次式により計算して得られた相対標準偏差（%RSD）により表される．

$$\%RSD = \frac{100}{\overline{y}}\sqrt{\frac{\Sigma(y_i - \overline{y})^2}{n-1}}$$

y_i：ピーク面積，ピーク高さ，又は内標準法によるピーク面積比の測定値
$\overline{y}$：測定値の平均値
n：測定回数

完全浸透する成分の保持時間（t_t）（Total mobile phase time（t_t））

サイズ排除クロマトグラフィーにおいて，ゲルの最小孔径よりも分子サイズが小さな成分の保持時間（図 2.00-5）．

完全浸透する成分の保持容量（V_t）（Total mobile phase volume（V_t））

サイズ排除クロマトグラフィーにおいて，ゲルの最小孔径よりも分子サイズが小さな成分の保持容量．完全浸透する成分の保持時間と流量（F）（mL/分）を用いて次式により計算する．

$$V_t = t_t \times F$$

3.　システム適合性

本項の規定は，液体クロマトグラフィー及びガスクロマトグラフィーのみに適用する．

使用する装置の構成要素が，純度試験等や定量を行うのに必要な性能を有していることの適格性を示されなければならない．

システム適合性試験は，クロマトグラフィーのシステムが適切な性能を維持していることを確認するために不可欠である．理論段数，保持係数（質量分布比），システムの再現性，SN 比，シンメトリー係数，分離度 / ピークバレー比が，クロマトグラフィーシステムの性能評価に用いられることがある．医薬品各条に記載の複雑なクロマトグラフィープロファイルの場合（例えば，生物薬品）には，視覚的なプロファイルの比較が，システム適合性試験として用いられる．

クロマトグラフィーに影響を与える因子として以下のようなものがある．

・移動相の組成及び温度
・移動相の水溶性成分のイオン強度及び pH
・流量，カラムの大きさ，カラム温度，圧力
・支持体のタイプ（粒子型，モノリス型など），粒子径又は孔サイズ，空隙率，比表面積などの固定相の特性
・逆相，及び固定相の他の表面修飾，（エンドキャッピングや炭素含有率などの）化学的な修飾の程度

保持時間及び保持比に関する情報が医薬品各条に記載されることがある．保持比に適用される基準は定められていない．

クロマトグラフィーを用いた当該試験全体を通してシステム適合性の要件に適合していることが必要である．システム適合性が示されなければ，サンプルの分析は認められない．

◇システム適合性に次の項目を設けるとき，別に規定するもののほか，各項目は以下に示す要件が満たされていなければならない．◇

システムの再現性—有効成分又は添加剤の定量

有効成分又は添加剤の定量において，それらの純物質の目標含量が 100％で，システムの再現性の要件が規定されていない場合には，標準溶液の繰り返し注入（$n = 3 \sim 6$）により算出される最大許容相対標準偏差（$\%RSD_{max}$）の限度値が定められている．

ピークレスポンスの最大許容相対標準偏差は，表 2.00-1 に示す適切な値を超えてはならない．

$$\%RSD_{max} = \frac{KB\sqrt{n}}{t_{90\%,n-1}}$$

K：$K = \frac{0.6}{\sqrt{2}} \times \frac{t_{90\%,5}}{\sqrt{6}}$ より得られる定数（0.349），ここで $\frac{0.6}{\sqrt{2}}$ は B = 1.0 のとき，注入回数6回で必要となる相対標準偏差（パーセント）

B：(医薬品各条で規定されている上限 － 100)％

n：標準溶液の繰り返し注入回数（$3 \leqq n \leqq 6$）

$t_{90\%,n-1}$：90 パーセント確率水準におけるステューデントの t 値（両側検定，自由度 $n-1$）

表 2.00-1　最大許容相対標準偏差（定量）

	注入回数 n			
	3	4	5	6
B（%）	最大許容相対標準偏差 RSD（%）			
2.0	0.41	0.59	0.73	0.85
2.5	0.52	0.74	0.92	1.06
3.0	0.62	0.89	1.10	1.27

B =（医薬品各条中の含量規格の上限 － 100)％

システムの感度

システムの感度を表すためにシグナルノイズ比（SN 比）が用いられる．定量限界(SN 比 10 に相当）は報告の閾値以下である．

ピークの対称性

別に規定するもののほか，純度試験等や定量に用いるピークのシンメトリー係数(テーリング係数）は 0.8 ～ 1.8 である．

4.　クロマトグラフィー条件の調整

記載されているクロマトグラフィー条件は，医薬品各条作成時に既にバリデートされている．

クロマトグラフィーによる試験において，根本的に医薬品各条に規定する試験方法を変更することなく，種々のパラメーターを調整することができる範囲を以下に示す．示されている範囲外への変更には，分析法の再バリデーションが必要である．

複数パラメーターの調整は分析システムに対して累積的な影響を及ぼしうるため，使用者はその影響を適切に評価し，十分なリスクアセスメントを行わなければならない．分離パターンがプロファイルとして示されている場合は，特に重要である．

いかなる調整も医薬品各条に規定する試験方法に基づいて行わなければならない．

医薬品各条に規定する試験を行う際に，いかなる調整においても追加の検証試験が必要となるだろう．調整後の医薬品各条に規定する試験方法の適合性を検証するために，変更によって影響を受ける可能性のある関連する分析性能特性を評価する必要がある．

以下に示す要件に従って医薬品各条に規定する試験方法を調整したとき，適切な再バリデーションを行うことなく更なる調整を行うことは許容されない．

システム適合性基準への適合は，試験条件が，純度試験等や定量を実施するために十分な性能を示すように設定されているかどうかを確認するために必要とされる．

グラジエント溶離（液体クロマトグラフィー）及び温度プログラム（ガスクロマトグラフィー）における試験条件の調整は，イソクラティック溶離（液体クロマトグラフィー）及び恒温条件（ガスクロマトグラフィー）における試験条件の調整より難しい．なぜならば，それらの調整によりあるピークの位置が，異なるグラジエントステップ，あるいは異なる溶出温度に移行することにより，近接したピークが部分的若しくは完全に重なる，あるいは溶出順が逆転するといった可能性があり，ピークの同定の間違いやピークの見落とし，ピーク位置が規定された溶出時間を越えることが起こるようになる．

◇生物薬品の試験では，ペプチドマップ法，糖鎖試験法，及び分子不均一性に関する試験のように，液体クロマトグラフィーで得られた分離パターンをプロファイルとして適否の判定基準に設定することがある．このような試験法においては，本項に示す方法を適用できない場合がある．◇

◇生薬等は本項の対象外とする．◇

4.1. 液体クロマトグラフィー：イソクラティック溶離

カラムパラメーターと流量

- 固定相：置換基の変更は認められない（例えば，C18 が C8 に変更されるなど）．固定相のその他の物理化学的特性，つまりクロマトグラフィー用担体，表面修飾，化学修飾の程度は類似していなければならない．全多孔性粒子カラムから表面多孔性粒子カラムへの変更は，上記要件が満たされている場合には許容される．
- カラムの大きさ（粒子径及び長さ）：カラムの粒子径や長さは，カラムの長さ（L）と粒子径（d_p）の比が一定のまま，又は，規定された L/d_p の比率の−25％から＋50％の間の範囲に変更することができる．
- 全多孔性粒子から表面多孔性粒子の粒子径を調整する場合：全多孔性粒子から表面多孔性粒子の粒子径を調整する場合は，理論段数（N）が規定されたカラムの−25％から＋50％の範囲にあれば，他の L と d_p の組み合わせも使用することができる．システム適合性の要件に適合し，管理すべき不純物の選択性と溶出順が同等であることが示されれば，これらの変更は認められる．
- 内径：粒子径やカラム長の変更がない場合に，カラム内径を調整する場合があるかもしれない．

より小さな粒子径，又は，より小さなカラム内径への試験条件の変更により，ピークボリュームがより小さくなる場合には，装置配管，検出器のセル容量，サンプリング速度及び注入量のような要因によりカラム外拡散を最小にすることが必要なことがあり注意が必要である．

粒子径を変更するときには，流量の調整が◇必要となることがあるかもしれない◇．粒子径のより小さいカラムでは，同じ性能（換算理論段高さにより評価された）を得るために，より高い線速度が必要となるからである．流量は，カラムの内径と粒子径の両方の変更により，次式に従って◇変更可能である◇．

$$F_2 = F_1 \times [(d_{c2}^{\ 2} \times d_{p1}) / (d_{c1}^{\ 2} \times d_{p2})]$$

F_1：医薬品各条の流量（mL/分）
F_2：調整された流量（mL/分）
d_{c1}：医薬品各条のカラムの内径（mm）
d_{c2}：使用するカラムの内径（mm）
d_{p1}：医薬品各条の粒子径（μm）
d_{p2}：使用するカラムの粒子径（μm）

イソクラティック分離において，粒子径を 3 μm 以上から 3 μm 未満へ変更するとき，20％を上回ってカラム性能が低下しないならば，線速度（流量の調整により）を更に増加させることが認められる．同様に，粒子径を 3 μm 未満から 3 μm 以上へ変更するとき，20％を上回ってのカラム性能の低下を避けるために，線速度（流量）を更に減少させることが認められる．

カラムの大きさの変更による調整後，更に流量の± 50％の変更が許容される．

・カラムの温度：別に規定するもののほか，規定される操作温度の±10℃．

本試験法のシステム適合性と，クロマトグラフィー条件の調整で記載されている許容範囲内で，更なる試験条件（移動相，温度，pH など）の変更が必要となることがあるかもしれない．

移動相

・組成：マイナーな溶媒成分の量は，相対的に±30％まで調整できる．例えば，移動相の 10％の微量組成について，相対的な 30％の調整は 7 ～ 13％の範囲となる．移動相の 5％の微量組成について，相対的な 30％の調整は 3.5 ～ 6.5％の範囲となる．絶対的な 10％以上の成分組成の変更は行われない．微量成分は(100/n)％以下のものからなり，n は移動相の構成要素の総数である．
・移動相の水系組成の pH：別に規定するもののほか，±0.2 pH 単位
・移動相の緩衝液組成の塩濃度：±10％
・流量：カラムの大きさに変更がない場合，±50％までの流量の調整が認められる．

検出波長：変更することはできない．

注入量：カラムの大きさを変更する場合，注入量の調整は次式が利用できる．

$$V_{\mathrm{inj2}} = V_{\mathrm{inj1}}\ (L_2\, d_{\mathrm{c2}}^{\ 2}) / (L_1\, d_{\mathrm{c1}}^{\ 2})$$

V_{inj1}：医薬品各条の注入量（μL）
V_{inj2}：調整した注入量（μL）
L_1：医薬品各条のカラムの長さ（cm）
L_2：新たなカラムの長さ（cm）
d_{c1}：医薬品各条のカラムの内径（mm）
d_{c2}：新たなカラムの内径（mm）

上記の式は，全多孔性粒子カラムから表面多孔性粒子カラムへの変更に適用できない場合があるかもしれない．

カラムの大きさを変更しない場合でも，システム適合性の判定基準が確立された許容限度値内であれば注入量は変更することができる．注入量を減少させる場合は，ピークレスポンスの検出（限界）及び再現性に特に注意が必要である．注入量の増加は，特に，変更後も測定すべきピークの直線性と分離度が十分に満たされている場合に限り許容される．

4.2.　液体クロマトグラフィー：グラジエント溶離

グラジエントシステムにおける試験条件の変更はイソクラティックシステムの場合より慎重さが求められる．

カラムパラメーターと流量

・固定相：置換基の変更は認められない（例えば，C18 が C8 に変更されるなど）．固定相のその他の物理化学的特性，つまりクロマトグラフィー用担体，表面修飾，化学修飾の程度は類似していなければならない．全多孔性粒子カラムから表面多孔性粒子カラムへの変更は，上記要件が満たされている場合には許容される．
・カラムの大きさ（粒子径及び長さ）：カラムの粒子径や長さは，カラムの長さ（L）と粒子径（d_{p}）の比が一定のまま，又は，規定された L/d_{p} の比率の−25％から＋50％の間の範囲に変更することができる．

全多孔性粒子から表面多孔性粒子の粒子径を調整する場合：本試験法及び医薬品各条に示されるシステム適合性に使用される個々のピークで $(t_{\mathrm{R}}/w_{\mathrm{h}})^2$ が規定されたカラムの−25％から＋50％の範囲にあれば，他の L と d_{p} の組み合わせも使用することができる．

システム適合性の要件に適合し，管理すべき不純物の選択性と溶出順が同等であることが示されれば，これらの変更は認められる．

・内径：粒子径やカラム長の変更がない場合に，カラム内径を調整する場合があるかもしれない．

より小さな粒子径，又は，より小さなカラム内径への試験条件の変更により，ピークボリュームがより小さくなる場合には，装置配管，検出器のセル容量，サンプリング速度及び注入量のような要因により，カラム外拡散を最小にすることが必要なことがあり注意が必要である．

粒子径を変更するときには，流量の調整が◇必要となることがあるかもしれない◇．粒子径のより小さいカラムでは，同じ性能（換算理論段高さにより評価された）を得るために，より高い線速度が必要となるからである．流量は，カラムの内径と粒子径の両方の変更により，次式に従って◇変更可能である◇．

$$F_2 = F_1 \times [(d_{c2}{}^2 \times d_{p1})/(d_{c1}{}^2 \times d_{p2})]$$

F_1：医薬品各条の流量（mL/分）
F_2：変更後の流量（mL/分）
d_{c1}：医薬品各条のカラムの内径（mm）
d_{c2}：使用するカラムの内径（mm）
d_{p1}：医薬品各条のカラム粒子径（μm）
d_{p2}：使用するカラム粒子径（μm）

カラムの大きさを変えること，すなわちカラム容量の変更は，選択性をコントロールするグラジエント容量に影響する．カラム容量に比例してグラジエント容量を変え，グラジエント条件をカラム容量に合わせて調整する．これは全ての各グラジエント容量に適用する．グラジエント容量は，グラジエント時間 t_G と流量 F の積であるため，グラジエント条件のそれぞれの時間を，カラム容量に対するグラジエント容量の比（$L \times d_c{}^2$）が一定になるように変更する．ここで，変更したグラジエント時間 t_{G2} は元のグラジエント時間 t_{G1}，流量及びカラムの大きさから次式で計算できる．

$$t_{G2} = t_{G1} \times (F_1/F_2)[(L_2 \times d_{c2}{}^2)/(L_1 \times d_{c1}{}^2)]$$

ここで，グラジエント溶離の条件の変更には次の 3 段階の変更が必要である．
(1) L/d_p で示されるカラムの長さ及び粒子径の変更，
(2) 粒子径とカラムの内径の変更による流量の変更，そして，
(3) カラムの長さ，内径及び流量の変更による各グラジエントの時間の変更である．

この条件の例を次に示す．

変数	元の条件	変更した条件	備考
カラムの長さ（L）（mm）	150	100	ユーザーの選択
カラムの内径（d_c）（mm）	4.6	2.1	ユーザーの選択
粒子径（d_p）（μm）	5	3	ユーザーの選択
L/d_p	30.0	33.3	(1)
流量（mL/分）	2.0	0.7	(2)
グラジエント調整因子（t_{G2}/t_{G1}）		0.4	(3)
グラジエント条件			
B（%）	時間（分）	時間（分）	
30	0	0	
30	3	（3 × 0.4）=1.2	
70	13	[1.2 +(10×0.4)]= 5.2	
30	16	[5.2 +(3×0.4)]= 6.4	

(1) L/d_p が−25～＋50％の範囲内の 11％増加

(2) $F_2 = F_1 [(d_{c2}^2 \times d_{p1})/(d_{c1}^2 \times d_{p2})]$ を用いて計算

(3) $t_{G2} = t_{G1} \times (F_1/F_2) [(L_2 \times d_{c2}^2)/(L_1 \times d_{c1}^2)]$ を用いて計算

・カラムの温度：別に規定するもののほか，規定した試験条件の±5℃

本試験法のシステム適合性とクロマトグラフィー条件の調整で記載されている許容範囲内で，更なる試験条件（移動相，温度，pH など）の変更が，必要となることがあるかもしれない．

移動相

・組成 / グラジエント：移動相の組成及びグラジエントは次の場合に変更できる．

（i） システム適合性の要件に適合していること．

（ii） 主なピークが元の条件で得られた保持時間の±15％の範囲内で溶離している．ただし，これはカラムの大きさを変更した場合は適用できない．

（iii） 移動相の組成及びグラジエントが，最初のピークが十分に保持され，最後のピークが溶出されるものであること．

・移動相の水系組成の pH：別に規定するもののほか，±0.2pH 単位

・移動相の緩衝液組成の塩濃度：±10％

システム適合性の要件に適合しない場合は，グラジエント遅延容量を検討するかカラムを変えることが望ましい場合がある．

グラジエント遅延容量

使用する装置構成によっては，規定した分離能，保持時間及び保持比が著しく変わることがある．このようなことが起こるのは，グラジエント遅延容量が変化しているためかもしれない．医薬品各条においては，分析法を開発した際の装置と実際に使用する装置のグラジエント遅延容量の違いを考慮して，グラジエントを開始する前にイソクラティックのステップを加えることで，グラジエント勾配の調整を行うのが望ましい．その使用する装置のイソクラティックのステップ長さを決めるのは試験者の責任において行う．医薬品各条の作成段階で用いたグラジエント遅延容量が医薬品各条に記載されている場合は，グラジエントの勾配表に記載された時間（t 分）は次式で計算した時間（t_c 分）に置き換えても構わない．

$$t_c = t - (D - D_0) / F$$

D：グラジエント遅延容量（mL）
D_0：分析法開発時のグラジエント遅延容量（mL）
F：流量（mL/分）

イソクラティックのステップを用いないで分析法バリデーションを行った場合は，グラジエント勾配の調整を行う目的で導入されたイソクラティックのステップを省略できる．

検出波長：変更できない．

注入量：カラムの大きさを変更する場合，注入量の調整には次式が利用できる．

$$V_{inj2} = V_{inj1} (L_2 {d_{c2}}^2) / (L_1 {d_{c1}}^2)$$

V_{inj1}：医薬品各条の注入量（μL）
V_{inj2}：調整した注入量（μL）
L_1：医薬品各条のカラムの長さ（cm）
L_2：新たなカラムの長さ（cm）
d_{c1}：医薬品各条のカラムの内径（mm）
d_{c2}：新たなカラムの内径（mm）

上記の式は全多孔性粒子カラムから表面多孔性粒子カラムへの変更には適用できない場合があるかもしれない．

カラムの大きさを変更しない場合でも，システム適合性の要件が確立された許容限度値内であれば注入量は変更することができる．注入量を減少させる場合は，ピークレスポンスの検出（限界）及び再現性に特に注意が必要である．注入量の増加は，特に，変更後も測定すべきピークの直線性と分離度が十分に満たされている場合に限り許容される．

4.3. ガスクロマトグラフィー

カラムパラメーター

・固定相：
　粒子径：最大50％まで減らすことができ，増やすことはできない（充填カラム）．
　膜厚：－50～＋100％（キャピラリーカラム）
・カラムの大きさ
　長さ：－70～＋100％
　内径：±50％
・カラムの温度：±10％
・温度プログラム：温度の調整は上述の通り許容される．昇温速度と各温度の保持時間の調整は±20％まで許容される．

流量：±50％

上記の調整は，システム適合性の要件に適合し，管理すべき不純物の選択性と溶出順が同等であることが示されれば，許容される．

注入量及びスプリット比：システム適合性の要件が確立された許容限度値内であれば注入量及びスプリット比は変更することができる．注入量を減少させる場合又はスプリット比を増加させる場合は，ピークレスポンスの検出（検出限界）及び再現性に特に注意が必要である．注入量の増加又はスプリット比の減少は，特に，変更後も測定すべきピークの直線性と分離度が十分に満たされている場合に限り許容される．

注入口温度及び静的ヘッドスペースにおけるトランスファーライン温度の条件：分解や濃縮が起こらない場合は±10℃

5. 定量

以下のような定量試験法が，一般試験法や医薬品各条に適用される．

5.1. 外部標準法

検量線法

被検成分の標準物質を用いて，直線性が示される範囲内で複数濃度の標準溶液を調製し，一定量を注入する．

得られたクロマトグラムから，標準物質の濃度を横軸に，ピーク面積又はピーク高さを縦軸にプロットして検量線を得る．検量線は通例直線回帰で得られる．次に，試料溶液を医薬品各条に規定された方法で調製する．検量線を得た方法と同じ操作条件下で，クロマトグラフィーを行い，被検成分のピーク面積又はピーク高さを測定し，被検成分量を検量線から読み取るか，計算する．

一点検量法

医薬品各条では，通例，検量線の直線範囲で，ある濃度の標準溶液と，標準溶液の濃度に近い濃度の試料溶液を調製し，同じ操作条件でクロマトグラフィーを行い，得られたレスポンスを比較して，被検成分量を求める．

この方法では，注入操作などの全ての試験操作は，同じ条件で実施されなければならない．

5.2.　内標準法

検量線法

内標準法では，被検成分に近い保持時間を有し，クロマトグラム上の他の全てのピークと完全に分離する安定な物質を内標準物質として選ぶ．

一定量の内標準物質と標準被検試料を段階的に加えて，数種の標準溶液を調製する．それぞれの標準溶液の一定量を注入して得られたクロマトグラムから，内標準物質に対する標準被検成分のピーク面積又はピーク高さの比を求める．これらの比を縦軸に，標準被検成分量又は内標準物質量に対する標準被検成分量の比を横軸にとり，検量線を作成する．この検量線は，通例，直線回帰で得られる．

次に医薬品各条に規定する方法に従って，検量線の作成に用いる，同量の内標準物質を含む試料溶液を調製する．検量線を作成したときと同じ条件でクロマトグラフィーを行い，内標準物質に対する，被検成分ピーク面積又はピーク高さの比を求め，検量線から被検成分量を求める．

一点検量法

医薬品各条では，通例，検量線が直線となる濃度範囲の一つの標準溶液及びこれに近い濃度の試料溶液を調製し，いずれにも一定量の内標準物質を加え，同一の条件でクロマトグラフィーを行い，得られた比を比較して，被検成分量を求める．

5.3.　面積百分率法

ピークの直線性が示されれば，医薬品各条では被検成分のパーセント含量は，溶媒，試薬，移動相又は試料マトリックスから生じるピークや，判別限界又は報告の閾値以下のピークを除いた，全てのピークの面積の総和に対する，それぞれのピーク面積の百分率で求められる．

6.　その他の留意事項

6.1.　検出器の応答

検出器の感度は，検出器に入る移動相中の物質の単位濃度又は単位質量あたりのシグナル出力である．相対的な検出器の応答係数（通例，レスポンス係数と呼ぶ）は，ある物質の標準物質に対する検出感度を表す．感度係数は，応答係数の逆数である．類縁物質試験では，医薬品各条に示された感度係数は常に適用される（すなわち，応答係数が 0.8 ～ 1.2 の範囲外の場合）．

6.2.　妨害ピーク

溶媒，試薬，移動相，試料マトリックスに由来するピークは除外する．

6.3.　ピークの測定

主ピークから完全には分離しない不純物のピークの積分は，通例，タンジェントスキムによる（図 2.00-9）．

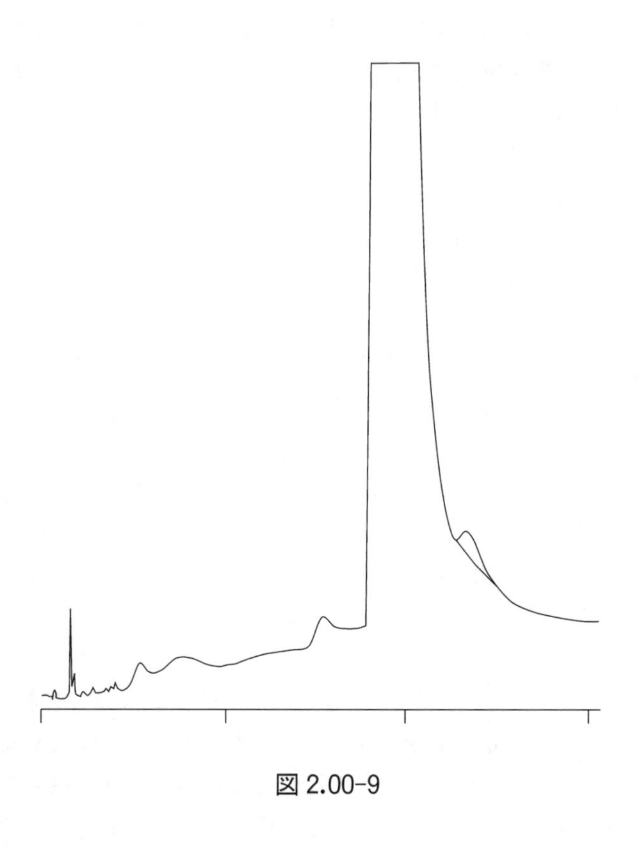

図 2.00-9

6.4.　報告の閾値

類縁物質試験において不純物の総量が規定されている場合や，ある不純物に対して定量的な評価が規定されている場合は，適切な報告の閾値及びピーク面積を積分するための適切な条件を設定することが重要になる．そのような試験では，報告の閾値，つまり，不純物量がその値を超えると報告が必要とされる限度値は，一般に 0.05％である．

一般試験法の部　2.01　液体クロマトグラフィーの条を次のように改める．

2.01　液体クロマトグラフィー

液体クロマトグラフィーは，適当な固定相を用いて作られたカラムに試料混合物を注入し，移動相として液体を用い，固定相に対する保持力の差を利用してそれぞれの成分に分離し，分析する方法であり，液体試料又は溶液にできる試料に適用でき，物質の確認，純度の試験又は定量などに用いる．

1.　装置

通例，移動相送液用ポンプ，試料導入装置，カラム，検出器及び記録装置からなり，必要に応じて移動相組成制御装置，カラム恒温槽，反応試薬送液用ポンプ及び化学反応槽などを用いる．ポンプは，カラム及び連結チューブなどの中に移動相及び反応試薬を一定流量で送ることができるものである．試料導入装置は，一定量の試料を再現性よく装置に導入するものである．カラムは，一定の大きさにそろえた液体クロマトグラフィー用充塡剤を内面が平滑で不活性な金属などの管に均一に充塡したものである．なお，充塡剤の代わりに固定相を管壁に保持させたものを用いることができる．検出器は，試料の移動相とは異なる性質を検出するもので，紫外又は可視吸光光度計，蛍光光度計，示差屈折計，電気化学検出器，化学発光検出器，電気伝導度検出器（導電率検出器）及び質量分析計などがあり，通例，数 μg 以下の試料に対して濃度に比例した信号を出すものである．記録装置は，検出器により得られる信号の強さを記録するものである．必要に応じて記録装置としてデータ処理装置を用いてクロマトグラム，保持時間，又は成分定量値などを記録あるいは出力させることができる．移動相組成制御装置は，段階的制御（ステップワイズ方式）と濃度勾配制御（グラジエント方式）があり，移動相組成を制御できるものである．

2.　操作法

装置をあらかじめ調整した後，医薬品各条に規定する試験条件の検出器，カラム，移動相を用い，移動相を規定の流量で流し，カラムを規定の温度で平衡にした後，医薬品各条に規定する量の試料溶液又は標準溶液を試料導入装置を用いて試料導入部より注入する．分離された成分を検出器により検出し，記録装置を用いてクロマトグラムとして記録させる．分析される成分が検出器で検出されるのに適した吸収，蛍光などの物性を持たない場合には，適当な誘導体化を行い検出する．誘導体化は，通例，プレカラム法又はポストカラム法による．

3.　確認及び純度の試験

本法を確認試験に用いる場合，試料の被検成分と標準被検成分の保持時間が一致すること，又は試料に標準被検試料を添加しても試料の被検成分のピークの形状が崩れないことを確認する．なお，被検成分の化学構造に関する知見が同時に得られる検出器が用いられる場合，保持時間の一致に加えて，化学構造に関する情報が一致することにより，より特異性の高い確認を行うことができる．

本法を純度試験に用いる場合，通例，試料中の混在物の限度に対応する濃度の標準溶液を用いる方法，又は面積百分率法により試験を行う．別に規定するもののほか，試料の異性体比は面積百分率法により求める．

面積百分率法は，クロマトグラム上に得られた各成分のピーク面積の総和を 100 とし，それに対するそれぞれの成分のピーク面積の比から組成比を求める．ただし，正確な組成比を得るためには混在物の主成分に対する感度係数によるピーク面積の補正を行う．

4.　定量

4.1.　内標準法

内標準法においては，一般に，被検成分になるべく近い保持時間を持ち，いずれのピークとも完全に分離する安定な物質を内標準物質として選ぶ．医薬品各条に規定する内標準物質の一定量に対して標準被検試料を段階的に加えて数種の標準溶液を調製する．この一定量ずつを注入して得られたクロマトグラムから，内標準物質のピーク面積又はピーク高さに対する標準被検成分のピーク面積又はピーク高さの比を求める．この比を縦軸に，標準被検成分量，又は内標準物質量に対する標準被検成分量の比を横軸にとり，検量線を作成する．この検量線は，通例，原点を通る直線となる．次に医薬品各条に規定する方法で同量の内標準物質を加えた試料溶液を調製し，検量線を作成したときと同一条件でクロマトグラムを記録させ，その内標準物質のピーク面積又はピーク高さに対する被検成分のピーク面積又はピーク高さの比を求め，検量線を用いて被検成分量を求める．

医薬品各条では，通例，上記の検量線が直線となる濃度範囲に入る一つの標準溶液及びこれに近い濃度の試料溶液を調製し，医薬品各条で規定するそれぞれの量につき，同一条件で液体クロマトグラフィーを行い被検成分量を求める．

4.2.　絶対検量線法

標準被検試料を段階的にとり，標準溶液を調製し，この一定量ずつを正確に，再現性よく注入する．得られたクロマトグラムから縦軸に標準被検成分のピーク面積又はピーク高さ，横軸に標準被検成分量をとり，検量線を作成する．この検量線は，通例，原点を通る直線となる．次に医薬品各条に規定する方法で試料溶液を調製する．次に検量線を作成したときと同一条件でクロマトグラムを記録させ，被検成分のピーク面積又はピーク高さを測定し，検量線を用いて被検成分量を求める．

医薬品各条では，通例，上記の検量線が直線となる濃度範囲に入る一つの標準溶液及びこれに近い濃度の試料溶液を調製し，医薬品各条で規定するそれぞれの量につき，同一条件で液体クロマトグラフィーを行い被検成分量を求める．この方法は，注入操作など測定操作の全てを厳密に一定の条件に保って行う．

5.　ピーク測定法

通例，次の方法を用いる．

5.1.　ピーク高さ測定法

(ｉ)　ピーク高さ法：ピークの頂点から記録紙の横軸へ下ろした垂線とピークの両裾を結ぶ接線（基線）との交点から頂点までの長さを測定する．

(ii)　自動ピーク高さ法：検出器からの信号をデータ処理装置を用いてピーク高さとして測定する．

5.2.　ピーク面積測定法

（ i ）　半値幅法：ピーク高さの中点におけるピーク幅にピーク高さを乗じる．
（ ii ）　自動積分法：検出器からの信号をデータ処理装置を用いてピーク面積として測定する．

6.　システム適合性

システム適合性は，クロマトグラフィーを用いた試験法には不可欠の項目であり，医薬品の試験に使用するシステムが，当該の試験を行うのに適切な性能で稼働していることを一連の品質試験ごとに確かめることを目的としている．システム適合性の試験方法と適合要件は，医薬品の品質規格に設定した試験法の中に規定されている必要がある．規定された適合要件を満たさない場合には，そのシステムを用いて行った品質試験の結果を採用してはならない．

システム適合性は，基本的に「システムの性能」及び「システムの再現性」で評価されるが，純度試験においてはこれらに加えて「検出の確認」が求められる場合がある．適切な場合には，クロマトグラフィー総論〈*2.00*〉に規定のシステム適合性の項目により評価することもできる．ただし，本法とクロマトグラフィー総論〈*2.00*〉を組み合わせることはできない．

6.1.　検出の確認

純度試験において，対象とする不純物等のピークがその規格限度値レベルの濃度で確実に検出されることを確認することによって，使用するシステムが試験の目的を達成するために必要な性能を備えていることを検証する．

定量的試験では，通例，「検出の確認」の項を設け，規格限度値レベルの溶液を注入したときのレスポンスの幅を規定して，限度値付近でレスポンスが直線性を持つことを示す．なお，限度試験のように，規格限度値と同じ濃度の標準溶液を用いて，それとの比較で試験を行う場合や，限度値レベルでの検出が「システムの再現性」などで確認できる場合には「検出の確認」の項は設けなくてもよい．

6.2.　システムの性能

被検成分に対する特異性が担保されていることを確認することによって，使用するシステムが試験の目的を達成するために必要な性能を備えていることを検証する．

定量法では，原則として，被検成分と分離確認用物質（基本的には，隣接するピークが望ましい）との分離度，及び必要な場合には，溶出順で規定する．純度試験では，原則として，被検成分と分離確認用物質（基本的には，隣接するピークが望ましい）との分離度及び溶出順で規定する．また，必要な場合には，シンメトリー係数を併せて規定する．ただし，適当な分離確認用物質がない場合には，被検成分の理論段数やシンメトリー係数で規定しても差し支えない．

6.3.　システムの再現性

標準溶液あるいはシステム適合性試験用溶液を繰返し注入したときの被検成分のレスポンスのばらつきの程度（精度）が試験の目的にかなうレベルにあることを確認することによって，使用するシステムが試験の目的を達成するために必要な性能を備えていることを検証する．

システムの再現性の許容限度値は，通例，繰返し注入における被検成分のレスポンスの相対標準偏差（RSD）として規定する．試料溶液の注入を始める前に標準溶液の注入を繰り返す形だけでなく，標準溶液の注入を試料溶液の注入の前後に分けて行う形や試料溶液の注入の間に組み込んだ形でシステムの再現性を確認してもよい．

繰返し注入の回数は6回を原則とするが，グラジエント法を用いる場合や試料中に溶出が遅い成分が混在する場合など，1回の分析に時間がかかる場合には，6回注入時とほぼ同等のシステムの再現性が担保されるように，達成すべきばらつきの許容限度値を厳しく規定することにより，繰返し注入の回数を減らしてもよい．

システムの再現性の許容限度値は，当該試験法の適用を検討した際のデータと試験に必要とされる精度を考慮して，適切なレベルに設定する．

7. 試験条件の変更に関する留意事項

医薬品各条の試験条件のうち，カラムの内径及び長さ，充塡剤の粒径（モノリス型カラムの場合は孔径），カラム温度，移動相の組成比，移動相の緩衝液組成，移動相の pH，移動相のイオン対形成剤濃度，移動相の塩濃度，切替え回数，切替え時間，グラジエントプログラム及びその流量，誘導体化試薬の組成及び流量，移動相の流量並びに反応時間及び化学反応槽温度は，適切に分析性能の検証を行った上で一部変更することができる．ただし，生薬等については，システム適合性の規定に適合することをもって分析性能の検証に代えることができる．

8. 用語

クロマトグラフィー総論〈*2.00*〉の定義に従う．

9. 注意

標準被検試料，内標準物質，試験に用いる試薬及び試液は測定の妨げとなる物質を含まないものを用いる．

一般試験法の部 2.02 ガスクロマトグラフィーの条を次のように改める．

2.02 ガスクロマトグラフィー

ガスクロマトグラフィーは，適当な固定相を用いて作られたカラムに，試料混合物を注入し，移動相として気体（キャリヤーガス）を用い，固定相に対する保持力の差を利用してそれぞれの成分に分離し，分析する方法であり，気体試料又は気化できる試料に適用でき，物質の確認，純度の試験又は定量などに用いる．

1. 装置

通例，キャリヤーガス導入部及び流量制御装置，試料導入装置，カラム，カラム恒温槽，検出器及び記録装置からなり，必要ならば燃焼ガス，助燃ガス及び付加ガスなどの導入装置並びに流量制御装置，ヘッドスペース用試料導入装置などを用いる．キャリヤーガス導入部及び流量制御装置は，キャリヤーガスを一定流量でカラムに送るもので，通例，調圧弁，流量調節弁及び圧力計などで構成される．試料導入装置は，一定量の試料を正確に再現性よくキャリヤーガス流路中に導入するための装置で，充塡カラム用とキャピラリーカラム用がある．なお，キャピラリーカラム用試料導入装置には，分割導入方式と非分割導入方式の装置がある．通例，カラムは，充塡カラム及びキャピラリーカラムの2種類に分けられる．充塡カラムは，一定の大きさにそろえたガスクロマトグラフィー用充塡剤を不活性な金属，ガラス又は合成樹脂などの管に均一に充塡したものである．なお，充塡カラムのうち，内径が1 mm以下のものは，充塡キャピラリーカラム（マイクロパックドカラム）ともいう．キャピラリーカラムは，不活性な金属，ガラス，石英又は合成樹脂などの管の内面にガスクロマトグラフィー用の固定相を保持させた中空構造のものである．カラム恒温槽は，必要な長さのカラムを収容できる容積があり，カラム温度を一定の温度に保つための温度制御機構を持つものである．検出器は，カラムで分離された成分を検出するもので，アルカリ熱イオン化検出器，炎光光度検出器，質量分析計，水素炎イオン化検出器，電子捕獲検出器，熱伝導度検出器などがある．記録装置は検出器により得られる信号の強さを記録するものである．

2.　操作法

別に規定するもののほか，次の方法による．装置をあらかじめ調整した後，医薬品各条に規定する試験条件の検出器，カラム及びキャリヤーガスを用い，キャリヤーガスを一定流量で流し，カラムを規定の温度で平衡にした後，医薬品各条に規定する量の試料溶液又は標準溶液を試料導入装置を用いて系内に注入する．分離された成分を検出器により検出し，記録装置を用いてクロマトグラムとして記録させる．

3.　確認及び純度の試験

本法を確認試験に用いる場合，試料の被検成分と標準被検成分の保持時間が一致すること又は試料に標準被検試料を添加しても，試料の被検成分のピークの形状が崩れないことを確認する．

本法を純度試験に用いる場合，通例，試料中の混在物の限度に対応する濃度の標準溶液を用いる方法，又は面積百分率法により試験を行う．別に規定するもののほか，試料の異性体比は面積百分率法により求める．

面積百分率法は，クロマトグラム上に得られた各成分のピーク面積の総和を100とし，それに対するそれぞれの成分のピーク面積の比から組成比を求める．ただし，正確な組成比を得るためには，混在物の主成分に対する感度係数によるピーク面積の補正を行う．

4.　定量

通例，内標準法によるが，適当な内標準物質が得られない場合は絶対検量線法による．定量結果に対して被検成分以外の成分の影響が無視できない場合は標準添加法による．

4.1. 内標準法

内標準法においては，一般に，被検成分になるべく近い保持時間を持ち，いずれのピークとも完全に分離する安定な物質を内標準物質として選ぶ．医薬品各条に規定する内標準物質の一定量に対して標準被検試料を段階的に加えて数種の標準溶液を調製する．この一定量ずつを注入して得られたクロマトグラムから，内標準物質のピーク面積又はピーク高さに対する標準被検成分のピーク面積又はピーク高さの比を求める．この比を縦軸に，標準被検成分量，又は内標準物質量に対する標準被検成分量の比を横軸にとり，検量線を作成する．この検量線は，通例，原点を通る直線となる．次に医薬品各条に規定する方法で同量の内標準物質を加えた試料溶液を調製し，検量線を作成したときと同一条件でクロマトグラムを記録させ，その内標準物質のピーク面積又はピーク高さに対する被検成分のピーク面積又はピーク高さの比を求め，検量線を用いて被検成分量を求める．

医薬品各条では，通例，上記の検量線が直線となる濃度範囲に入る一つの標準溶液及びこれに近い濃度の試料溶液を調製し，医薬品各条で規定するそれぞれの量につき，同一条件でガスクロマトグラフィーを行い被検成分量を求める．

4.2. 絶対検量線法

標準被検試料を段階的にとり，標準溶液を調製し，この一定量ずつを正確に再現性よく注入する．得られたクロマトグラムから縦軸に標準被検成分のピーク面積又はピーク高さ，横軸に標準被検成分量をとり，検量線を作成する．この検量線は，通例，原点を通る直線となる．次に医薬品各条に規定する方法で試料溶液を調製する．次に検量線を作成したときと同一条件でクロマトグラムを記録させ，被検成分のピーク面積又はピーク高さを測定し，検量線を用いて被検成分量を求める．

医薬品各条では，通例，上記の検量線が直線となる濃度範囲に入る一つの標準溶液及びこれに近い濃度の試料溶液を調製し，医薬品各条で規定するそれぞれの量につき，同一条件でガスクロマトグラフィーを行い被検成分量を求める．この方法は全測定操作を厳密に一定の条件に保って行う．

4.3. 標準添加法

試料の溶液から 4 個以上の一定量の液を正確にとる．このうちの 1 個を除き，採取した液に被検成分の標準溶液を被検成分の濃度が段階的に異なるように正確に加える．これらの液及び先に除いた 1 個の液をそれぞれ正確に一定量に希釈し，それぞれ試料溶液とする．この液の一定量ずつを正確に再現性よく注入して得られたクロマトグラムから，それぞれのピーク面積又はピーク高さを求める．それぞれの試料溶液に加えられた被検成分の濃度を算出し，横軸に標準溶液の添加による被検成分の増加量，縦軸にピーク面積又はピーク高さをとり，グラフにそれぞれの値をプロットし，関係線を作成する．関係線の横軸との交点と原点との距離から被検成分量を求める．なお，本法は，絶対検量線法で被検成分の検量線を作成するとき，検量線が，原点を通る直線であるときに適用できる．また，全測定操作を厳密に一定の条件に保って行う．

5.　ピーク測定法

通例，次の方法を用いる．

5.1.　ピーク高さ測定法

(ｉ)　ピーク高さ法：ピークの頂点から記録紙の横軸へ下ろした垂線とピークの両裾を結ぶ接線（基線）との交点から頂点までの長さを測定する．

(ii)　自動ピーク高さ法：検出器からの信号をデータ処理装置を用いてピーク高さとして測定する．

5.2.　ピーク面積測定法

(ｉ)　半値幅法：ピーク高さの中点におけるピーク幅にピーク高さを乗じる．

(ii)　自動積分法：検出器からの信号をデータ処理装置を用いてピーク面積として測定する．

6.　システム適合性

液体クロマトグラフィー〈*2.01*〉のシステム適合性の規定を準用する．

7.　試験条件の変更に関する留意事項

医薬品各条の試験条件のうち，カラムの内径及び長さ，充塡剤の粒径，固定相の濃度又は厚さ，カラム温度，昇温速度，キャリヤーガスの種類及び流量，スプリット比は，適切に分析性能の検証を行った上で一部変更することができる．ただし，生薬等については，システム適合性の規定に適合することをもって分析性能の検証に代えることができる．また，ヘッドスペース用試料導入装置及びその操作条件は，規定の方法以上の真度及び精度が得られる範囲内で変更できる．

8.　用語

クロマトグラフィー総論〈*2.00*〉の定義に従う．

9.　注意

標準被検試料，内標準物質，試験に用いる試薬及び試液は測定の妨げとなる物質を含まないものを用いる．

一般試験法の部　2.22　蛍光光度法の条を次のように改める．

2.22　蛍光光度法

蛍光光度法は，蛍光物質の溶液に特定波長域の励起光を照射するとき，放射される蛍光の強度を測定する方法である．この方法はリン光物質にも適用される．

蛍光強度Fは，希薄溶液では，溶液中の蛍光物質の濃度c及び層長lに比例する．

$$F = kI_0 \phi \varepsilon cl$$

k：比例定数

I_0：励起光の強さ

ϕ：蛍光量子収率又はリン光量子収率

蛍光量子収率又はリン光量子収率

$$= \frac{\text{蛍光量子又はリン光量子の数}}{\text{吸収した光量子の数}}$$

ε：励起光の波長におけるモル吸光係数

1. 装置

通例，分光蛍光光度計を用いる．

光源としてはキセノンランプ，レーザー，アルカリハライドランプなど励起光を安定に放射するものを用いる．蛍光測定には，通例，層長 1 cm × 1 cm の四面透明で無蛍光の石英製セルを用いる．

2. 操作法

励起スペクトルは，分光蛍光光度計の蛍光波長を適切な波長に固定しておき，励起波長を変化させて試料溶液の蛍光強度を測定し，励起波長と蛍光強度との関係を示す曲線を描くことによって得られる．また，蛍光スペクトルは，適切な波長に固定した励起光を蛍光物質の希薄溶液に照射して得られる蛍光を，少しずつ異なった波長で測定し，波長と蛍光強度との関係を示す曲線を描くことによって得られる．必要ならば，装置の分光特性を加味したスペクトルの補正を行う．

蛍光強度は，通例，蛍光物質の励起及び蛍光スペクトルの極大波長付近において測定するが，蛍光強度は僅かな条件の変化に影響されるので比較となる標準の溶液を用いる．

別に規定するもののほか，医薬品各条に規定する方法で調製した標準溶液及び試料溶液並びに対照溶液につき，次の操作を行う．励起波長及び蛍光波長を規定する測定波長に固定し，次にゼロ点を合わせた後，標準溶液を入れた石英セルを試料室の光路に置き，蛍光強度が 60 ～ 80％目盛りを示すように調整する．次に，試料溶液及び対照溶液の蛍光強度（％目盛り）を同じ条件で測定する．波長幅は，特に規定するもののほか適当に定める．

3. 注意

蛍光強度は溶液の濃度，温度，pH，溶媒又は試薬の種類及びそれらの純度などによって影響されることが多い．

一般試験法の部　2.26　ラマンスペクトル測定法の次に次の二条を加える.

2.27　近赤外吸収スペクトル測定法

近赤外吸収スペクトル測定法は，試料による近赤外領域における光の吸収スペクトルを測定し，その解析を行うことにより，物質の定性的又は定量的評価を行うための分光学的方法の一つである.

近赤外線は，可視光線と赤外線の間にあって，通例，750 ～ 2500 nm（13333 ～ 4000 cm^{-1}）の波長（又は波数）範囲の光を指す．近赤外線の吸収は，主として赤外領域 2500 ～ 25000 nm（4000 ～ 400 cm^{-1}）における基準振動の倍音又は結合音による振動によって生じ，特に水素原子が関与する O−H，N−H，C−H，S−H による吸収が主である.

近赤外域における吸収は，赤外域における基準振動による吸収よりもはるかに弱い．また，近赤外線は，可視光線と比較して長波長であることから，光は粉体を含む固体試料中，数 mm の深さまで侵入することができる．この過程で吸収される光のスペクトル変化（透過光又は反射光）より，試料に関わる物理的及び化学的知見が得られることから，本法は，非破壊分析法としても広く活用されている.

近赤外吸収スペクトル測定法は，既存の確立された分析法に代えて，迅速かつ非破壊的な分析法として用いられるものであり，この分析法を品質評価試験法として管理に用いる場合，既存の分析法を基準として比較試験を行うことにより，その同等性を確認しておく必要がある.

本法を応用し，原薬及び製剤中の有効成分，添加剤又は水分について，定性的又は定量的評価を行うことができる．また，結晶形，結晶化度，粒子径などの物理的状態の評価に用いることもできる．さらに光ファイバーを用いることにより，装置本体から離れた場所にある試料について，サンプリングを行うことなくスペクトル測定が可能であることから，医薬品の製造工程管理をオンライン（又はインライン）で行うための有力な手段としても活用することができる.

1.　装置

近赤外分光光度計には，主として分散型近赤外分光光度計及びフーリエ変換近赤外分光光度計がある.

1.1.　分散型近赤外分光光度計

装置は，光源部，試料部，分光部，測光部，信号処理部，データ処理部及び表示・記録・出力部より構成されている．光源には，ハロゲンランプ，タングステンランプ，発光ダイオードなど，近赤外線を高輝度かつ安定に放射するものが用いられる．試料部は，試料セル及び試料ホルダーより構成される．光ファイバー及びコリメーターなどより構成される光ファイバー部を有する装置においては，分光光度計本体から離れた場所に設置された試料部に光を伝送する機能が付与されている．光ファイバーの材質としては，通例，石英が用いられる．

分光部は，分散素子を用いて必要とする波長の光を取り出すためのものであり，スリット，ミラー，分散素子から構成されている．測光部は，検出器及び増幅器で構成されている．検出器としては，半導体検出器のほか，光電子増倍管も用いられる．半導体検出器による検出方法としては，通例，単一素子による検出が行われるが，複数の素子を用いたアレイ型検出器が用いられることもあり，これにより複数波長（又は波数）の光の同時検出が可能となる．信号処理部では，増幅器の出力信号から測定に必要な信号を分離し，出力する．信号処理方式にはアナログ処理及びデジタル処理がある．

1.2.　フーリエ変換近赤外分光光度計

装置の構成は，分光測光部及び信号処理部を除き，基本的に 1.1. の分散型装置の構成と同様である．

分光測光部は，干渉計，サンプリング信号発生器，検出器，増幅器，A/D 変換器などで構成される．信号処理部については，分散型装置で要求される機能に加え，得られた干渉波形（インターフェログラム）をフーリエ変換により吸収スペクトルへ読み替える機能が付与されている．

2.　測定法

近赤外吸収スペクトル測定法には透過法，拡散反射法及び透過反射法の 3 種の測定法がある．測定法の選択は，試料の形状及び用途に依存し，例えば，粉体を含む固体試料には透過法又は拡散反射法が，液体試料には透過法又は透過反射法が用いられる．装置の測定モードなどを選択し，設定する．

2.1.　透過法

透過法では，光源からの光が試料を通過する際の入射光強度の減衰の度合いを透過率 T（%）又は吸光度 A として表す．

本法は，液体又は溶液試料に適用される方法であり，石英ガラスセル，フローセルなどに注入し，層長 1 ～ 5 mm 程度で測定する．また，粉体を含む固体試料に対しても適用可能であり，拡散透過法ともよばれる．この場合，試料の粒度，表面状態などにより透過光強度は変化することから，適切な層長の選択が重要となる．

2.2.　拡散反射法

拡散反射法では，試料から広い立体角範囲に放射する反射光強度 I と対照となる物質表面からの反射光強度 I_r との比を反射率 R（%）として表す．近赤外線は，粉体を含む固体試料中，数 mm の深さまで侵入し，その過程で透過，屈折，反射，散乱を繰り返し，拡散するが，この拡散光の一部は再び試料表面から放射され，検出器に捕捉される．通例，反射率の逆数の対数を波長（又は波数）に対してプロットすることにより，拡散反射吸光度（A_r）のスペクトルが得られる．

本法は，粉体を含む固体試料に適用される方法であり，測定に際して，プローブなどの拡散反射装置が必要となる．

2.3.　透過反射法

透過反射法は，透過法と反射法を組み合わせたものである．透過反射率 T^*（%）を測定する場合，ミラーを用いて試料を透過した光を再反射させる．光路長は試料厚さの2倍にする．一方，対照光は，鏡面で反射して検出器に入る反射光を用いる．ただし，本法を懸濁試料に適用する場合，ミラーの代わりに拡散反射する粗面を持つ金属板又はセラミック反射板などが用いられる．

本法は，粉体を含む固体試料，液体試料及び懸濁試料に適用される方法である．固体試料に適用する場合，試料厚さを調節する必要があるが，通例，検出器の直線性とSN比が最良となる吸光度で0.1～2（透過率で79～1%）となるように調節する．なお，粉体試料に適用する場合，粉体の粒度に応じて適切な層長を持つセルを選択する必要がある．

3.　スペクトルに影響を与える要因

近赤外吸収スペクトル測定法を適用しようとするとき，特に定量的な分析においては，スペクトルに影響を与える要因として，以下の事項に留意する必要がある．

(i)　測定条件：試料温度が数℃違うとスペクトルに有意な変化（例えば，波長シフト）を生ずることがある．特に試料が水分を含む場合，注意する必要がある．また，試料中の水分又は残留溶媒及び測定環境中の水分（湿度）も近赤外領域の吸収帯に有意な影響を与える可能性がある．

試料の厚さは，スペクトル変化の要因であり，一定の厚さに管理する必要がある．さらに，固体又は粉体試料の測定においては，試料の充塡状態がスペクトルに影響を与える可能性があるため，試料のセルへの充塡にあたっては，一定量を一定手順により充塡するよう注意する必要がある．

試料は，サンプリング後の時間経過又は保存に伴って化学的，物理的又は光学的性質に変化が生じる可能性があるため，検量線作成の際には，試験室でのオフライン測定とするか，又は製造工程でのオンライン（又はインライン）測定とするかなど，測定までの時間経過を十分に考慮して検量線用試料を調製するなどの注意が必要である．

(ii)　試料特性：物理的，化学的又は光学的に不均一な試料の場合，比較的大きな光束（beam size）を用いるか，複数試料又は同一試料の複数点を測定するか，又は粉砕するなどして，試料の平均化を図る必要がある．また，粉末試料では，粒径，充塡の度合い，表面の粗さなどもスペクトルに影響を与える．結晶構造の変化（結晶多形）もスペクトルに影響を与えるため，複数の結晶形が存在する場合，検量線用の標準的な試料についても分析対象となる試料と同様な多形分布を持つように注意する必要がある．

4.　装置性能の管理

4.1.　波長（又は波数）の正確さ

装置の波長（又は波数）の正確さは，吸収ピークの波長（又は波数）が確定された適切な物質，例えば，ポリスチレン，希土類酸化物の混合物（ジスプロシウム／ホルミウム／エルビウム（1：1：1））又は水蒸気などの吸収ピークと装置の指示値との偏りから求める．通例，次の3ピーク位置付近での許容差は下記のとおりとする．ただし，適用する用途に応じて，適切な許容差を設定することができる．

1200 ± 1 nm（8300 ± 8 cm^{-1}）

1600 ± 1 nm（6250 ± 6 cm^{-1}）

2000 ± 1.5 nm（5000 ± 4 cm^{-1}）

ただし，基準として用いる物質により吸収ピークの位置が異なるので，上記3ピークに最も近い波長（又は波数）位置の吸収ピークを選んで適合性を評価する．例えば，希土類酸化物の混合物は1261 nm（7930 cm^{-1}），1681 nm（5949 cm^{-1}），1971 nm（5074 cm^{-1}）に特徴的な吸収ピークを示す．

波数分解能の高いフーリエ変換分光光度計では1368.6 nm（7306.7 cm^{-1}）の水蒸気の吸収ピークを用いることができる．

なお，妥当性が確認できれば，ほかの物質を基準として用いることもできる．

4.2.　分光学的直線性

異なる濃度で炭素を含浸させた板状のポリマー（Carbon-doped polymer standards）など適当な標準板を用いて分光学的直線性の評価を行うことができる．ただし，直線性の確認のためには，反射率10～90%の範囲内の少なくとも4濃度レベルの標準板を用いる必要がある．また，吸光度1.0以上での測定が想定される場合，反射率2%又は5%の標準板のいずれか又は両標準板を追加する必要がある．

これらの標準板につき，波長1200 nm（8300 cm^{-1}），1600 nm（6250 cm^{-1}）及び2000 nm（5000 cm^{-1}）付近の位置における吸光度を測定し，この値をそれぞれの標準板に付与されている各波長（又は波数）での吸光度に対してプロットするとき，得られる直線の勾配は，通例，1.00 ± 0.05，縦軸切片は0.00 ± 0.05の範囲内にあることを確認する．ただし，適用する用途に応じて，適切な許容差を設定することができる．

5.　定性又は定量分析への応用

近赤外吸収スペクトルの解析法としては，通常，ケモメトリックスの手法を用いて解析を行うが，検量線法などの一般的な分光学的手法が適用可能であればこれを用いてもよい．ケモメトリックスは，通例，化学データを数量化し，情報化するための数学的手法及び統計学的手法を指すが，近赤外吸収スペクトル測定法におけるケモメトリックスとしては，種々の多変量解析法が用いられ，目的に合わせて選択する．また，ケモメトリックスの手法を用いて分析法を確立しようとする場合，近赤外吸収スペクトルの特徴を強調すること及びスペクトルの複雑さや吸収バンドの重なりの影響を減ずるために，スペクトルの一次若しくは二次微分処理又は正規化（Normalization）などの数学的前処理を行うことは，重要な手順の一つとなる．

近赤外吸収スペクトル測定法では，確立された後の分析法の性能を維持管理することが重要であり，継続的かつ計画的な保守点検作業が必要とされる．また，製造工程又は原料などの変更及び装置の主要部品の交換などに伴う変更管理又は再バリデーションの実施などに関する適切な評価手順が用意されているか留意が必要である．

5.1.　定性分析

分析対象となる各物質について，許容される範囲のロット間変動を含んだリファレンスライブラリーを作成し，ケモメトリックスの手法を用いて分析法を確立した後，定性的評価を行う．標準スペクトルとの比較やバリデートされたケモメトリックスソフトウェアなどを用いた方法により，同一性を確認することができる．また，吸収バンドによる同定を行うこともできる．

なお，多変量解析法としては波長相関法，残差平方和法，距離平方和法などの波長（又は波数）又は吸光度などを変数とする直接的な解析法のほか，主成分分析などの前処理をした後に適用される因子分析法，クラスター分析法，判別分析法及びSIMCA（Soft independent modeling of class analogy）などの多変量解析法もある．

また，近赤外吸収スペクトル全体を一つのパターンとみなし，多変量解析法の適用により得られるパラメーター又は分析対象成分に特徴的な波長（又は波数）でのピーク高さをモニタリングの指標とすることにより，原薬又は製剤の製造工程管理に利用することもできる．

5.2.　定量分析

定量分析は，通例，試料群のスペクトルと既存の確立された分析法によって求められた分析値との関係から，ケモメトリックスの手法を用いて，定量モデルを求め，換算方程式によって，測定試料中の各成分濃度や物性値を算出する．定量モデルを求めるためのケモメトリックスの手法には，重回帰分析法及びPLS（Partial least squares）回帰分析法などがある．

試料の組成が単純な場合，濃度既知の検量線作成用試料を用いて，ある特定波長（又は波数）における吸光度又はこれに比例するパラメーターと濃度との関係をプロットして検量線とし，これを用いて試料中の分析対象成分の濃度を算出できることもある（検量線法）．

2.28　円偏光二色性測定法

円偏光二色性測定法は，光学活性な化合物の光の吸収波長領域において，左右円偏光の吸収度合いが異なる現象（円偏光二色性）を利用して，光学活性物質の構造解析，構造確認，鏡像異性体やジアステレオマーとの識別などに用いられる方法である．

本法では，円偏光二色性は，以下のように左右円偏光の吸光度の差として実測される．

$$\Delta A = A_L - A_R$$

ΔA：左右円偏光の吸光度の差
A_L：左円偏光に対する吸光度
A_R：右円偏光に対する吸光度

また，左右円偏光に対するモル吸光係数の差をモル円二色性として以下のように表すことができる．

$$\Delta \varepsilon = \varepsilon_L - \varepsilon_R = \frac{\Delta A}{c \times l}$$

$\Delta \varepsilon$：モル円二色性［$(\mathrm{mol/L})^{-1} \cdot \mathrm{cm}^{-1}$)］
ε_L：左円偏光に対するモル吸光係数［$(\mathrm{mol/L})^{-1} \cdot \mathrm{cm}^{-1}$］
ε_R：右円偏光に対するモル吸光係数［$(\mathrm{mol/L})^{-1} \cdot \mathrm{cm}^{-1}$］
c：溶液中の光学活性物質の濃度（mol/L）
l：層長（cm）

さらに，以下の単位も円偏光二色性を示す単位として使用することができる．

異方性因子（g factor）：

$$g = \frac{\Delta \varepsilon}{\varepsilon}$$

ε：モル吸光係数

モル楕円率 molar ellipticity：
装置によっては楕円率（°）を単位として円偏光二色性を表す．そのような場合は，モル楕円率［θ］は以下の式を用いて計算される．

$$[\theta] = \frac{\theta}{10 \times c \times l}$$

［θ］：モル楕円率（$° \cdot \mathrm{cm}^2/\mathrm{dmol}$）
θ：装置により算出される楕円率の値（m°）
c：溶液中の光学活性物質の濃度（mol/L）
l：層長（cm）

モル楕円率は以下の式によりモル円二色性と関連付けられる．

$$[\theta] = 2.303\,\Delta\varepsilon\,\frac{4500}{\pi} \approx 3300\,\Delta\varepsilon$$

モル円二色性やモル楕円率は，しばしばペプチドやタンパク質，核酸の分析に用いられる．この場合，モル濃度（c）の算出には分子量を単量体当たりの残基数で除した平均残基分子量が用いられる．

$$\text{平均残基分子量} = \frac{\text{分子量}}{\text{アミノ酸残基数又はヌクレオチド残基数}}$$

平均残基分子量は，ペプチドやタンパク質の場合は 100 ～ 120（一般的には 115），核酸の場合はナトリウム塩として約 330 である．

1.　装置

円二色性分光光度計を用いる．光源には，キセノンランプが用いられる．光源からの光は，水晶プリズムを装備したダブルモノクロメーターにより分光と同時に偏光され，単色直線偏光となる．モノクロメーター出口のスリットで，異常光を排除する．単色直線偏光は，光弾性変調器を通過することにより，一定の周波数で左右円偏光に交互に変調され試料に照射される．

検体試料を通過した光は，光電子増倍管に達したのち，二つの電気信号に分けられ増幅される．一つは，直流信号 V_{DC} で，これは試料の光吸収を反映する．もう一つは，試料に円偏光二色性がある場合に生じる光弾性変調器の変調周波数と同じ周波数の交流信号 V_{AC} である．交流信号の位相が円偏光二色性の符号（＋あるいは－）を示し，振幅の大きさが円偏光二色性の強度を示す．ここで，V_{AC}/V_{DC} は，左右円偏光の吸光度の差 ΔA に比例する．通常，円二色性分光光度計で測定される波長範囲は，170 ～ 800 nm 程度であるが，より広い波長範囲を測定可能な装置もある．

2.　測定法

温度，波長，層長，試料濃度を設定し，測定する．試料を適切な溶媒に溶解し，セルに入れ測定する．試料調製では，不純物のスペクトルへの影響，濃度による試料の構造変化，溶媒自身の吸収，試料構造への溶媒の影響の有無を確認しておく．試料セルの光路長，特に光路長が短い際には注意が必要である．さらに，試料による光の吸収は検出器へ届くシグナルの低下を招く可能性があるため，留意が必要である．

2.1.　確認試験

モル円二色性又はモル楕円率が最大となる波長と共に，モル円二色性又はモル楕円率を規定する．確認しようとする物質の規定した最大波長におけるモル円二色性又はモル楕円率が，この規定に合致するとき，同一性を確認することができる．又は，試料のスペクトルと確認しようとする物質の参照スペクトル又は標準品のスペクトルを比較し，両者のスペクトルが同一波長のところに同様の強度のモル円二色性又はモル楕円率を与えるとき，互いの同一性を確認することができる．

2.2.　二次構造の解析

ペプチドやタンパク質においては，特異的なスペクトルが遠紫外部に現れる．約250 nm以下のスペクトルを測定することにより，ペプチドやタンパク質の二次構造を推定することができる．さらに，近紫外部のスペクトルにより三次元構造について推定することもできる．ただし，円偏光二色性測定では分子全体の平均的な性質を観察していることに留意が必要である．αヘリックス構造では，一般に208 nm，222 nmに負の極大，191 ～ 193 nmに正の極大が，βシート構造では216 ～ 218 nmに負の極大，195 ～ 200 nmに正の極大が，不規則構造では195 ～ 200 nmに負の極大が現れる．円偏光二色性スペクトルから，二次構造の割合を解析する手法には，計算式を用いる手法，データベースより求める手法がある．多変量解析により算出することもできる．いずれの手法を用いた場合も，算出に用いた方法を試験法に明記する．

3.　装置性能の確認

波長校正された装置により，$\Delta\varepsilon$が既知である円偏光二色性の測定に適した品質を有する試料を用いて確認する．

3.1.　円偏光二色性の正確さ

$\Delta\varepsilon$が既知である物質，例えばイソアンドロステロン，*d*-カンファスルホン酸アンモニウムなどを用いて校正する（機器メーカーの推奨品を用いてもよい）．イソアンドロステロンを用いる場合は，イソアンドロステロン10.0 mgを正確に量り，エタノール（99.5）に溶かし，正確に10 mLとする．層長10 mmのセルを用いて，調製した溶液の円偏光二色性スペクトルを280 nmから360 nmまで測定するとき，304 nmにおける$\Delta\varepsilon$は+3.3である．

3.2.　変調の直線性

$\Delta\varepsilon$が既知である物質，例えば*d*-カンファスルホン酸アンモニウムなどを用いて校正する（機器メーカーの推奨品を用いてもよい）．*d*-カンファスルホン酸アンモニウムを用いる場合は，*d*-カンファスルホン酸アンモニウム6.0 mgを正確に量り，水に溶かし，正確に10 mLとする．層長1 mmのセルを用いて，調製した溶液の円偏光二色性スペクトルを185 nmから340 nmまで測定するとき，290.5 nmにおける$\Delta\varepsilon$は+2.2 ～ +2.5である．192.5 nmにおける$\Delta\varepsilon$は−4.3 ～ −5である．

一般試験法の部　2.58　粉末X線回折測定法の条を次のように改める.

2.58　粉末X線回折測定法

本試験法は，三薬局方での調和合意に基づき規定した試験法である.

なお，三薬局方で調和されていない部分のうち，調和合意において，調和の対象とされた項中非調和となっている項の該当箇所は「◆　◆」で，調和の対象とされた項以外に日本薬局方が独自に規定することとした項は「◇　◇」で囲むことにより示す.

三薬局方の調和合意に関する情報については，独立行政法人医薬品医療機器総合機構のウェブサイトに掲載している.

◇粉末X線回折測定法は，粉末試料にX線を照射し，その物質中の電子を強制振動させることにより生じる干渉性散乱X線による回折強度を，各回折角について測定する方法である.◇

化合物の全ての結晶相は特徴的なX線回折パターンを示す．X線回折パターンは，微結晶（粒子内の結晶性領域）又はある程度の大きさの結晶片からなる無配向化した結晶性粉末から得られる．単位格子の種類と大きさに依存した回折線の角度，主として原子の種類と配列並びに試料中の選択配向に依存した回折線の強度，及び測定装置の解像力と微結晶の大きさ，歪み及び試料の厚さに依存した回折線の形状の3種類の情報が，通例，X線回折パターンから得られる.

回折線の角度及び強度の測定は，結晶物質の結晶相の同定などの定性的及び定量的な相分析に用いられる．また，非晶質と結晶の割合の評価も可能である[1]．粉末X線回折測定法は，他の分析試験方法と比べ，非破壊的な測定法である（試料調製は，試料の無配向を保証するための粉砕に限られる）．粉末X線回折測定は，低温・低湿又は高温・高湿のような特別な条件においても可能である.

1.　原理

X線回折はX線と原子の電子雲との間の相互作用の結果生じる．原子配列に依存して，弾性散乱X線に干渉が生じる．干渉は回折した二つのX線波の行路差が波長の整数倍異なる場合に強められる．この選択的条件はブラッグの法則と呼ばれ，ブラッグの式（次式）により表される（図2.58-1).

$$2d_{hkl}\sin\theta_{hkl} = n\lambda$$

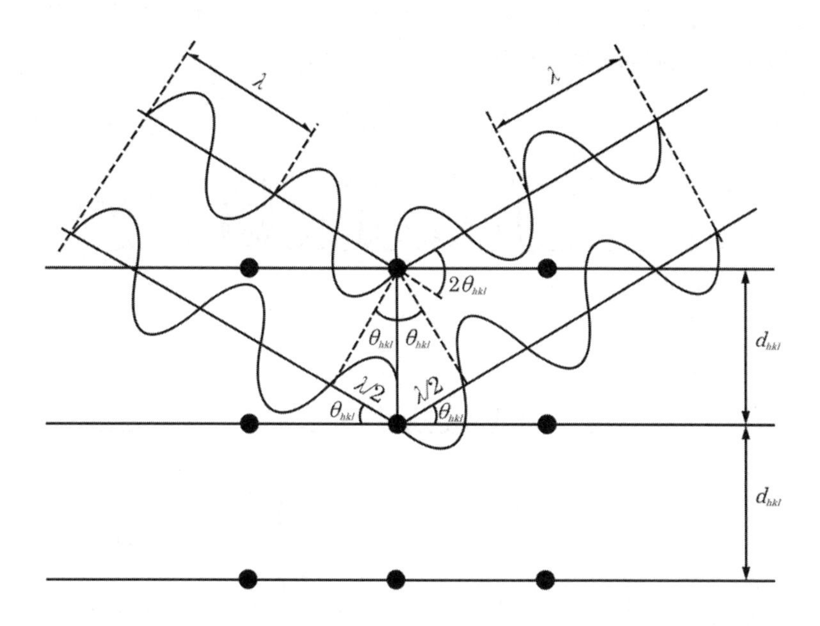

図 2.58-1　ブラッグの法則に基づいた結晶による X 線回折

X 線の波長 λ は，通例，連続する結晶格子面間の距離又は面間隔 d_{hkl} と同程度の大きさである．θ_{hkl} は入射 X 線と格子面群との間の角度であり，$\sin\theta_{hkl}$ は連続する結晶格子面間の距離又は面間隔 d_{hkl} と反比例の関係となる．

単位格子軸に関連して，格子面の方向と間隔はミラー指数（hkl）により規定される．これらの指数は，結晶面が単位格子軸と作る切片の逆数の最も小さい整数である．単位格子の大きさは，軸長 a，b，c とそれぞれの軸間の角度 α，β，γ により与えられる．特定の平行な hkl 面の組の格子面間隔は d_{hkl} により表される．それぞれの格子面の同系列の面は $1/n$（n は整数）の面間隔を持ち，nh，nk，nl 面による高次の回折を示す．結晶のあらゆる組の格子面は，特定の λ に対応するブラッグ回折角 θ_{hkl} を有する．

粉末試料が多結晶の場合，いずれの角度 θ_{hkl} においてもブラッグの法則で示される回折が可能となる方向を向いている微結晶が存在する[2]．一定の波長の X 線に対して，回折ピーク（回折線，反射又はブラッグ反射とも呼ばれる）の位置は結晶格子（d－間隔）の特性を示し，それらの理論的強度は結晶学的な単位格子の内容（原子の種類と位置）に依存し，回折線形状は結晶格子の完全性や結晶の大きさに依存する．これらの条件の下で，回折ピーク強度は，原子配列，原子の種類，熱運動及び構造の不完全性や測定装置特性などにより決められる．回折強度は構造因子，温度因子，偏光因子，多重度因子，ローレンツ因子，及び微小吸収因子などの多くの因子にも依存する．回折パターンの主要な特徴は，2θ の位置，ピーク高さ，ピーク面積及びピーク形状（例えば，ピークの幅や非対称性，あるいは解析関数や経験的な表現法などにより示される）である．ある物質の異なる五つの固体相で認められた粉末X線パターンの例を図2.58-2に示す．

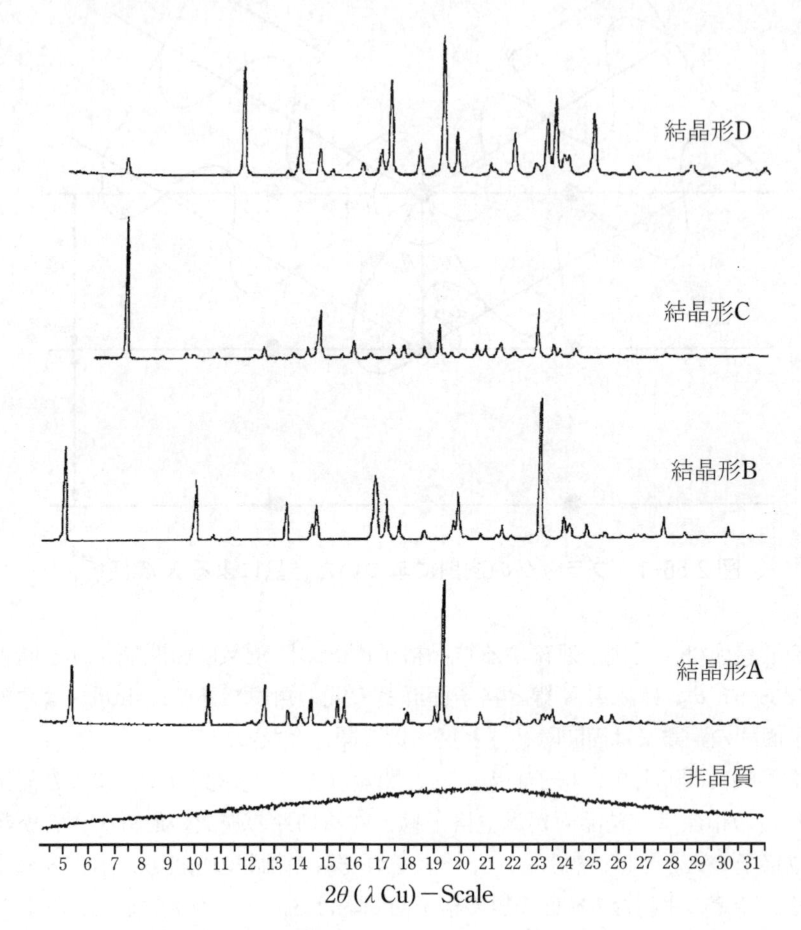

図2.58-2　ある物質の異なる五つの固体相で認められた粉末X線パターン（結晶形A-Dの強度は規格化してある）

粉末X線回折測定では回折ピークに加えてある程度のバックグラウンドが発生し，ピークに重なって観察される．試料調製方法に加え，試料ホルダー，空気，試料及び装置による散漫散乱や，検出器のノイズ，X線管から発生する連続X線など，装置側の要因もバックグラウンドの原因となる．バックグラウンドを最小限にし，照射時間を延長することによってピーク対バックグラウンド比を増加させることができる．

2.　装置

2.1.　装置の構成

粉末X線回折測定は，通例，粉末回折計か粉末カメラを用いる．粉末回折計は，一般的に五つの主要な部分から構成されている．それらはX線源，入射光の単色化，平行化や集束のための光学系，ゴニオメーター，回折光の単色化，平行化や集束のための光学系及び検出器から構成される．別にX線回折測定装置には，通例，データの収集及びデータ処理システムが必要であり，これらは装備されている．

相の同定，定量分析，格子パラメーターの測定など，分析目的に応じて，装置の異なる配置や性能レベルが必要となる．粉末回折パターンを測定するための最も簡単な装置は粉末カメラである．通例，写真フィルムにより検出するが，光子検出器が組み込まれたブラッグ－ブレンターノ集中法光学系が開発されている．ブラッグ－ブレンターノ集中法光学系は現在広く使用されているので，以下に簡潔に記載する．

装置の配置は，水平又は垂直な $\theta/2\theta$ の配置，若しくは垂直な θ/θ の配置とすることができる．いずれの配置においても，入射X線ビームは試料面と θ の角度をなし，回折X線ビームは試料面とは θ の角度をなすが，入射X線ビームの方向とは 2θ の角度をなす．基本配置の一例を図2.58-3に示す．X線管から放射された発散ビーム（一次ビーム）はソーラースリットと発散スリットを通過し，平らな試料面に入射する．試料中の適切に配向している微結晶により，2θ の角度に回折された全てのX線は，受光スリットの一本の線に集束する．二組目のソーラースリットと散乱スリットは，受光スリットの前か後のいずれかに設置される．受光スリットは，通例，0次元検出器が用いられるときにのみ利用される．X線管の線焦点軸と受光スリット軸はゴニオメーター軸から等距離に設定される．X線は，通例，シンチレーション計数管や密閉ガス比例計数管のような検出器により求められるが，現在では位置敏感型半導体検出器やハイブリッド型光子計数検出器がより広く利用されている．受光スリットと検出器は組み合わされており，焦点円の接線方向に動く．$\theta/2\theta$ 走査では，ゴニオメーターは試料と検出器を同軸方向に回転させるが，試料は検出器の半分の回転速度で回転する．試料面は焦点円の接線方向と同一となる．ソーラースリットはビームの軸方向発散を制限し，回折線の形状に部分的に影響を与える．

回折計は透過配置でも使用できる．この方法の利点は選択配向の影響を抑えられることである．約0.5～2 mm径のキャピラリーが微量試料の測定に使用される．

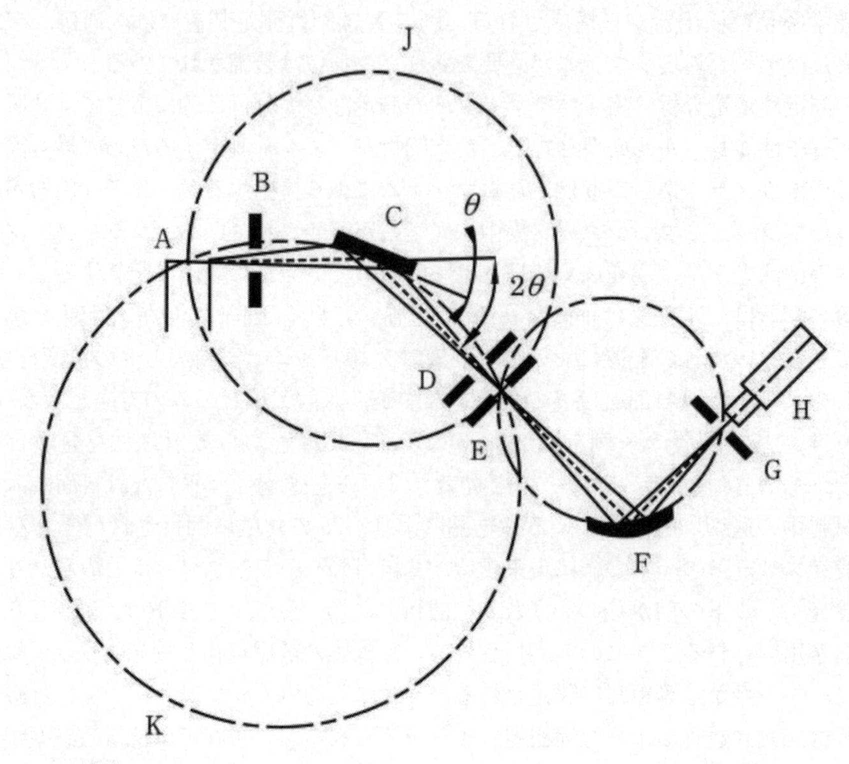

A：X線管
B：発散スリット
C：試料
D：反拡散スリット
E：受光スリット
F：モノクロメーター
G：検出器側受光スリット
H：検出器
J：回折計円
K：焦点円

図 2.58-3　ブラッグ－ブレンターノ集中法光学系の配置図

2.2.　X 線放射

実験室では，X 線は熱電子効果により放出された電子を高電圧による強い電場で加速し金属陽極に衝突させることによって得られる．電子の多くの運動エネルギーは熱に変換されるため，X 線管の機能を保持させるためには，陽極の十分な冷却が必要となる．回転対陰極や最適化された X 線光学系を用いると，20 ～ 30 倍の輝度が得られる．もう一つの方法として，X 線フォトンはシンクロトロンのような大規模施設においても発生される．

高電圧で作動している X 線管から発生する X 線のスペクトルは，多色放射（制動放射X線又は白色X線）の連続的なスペクトル（バックグラウンド）と陽極の種類によって決まる特性X線からなり，X線回折測定には，通例，特性X線のみが用いられる．X線回折に用いられる主な放射線源には，銅，モリブデン，鉄，コバルト，銀，クロムを陽極とする真空管が用いられる．有機物のX線回折測定においては，通例，銅やモリブデンのX線が用いられる．使用するX線の選定は，試料の吸収特性と試料中に存在する原子由来の蛍光発光の可能性も考慮して行う．粉末X線回折に使用するX線は，通例，陰極から発生するKα線である．したがって，発生したX線からKα線以外の全ての成分を除去し，X線ビームを単色化しなければならない．単色化は，通例，X線管より放出されるKα線及びKβ線の波長の間に吸収端を有する金属フィルターをKβフィルターとして用いて行われる．フィルターは，通例，単色X線管と試料の間に置かれる．単色X線ビームを得るより一般的な方法としては，大きなモノクロメーター用結晶（通例，モノクロメーターと呼ばれる）を用いることである．この結晶は試料の前又は後に設置され，Kα線及びKβ線による特性X線ピークを異なる角度に回折させることにより，一つの回折ピークのみを検出器に入射させる．特殊なモノクロメーターの使用により，Kα_1線とKα_2線を分離することも可能である．ただし，フィルターやモノクロメーターを用いて単色ビームを得る際，その強度及び効率は低下する．Kα線及びKβ線を分離するもう一つの方法は，湾曲X線ミラーを使用することであり，これによって単色化，焦点合わせ，平行化を同時に行うことができる．

2.3. 放射線防護

人体のいかなる部分へのX線の暴露も健康に有害である．したがって，X線を使用する際には，当該作業者及びその周辺にいる人を保護するための適切な予防措置を講じることが必要である．放射線防護についての必要な訓練やX線暴露水準の許容限度は，労働安全衛生法で定められている．

3. 試料の調製と取付け

粉末試料の調製と試料ホルダーへの適切な充填は，得られるデータの質に重大な影響を与えるので，特に粉末X線回折測定法では重要な操作となる[3]．ブラッグ－ブレンターノ集中法光学系の装置を用いた場合における試料調製及び充填に起因する主なエラーの要因を以下に示す．

3.1. 試料の調製

一般的には，多くの結晶粒子の形態は試料ホルダー中で試料に選択配向性を与える傾向がある．粉砕により微細な針状晶又は板状晶が生成する場合には，この傾向は特に顕著となる．試料中の選択配向は種々の反射強度に影響を与え，その結果，完全な無配向な試料で予測される反射に比べ，ある場合には強く，ある場合には弱く観察される．幾つかの手法が微結晶の配向のランダム化（結果として選択配向が最小になる）のために用いられるが，最良で最も簡便な方法は，粒子径を小さくすることである．微結晶の最適数は，回折装置の配置，必要な解像度及び試料によるX線ビームの減衰の程度に依存する．相の同定であれば，通例，50 μm 程度の粒子径によって十分な結果が得られる．しかしながら，過度の粉砕（粒子径が約 0.5 μm 以下となる場合）は，線幅の広がりや下記のような，試料の性質の重大な変化の原因となることがある．

（i）乳鉢，乳棒，ボールなどの粉砕装置から発生する粒子による試料の汚染

（ii）結晶化度の低下

（iii）他の多形への固相転移

（iv）化学的分解

（v）内部応力の発現

（vi）固体反応

したがって，未粉砕試料の回折パターンと粉砕した粒子径の小さい試料の回折パターンを比較することが望ましい．得られた粉末 X 線回折パターンが利用目的に十分に適合するならば，粉砕操作は不要である．試料中に複数の相が存在し，特定の大きさの粒子を得るためふるいを用いた場合には，組成が初期状態から変化している可能性があることに注意すべきである．

4.　装置性能の管理

ゴニオメーターと入射及び回折 X 線ビーム光学装置には，調整を必要とする多くの部分がある．調整の程度や誤調整は，粉末 X 線回折の測定結果の質に直接影響する．したがって，系統誤差を最小限にするために，検出器で最適な X 線強度が得られるように光学系及び機械システムなど，回折装置の種々の部分を注意深く調整しなければならない．回折装置の調整に際して，最大強度かつ最大解像度を探すことは容易ではない．したがって，手順どおりに調整を行い最適条件を求める必要がある．回折装置には多くの配置方法があり，個々の装置は特別な調整方法を必要とする．

回折装置全体の性能は，標準物質，例えばシリコンや α-アルミナの粉末を用いて定期的に試験及び検査をしなければならない．この場合，認証された標準物質の使用が望ましいが，分析の種類によっては他の特定の標準物質を使用することもできる．

5.　定性分析（相の同定）

粉末 X 線回折による未知試料中の各相の同定は，通例，基準となる物質について実験的に又は計算により求められる回折パターンと，試料による回折パターンとの視覚的あるいはコンピューターによる比較に基づいて行われる．標準パターンは，理想的には特性が明確な単一相であることが確認された試料について測定されたものでなければならない．多くの場合，この方法によって回折角 2θ 又は面間隔 d 及び相対強度から結晶性化合物を同定することができる．コンピューターを用いた未知試料回折パターンと標準データとを比較する場合，ある程度の 2θ 範囲の回折パターン全体か，あるいは回折パターンの主要部分を用いるか，いずれかの方法により行われる．例えば，それぞれの回折パターンから得られた面間隔 d 及び標準化した強度 I_{norm} の表，いわゆる（d, I_{norm}）表は，その結晶性物質の指紋に相当するものであり，デー

タベースに収載されている単一相試料の（d，I_{norm}）表と比較対照することができる．

CuKα線を用いた多くの有機結晶の測定では，できるだけ0°付近から少なくとも30°までの2θの範囲で回折パターンを記録するのが，通例，適切である．同一結晶形の試料と基準となる物質との間の2θ回折角は，0.2°以内で一致すると期待される．しかしながら，試料と基準となる物質間の相対的強度は選択配向効果のためかなり変動することがある．転移しやすい水和物や溶媒和物は，単位格子の大きさが変化することが知られており，その場合回折パターン上，ピーク位置のシフトが生じる．これらの物質では，0.2°を超える2θ位置のシフトが予期されることから，0.2°以内というピーク位置の許容幅は適用しない．その他の無機塩類等の試料については，2θ測定範囲を30°以上に拡大する必要がある．一般的には，単一相試料の粉末X線回折データベースに収載されている，10本以上の強度の大きな反射を測定すれば十分である．

以下のように，相を同定することがしばしば困難であるか，あるいは不可能な場合がある．

（i）　結晶化していない物質，あるいは非晶質物質
（ii）　同定すべき成分が質量分率で少量（通例，10％未満）
（iii）　著しい選択配向性を示す
（iv）　当該相がデータベースに収載されていない
（v）　固溶体の生成
（vi）　単位格子を変化させる不規則構造の存在
（vii）　多数の相からなる
（viii）　単位格子の変形
（ix）　異なる相での構造類似性の存在

6.　定量分析

対象とする試料が最大一つの非晶質を含む複数の相からなっている場合，各結晶相の割合又は非晶相の割合（容積比又は質量比）を求めることは多くの場合可能である．定量分析は積分強度，複数の個々の回折線のピーク高さ又は全体のパターンに基づいて行われる[4)]．これらの積分強度，ピーク高さ，全体のパターンは対応する基準となる物質の値と比較される．ここで基準となる物質は，単一の相又は混合物である．試料調製（試料中では全ての相が均一に分散していることと各相の粒子径が適切であることが測定結果の真度と精度に必須である）とマトリックス効果が定量分析における問題点である．通常，固体試料中の10％程度の結晶相を定量することが可能であり，最適の条件が整えば，10％より少量の結晶相を定量することも可能である．

6.1.　多形試料

二つの多形相aとbからなる試料で，相aの割合F_aは定量的に次式で示される．

$$F_a = \frac{1}{1 + K(I_b／I_a)}$$

この値は2相の強度比の測定と定数Kの値を得ることにより求められる．Kは二つの純粋な多形相の絶対強度比$I_{oa}／I_{ob}$であり，標準試料の測定から求められる．

6.2.　標準試料を用いる方法

定量分析に用いられる方法には，外部標準法，内部標準法，スパイキング法（標準添加法）がある．

外部標準法は最も一般的な方法であり，測定しようとする混合物のX線回折パターンや各ピーク強度を，標準試料の混合物を用いて測定した場合と比較する．構造が明らかであれば，構造モデルの理論強度と比較して求めることもできる．

内部標準法では，測定しようとする試料と回折パターンが重ならず粒子径やX線吸収係数が同等な内部標準となる物質が，マトリックス効果による誤差を少なくするために使用される．既知量の内部標準となる物質を試料及び各標準試料の混合物に添加する．これらの条件の下では，ピーク強度と濃度との間に直線関係が成り立つ．内部標準法では回折強度を正確に測定する必要がある．

スパイキング法（標準添加法）では，未知濃度の相aを含む混合物に純粋な相aを一定量加える．添加量の異なる幾つかの試料を調製し，強度対濃度プロットを作成するとき，x軸のマイナスの切片が元の試料中の相aの濃度となる．

7.　非晶質と結晶の割合の評価

結晶と非晶質の混合物では，結晶相と非晶相の割合を幾つかの方法で求めることができる．試料の性質によって使用する方法を選択する．

（i）　試料が異なる複数の結晶成分と一つの非晶質成分からなる場合は，各結晶相の量は適切な標準試料を用いることにより求められ，非晶質の量はその差により間接的に推定される．

（ii）　試料が同じ元素組成の一つの結晶成分と一つの非晶質成分からなる場合，1相性あるいは2相性の混合物であっても，結晶相の量（結晶化度）は回折パターンの三つの面積を測定することで評価できる．

A：試料中の結晶成分からの回折による全ピーク面積
B：領域Aを除く，回折パターン下部の全面積
C：バックグラウンドノイズの面積（空気による散乱，蛍光，装置などによる）

これらの面積を測定することにより，およその結晶化度は次式により求められる．

$$結晶化度（\%）= 100A／(A + B - C)$$

本法は結晶化度を得る絶対的な方法ではなく，一般的には，比較の目的にのみ利用可能である点に注意すべきである．ルーランド法のような，より精巧な方法を用いることもある．

8.　単結晶構造解析

一般的に結晶構造は単結晶を用いて得られたX線回折データから決定される．しかしながら，有機結晶では格子パラメーターが比較的大きく，対称性が低く，通常は散乱特性が極めて低いため，その構造解析を行うことは容易ではない．ある物質の結晶構造が既知である場合は，対応する粉末X線回折パターンの計算が可能であり，相の同定に利用可能な選択配向性のない標準粉末X線回折パターンが得られる．

1) 結晶構造の決定・精密化，結晶相の結晶学的純度の測定，結晶組織の評価など，結晶性医薬品に適用可能な粉末X線回折法の応用例はほかにも多く存在するが，ここでは詳述しない．

2) X線回折測定のための「理想的な」粉末は，無配向化した多数の小球状粒子（干渉回折する結晶性領域）である．微結晶数が十分多数であれば，いかなる回折方位でも再現性のある回折パターンが得られる．

3) 同様に，温度，湿度などの影響で，測定中に試料の性質変化が認められることがある．

4) もし，全ての成分の結晶構造が既知の場合，リートベルト（Rietveld）法により高精度の定量分析が可能である．成分構造が既知ではない場合，ポーリー（Pawley）法又は最小二乗法を用いることができる．

一般試験法の部　3.04　粒度測定法の条　2.1.　操作以降を次のように改める．

3.04　粒度測定法

2.1.　操作

2.1.1.　試験用ふるい

本試験に用いるふるいは，各条中で別に規定するもののほか，表3.04-1に示すものを用いる．

ふるいは，試料中の全粒子径範囲をカバーできるように選択する．ふるい目開き面積の$\sqrt{2}$級数を持つ一群のふるいを用いるのがよい．これらのふるいは，最も粗いふるいを最上段に，最も細かいふるいを最下段にして組み立てる．試験用ふるいの目開きの表示には，μm又はmmを用いる［注：ふるい番号は表中で換算する場合のみに用いる］．試験用ふるいはステンレス網製であるが，真鍮製又は他の適切な不活性の網であってもよい．

表 3.04-1　関係する範囲における標準ふるいの目開き寸法

ISO 公称ふるい番号			USP ふるい番号	推奨される USP ふるい (microns)	EP ふるい番号	日本薬局方ふるい番号
主要寸法	補助寸法					
R20/3	R20	R40/3				
11.20 mm	11.20 mm	11.20 mm			11200	
	10.00 mm					
		9.50 mm				
	9.00 mm					
8.00 mm	8.00 mm	8.00 mm				
	7.10 mm					
		6.70 mm				
	6.30 mm					
5.60 mm	5.60 mm	5.60 mm			5600	3.5
	5.00 mm					
		4.75 mm				4
	4.50 mm					
4.00 mm	4.00 mm	4.00 mm	5	4000	4000	4.7
	3.55 mm					
		3.35 mm	6			5.5
	3.15 mm					
2.80 mm	2.80 mm	2.80 mm	7	2800	2800	6.5
	2.50 mm					
		2.36 mm	8			7.5
	2.24 mm					
2.00 mm	2.00 mm	2.00 mm	10	2000	2000	8.6
	1.80 mm					
		1.70 mm	12			10
	1.60 mm					
1.40 mm	1.40 mm	1.40 mm	14	1400	1400	12
	1.25 mm					
		1.18 mm	16			14
	1.12 mm					
1.00 mm	1.00 mm	1.00 mm	18	1000	1000	16
	900 μm					
		850 μm	20			18
	800 μm					
710 μm	710 μm	710 μm	25	710	710	22
	630 μm					
		600 μm	30			26
	560 μm					
500 μm	500 μm	500 μm	35	500	500	30
	450 μm					
		425 μm	40			36
	400 μm					
355 μm	355 μm	355 μm	45	355	355	42
	315 μm					
		300 μm	50			50
	280 μm					
250 μm	250 μm	250 μm	60	250	250	60
	224 μm					

		212 μm	70			70
	200 μm					
180 μm	180 μm	180 μm	80	180	180	83
	160 μm					
		150 μm	100			100
	140 μm					
125 μm	125 μm	125 μm	120	125	125	119
	112 μm					
		106 μm	140			140
	100 μm					
90 μm	90 μm	90 μm	170	90	90	166
	80 μm					
		75 μm	200			200
	71 μm					
63 μm	63 μm	63 μm	230	63	63	235
	56 μm					
		53 μm	270			282
	50 μm					
45 μm	45 μm	45 μm	325	45	45	330
	40 μm					
		38 μm			38	391

2.1.1.1. 試験用ふるいの校正

ISO 3310-1[2)] に準じて行う．ふるいは使用前に著しい歪みや破断がないか，また，特に網面と枠の接合部についても注意深く検査しておく．網目の平均目開きや目開きの変動を評価する場合には，目視で検査してもよい．また，212 ～ 850 μm の範囲内にある試験用ふるいの有効目開きを評価する際には，標準ガラス球を代用してもよい．各条中で別に規定するもののほか，ふるいの校正は調整された室温と環境相対湿度下で行う．

2.1.1.2. ふるいの洗浄

理想的には，試験用ふるいはエアー・ジェット又は液流中でのみ洗浄すべきである．もし，試料が網目に詰まったら，最終手段として注意深く緩和なブラッシングを行ってもよい．

2.1.2. 測定用試料

特定の物質について各条中に試料の質量が規定されていない場合には，試料のかさ密度に応じて 25 ～ 100 g の試料を用い，直径 200 mm 又は 203 mm（8 インチ）のふるいを用いる．直径 75 mm 又は 76 mm（3 インチ）のふるいを用いる場合は，試料量は 200 mm 又は 203 mm ふるいの場合の約 1/7 とする．正確に量った種々の質量の試料（例えば，25，50，100 g）を同一時間ふるい振とう機にかけ，試験的にふるい分けることによって，この試料に対する最適質量を決定する［注：25 g の試料と 50 g の試料において同じような試験結果が得られ，100 g の試料が最も細かいふるいを通過したときの質量百分率が 25 g 及び 50 g の場合に比べて低ければ，100 g は多すぎる］．10～25gの試料しか用いることができない場合には，同じふるいリスト（表3.04-1）に適合した直径のより小さい試験用ふるいを代用してもよいが，この場合には終点を決定し直さねばならない．場合によっては，更に小さい質量（例えば，5g未満）について測定する必要があるかも知れない．かさ密度が小さい試料，又は主として直径が極めて近似している粒子からなる試料については，ふるいの過剰な目詰まりを避けるために，200mm又は203mmふるいでは試料の質量は5g未満でなければならないこともある．特殊なふるい分け法の妥当性を確認する際には，ふるいの目詰まりの問題に注意しておく．

試料が湿度変化によって著しい吸湿又は脱湿を起こしやすい場合には，試験は適度に湿度調整された環境下で行わねばならない．同様に，帯電することが知られている試料の場合には，このような帯電が分析に影響しないことを保証するために，注意深く観察しておかねばならない．この影響を最小限にするために，軽質無水ケイ酸又は酸化アルミニウムのような帯電防止剤を0.5％レベルで添加してもよい．上に述べたいずれの影響も除去できなければ，これに代わる粒子径測定法を選択しなければならない．

2.1.3.　振とう法

幾つかの異なった機構に基づくふるい振とう装置が市販されており，これらの全てがふるい分けに利用できる．しかしながら，試験中の個々の粒子に作用する力の種類や大きさが機種間で異なるため，振とう法が異なると，ふるい分けや終点の決定において異なった結果を生じる．機械的振とう法又は電磁振とう法，及び垂直方向の振動あるいは水平方向の円運動を行わせることができる方法，又は，タッピング又はタッピングと水平方向の円運動を並行させる方法などが利用できる．気流中での粒子の飛散を利用してもよい．測定結果には，用いた振とう法と振とうに関係するパラメーター（これらを変化させることができる場合には）を記載しておかねばならない．

2.1.4.　終点の決定

ふるい分けは，いずれのふるいについても，ふるい上質量変化が直前の質量に対して5％（75mm又は76mmふるいの場合には10％）又は0.1g以下となったとき，終了する．所定のふるいの上の残留量が全試料質量の5％未満となった場合には，終点は，そのふるい上の質量変化を直前の質量に対して20％以下まで引き上げる．各条中に別に規定するもののほか，いずれかのふるい上に残留した試料量が全試料質量の50％を超えた場合には，ふるい分けを繰り返す．このふるいと，元の組ふるいの中でこれより粗い目開きを持つふるいとの中間にあるふるい，すなわち，一群の組ふるいから削除されたISOシリーズのふるいを追加する．

2.2.　ふるい分け法

2.2.1.　機械的振とう法（乾式ふるい分け法）

各ふるいの風袋質量を0.1gまで量る．質量を正確に量った試料を最上段のふるいの上に置き，蓋をする．組ふるいを5分間振とうする．試料の損失がないように組ふるいから各段のふるいを注意深く外す．各ふるいの質量を再度量り，ふるい上の試料質量を測定する．同様にして，受け皿内の試料質量も測定する．ふるいを再度組み合わせ，更に5分間振とうする．先に述べたように各ふるいを外し，質量を量る．これらの操作を終点規格に適合するまで繰り返す（終点の決定の項を参照）．ふるい分けを終了した後，全損失量を計算する．全損失量は元の試料質量の5％以下である．

新たな試料を用いてふるい分けを繰り返すが，このときは先に用いた繰り返し回数に対応する合計時間を1回のふるい分け時間とする．このふるい分け時間が終点決定のための必要条件に適合していることを確認する．一つの試料についてこの終点の妥当性が確認されている場合は，粒子径分布が正常な変動範囲内にあれば，以後のふるい分けには一つの固定したふるい分け時間を用いてもよい．

いずれかのふるいの上に残留している粒子が単一粒子ではなく凝集体であり，機械的乾式ふるい分け法を用いても良好な再現性が期待できない場合には，他の粒子径測定法を用いる．

2.2.2. 気流中飛散法（エアー・ジェット法及びソニック・シフター法）

気流を用いた種々の市販装置がふるい分けに利用されている．1回の時間で1個のふるいを用いるシステムをエアー・ジェット法という．本法は乾式ふるい分け法において述べたのと同じ一般的なふるい分け法を用いているが，典型的な振とう機構の代わりに標準化されたエアー・ジェットを用いている．本法で粒子径分布を得るためには，最初に最も細かいふるいから始め，個々のふるいごとに一連の分析をする必要がある．エアー・ジェット法では，しばしば通常の乾式ふるい分け法で用いられているものより細かい試験用ふるいを用いる．本法は，ふるい上残分又はふるい下残分のみを必要とする場合には，より適している．

ソニック・シフター法では組ふるいを用いる．この場合，試料は所定のパルス数（回／分）で試料を持ち上げ，その後再びふるいの網目まで戻すように垂直方向に振動する空気カラム内に運ばれる．ソニック・シフター法を用いる場合は，試料量を5 g まで低減する必要がある．

エアー・ジェット法とソニック・シフター法は，機械的ふるい分け法では意味のある分析結果が得られない粉体や顆粒について有用である．これらの方法は，気流中に粉体を適切に分散できるかどうかということに大きく依存している．粒子の付着傾向がより強い場合や，特に帯電傾向を持つ試料の場合には，ふるい分け範囲の下限付近（$< 75\ \mu m$）で本法を用いると，良好な分散性を達成するのは困難である．上記の理由により，終点の決定は特に重大である．また，ふるい上の試料が単一粒子であり，凝集体を形成していないことを確認しておくことは極めて重要である．

2.3. 結果の解析

個々のふるい上及び受け皿中に残留している試料の質量に加えて，試験記録には全試料質量，全ふるい分け時間，正確なふるい分け法及び変数パラメーターに関する値を記載しておかねばならない．試験結果は積算質量基準分布に変換すると便利である．また，分布を積算ふるい下質量基準で表示するのが望ましい場合には，用いたふるい範囲に全試料が通過するふるいを含めておく．いずれかの試験ふるいについて，ふるい分け中にふるい上に残留している試料の凝集体の生成が確認された場合は，ふるい分け法は意味がない．

[1] 粒子径測定，試料量及びデータ解析に関するその他の情報は，例えば，ISO 9276において利用できる．

[2] ISO 3310-1，Test sieves − Technical requirements and testing − Part 1: Test sieves of metal wire cloth.

一般試験法の部　9.01　標準品の条（1）の項に次のように加える．

9.01　標準品

アナストロゾール標準品
テモゾロミド標準品
ブデソニド標準品

同条（1）の項の次を削る．

ナルトグラスチム標準品

同条（2）の項の次を削り，（1）に加える．

アミカシン硫酸塩標準品
クリンダマイシンリン酸エステル標準品
セファクロル標準品
セファレキシン標準品
ドキソルビシン塩酸塩標準品

一般試験法の部　9.41　試薬・試液の条次の項を次のように改める．

9.41　試薬・試液

アミグダリン，定量用　$C_{20}H_{27}NO_{11}$　アミグダリン，薄層クロマトグラフィー用．ただし，以下の定量用1又は定量用2（qNMR純度規定）の試験に適合するもの．なお，定量用1はデシケーター（シリカゲル）で24時間乾燥して用いる．定量用2は定量法で求めた含量で補正して用いる．

1）定量用1

吸光度〈*2.24*〉　$E^{1\%}_{1\,cm}$（263 nm）：5.2 ～ 5.8（脱水物に換算したもの20 mg，メタノール，20 mL）．ただし，別途水分〈*2.48*〉を測定しておく（5 mg，電量滴定法）．

純度試験　類縁物質　本品5 mgを移動相10 mLに溶かし，試料溶液とする．この液1 mLを正確に量り，移動相を加えて正確に100 mLとし，標準溶液とする．試料溶液及び標準溶液10 μLずつを正確にとり，次の条件で液体クロマトグラフィー〈*2.01*〉により試験を行う．それぞれの液の各々のピーク面積を自動積分法により測定するとき，試料溶液のアミグダリン以外のピークの合計面積は，標準溶液のアミグダリンのピーク面積より大きくない．

試験条件

検出器，カラム，カラム温度，移動相及び流量は「桂枝茯苓丸エキス」の定量法（3）の試験条件を準用する．

面積測定範囲：アミグダリンの保持時間の約3倍の範囲

システム適合性

検出の確認：標準溶液1 mLを正確に量り，移動相を加えて正確に20 mLとする．この液10 μLから得たアミグダリンのピーク面積が，標準溶液のアミグダリンのピーク面積の3.5 ～ 6.5％になることを確認する．

システムの性能：標準溶液10 μLにつき，上記の条件で操作するとき，アミグダリンのピークの理論段数及びシンメトリー係数は，それぞれ5000段以上，1.5以下である．

システムの再現性：標準溶液10 μLにつき，上記の条件で試験を6回繰り返すとき，アミグダリンのピーク面積の相対標準偏差は1.5％以下である．

2）定量用2（qNMR純度規定）

ピークの単一性　本品1 mgを薄めたメタノール（1→2）5 mLに溶かし，試料溶液とする．試料溶液10 μLにつき，次の条件で液体クロマトグラフィー〈*2.01*〉により試験を行い，アミグダリンのピークの頂点及び頂点の前後でピーク高さの中点付近の2時点を含む少なくとも3時点以上でのピークの吸収スペクトルを比較するとき，スペクトルの形状に差がない．

試験条件

カラム，カラム温度，移動相及び流量は「桂枝茯苓丸エキス」の定量法（3）の試験条件を準用する．

検出器：フォトダイオードアレイ検出器（測定波長：210 nm，スペクトル測定範囲：200 ～ 400 nm）

システム適合性

システムの性能：試料溶液 10 µL につき，上記の条件で操作するとき，アミグダリンのピークの理論段数及びシンメトリー係数は，それぞれ 5000 段以上，1.5 以下である．

定量法　ウルトラミクロ化学はかりを用い，本品 5 mg 及び核磁気共鳴スペクトル測定用 DSS-d_6 1 mg をそれぞれ精密に量り，核磁気共鳴スペクトル測定用重水素化ジメチルスルホキシド 1 mL に溶かし，試料溶液とする．この液を外径 5 mm の NMR 試料管に入れ，核磁気共鳴スペクトル測定用 DSS-d_6 を qNMR 用基準物質として，次の試験条件で核磁気共鳴スペクトル測定法（〈*2.21*〉及び〈*5.01*〉）により，^{1}H NMR を測定する．qNMR 用基準物質のシグナルを δ 0 ppm とし，δ 6.03 ppm 付近のシグナルの面積強度 A（水素数 1 に相当）を算出する．

アミグダリン（$C_{20}H_{27}NO_{11}$）の量（%）

$$= M_S \times I \times P / (M \times N) \times 2.0388$$

M：本品の秤取量（mg）

M_S：核磁気共鳴スペクトル測定用 DSS-d_6 の秤取量（mg）

I：核磁気共鳴スペクトル測定用 DSS-d_6 のシグナルの面積強度を 9.000 としたときの面積強度 A

N：A に由来するシグナルの水素数

P：核磁気共鳴スペクトル測定用 DSS-d_6 の純度（%）

試験条件

装置：^{1}H 共鳴周波数 400 MHz 以上の核磁気共鳴スペクトル測定装置

測定対象とする核：^{1}H

デジタル分解能：0.25 Hz 以下

観測スペクトル幅：−5 ～ 15 ppm を含む 20 ppm 以上

スピニング：オフ

パルス角：90°

^{13}C 核デカップリング：あり

遅延時間：繰り返しパルス待ち時間 60 秒以上

積算回数：8 回以上

ダミースキャン：2 回以上

測定温度：20 ～ 30℃の一定温度

システム適合性

検出の確認：試料溶液につき，上記の条件で測定するとき，δ 6.03 ppm 付近のシグナルの SN 比は 100 以上である．

システムの性能：試料溶液につき，上記の条件で測定するとき，δ 6.03 ppm 付近のシグナルについて，明らかな混在物のシグナルが重なっていないことを確認する．

システムの再現性：試料溶液につき，上記の条件で測定を 6 回繰り返すとき，面積強度 A の qNMR 用基準物質の面積強度に対する比の相対標準偏差は 1.0％以下である．

アルブチン，定量用　$C_{12}H_{16}O_7$　アルブチン，薄層クロマトグラフィー用．ただし，以下の定量用 1 又は定量用 2（qNMR 純度規定）の試験に適合するもの．なお，定量用 1 は乾燥（減圧，シリカゲル，12 時間）して用い，定量用 2 はあらかじめ臭化ナトリウム飽和溶液で 20 ～ 25℃，相対湿度 57 ～ 60％に調湿したデシケーター内で 24 時間放置した後，20 ～ 25℃，相対湿度 45 ～ 60％の条件下で量り，定量法で求めた含量で補正して用いる．

1）定量用 1

吸光度〈*2.24*〉 $E^{1\%}_{1\,\mathrm{cm}}$（280 nm）：70 ～ 76（4 mg，水，100 mL）．ただし，デシケーター（減圧，シリカゲル）で 12 時間乾燥したもの．

純度試験　類縁物質　本品 1 mg を水 2.5 mL に溶かし，試料溶液とする．この液 1 mL を正確に量り，水を加えて正確に 100 mL とし，標準溶液とする．試料溶液及び標準溶液 10 µL ずつを正確にとり，次の条件で液体クロマトグラフィー〈*2.01*〉により試験を行う．それぞれの液の各々のピーク面積を自動積分法により測定するとき，試料溶液のアルブチン以外のピークの合計面積は，標準溶液のアルブチンのピーク面積より大きくない．

試験条件

検出器：紫外吸光光度計（測定波長：280 nm）

カラム：内径 4.6 mm，長さ 15 cm のステンレス管に 5 µm の液体クロマトグラフィー用オクタデシルシリル化シリカゲルを充塡する．

カラム温度：20℃付近の一定温度

移動相：水 / メタノール /0.1 mol/L 塩酸試液混液（94：5：1）

流量：アルブチンの保持時間が約 6 分になるように調整する．

面積測定範囲：溶媒のピークの後からアルブチンの保持時間の約 3 倍の範囲

システム適合性

検出の確認：標準溶液 1 mL を正確に量り，水を加えて正確に 20 mL とする．この液 10 µL から得たアルブチンのピーク面積が，標準溶液のアルブチンのピーク面積の3.5〜6.5%になることを確認する．

システムの性能：本品，ヒドロキノン及び没食子酸一水和物1mgずつを水2mLに溶かす．この液10μLにつき，上記の条件で操作するとき，アルブチン，ヒドロキノン，没食子酸の順に溶出し，それぞれの分離度は1.5以上である．

システムの再現性：標準溶液10μLにつき，上記の条件で試験を6回繰り返すとき，アルブチンのピーク面積の相対標準偏差は1.5%以下である．

2）定量用2（qNMR純度規定）

ピークの単一性　本品1mgを水2.5mLに溶かし，試料溶液とする．試料溶液10μLにつき，次の条件で液体クロマトグラフィー〈*2.01*〉により試験を行い，アルブチンのピークの頂点及び頂点の前後でピーク高さの中点付近の2時点を含む少なくとも3時点以上でのピークの吸収スペクトルを比較するとき，スペクトルの形状に差がない．

試験条件

検出器：フォトダイオードアレイ検出器（測定波長：280nm，スペクトル測定範囲：220〜400nm）

カラム：内径4.6mm，長さ15cmのステンレス管に5μmの液体クロマトグラフィー用オクタデシルシリル化シリカゲルを充塡する．

カラム温度：20℃付近の一定温度

移動相：水/メタノール/0.1mol/L塩酸試液混液（94：5：1）

流量：アルブチンの保持時間が約6分になるように調整する．

システム適合性

システムの性能：本品，ヒドロキノン及び没食子酸一水和物1mgずつを水2mLに溶かす．この液10μLにつき，上記の条件で操作するとき，アルブチン，ヒドロキノン，没食子酸の順に溶出し，それぞれの分離度は1.5以上である．

定量法　ウルトラミクロ化学はかりを用い，核磁気共鳴スペクトル測定用1,4-BTMSB-d_4 1mg及びあらかじめ臭化ナトリウム飽和溶液で20〜25℃，相対湿度57〜60%に調湿したデシケーター内で24時間放置した本品5mgを20〜25℃，相対湿度45〜60%の条件下でそれぞれ精密に量り，核磁気共鳴スペクトル測定用重水素化メタノール1mLに溶かし，試料溶液とする．この液を外径5mmのNMR試料管に入れ，核磁気共鳴スペクトル測定用1,4-BTMSB-d_4をqNMR用基準物質として，次の試験条件で核磁気共鳴スペクトル測定法（〈*2.21*〉及び〈*5.01*〉）により，^{1}H NMRを測定する．qNMR用基準物質のシグナルをδ 0ppmとし，δ 6.44ppm及びδ 6.71ppm付近のそれぞれのシグナルの面積強度A_1（水素数2に相当）及び面積強度A_2（水素数2に相当）を算出する．

アルブチン（$C_{12}H_{16}O_7$）の量（％）
　$= M_S \times I \times P / (M \times N) \times 1.2020$

M：本品の秤取量（mg）
M_S：核磁気共鳴スペクトル測定用 1,4-BTMSB-d_4 の秤取量（mg）
I：核磁気共鳴スペクトル測定用 1,4-BTMSB-d_4 のシグナルの面積強度を 18.000 としたときの各シグナルの面積強度 A_1 及び A_2 の和
N：A_1 及び A_2 に由来する各シグナルの水素数の和
P：核磁気共鳴スペクトル測定用 1,4-BTMSB-d_4 の純度（％）

試験条件
装置：^{1}H 共鳴周波数 400 MHz 以上の核磁気共鳴スペクトル測定装置
測定対象とする核：^{1}H
デジタル分解能：0.25 Hz 以下
観測スペクトル幅：－5 ～ 15 ppm を含む 20 ppm 以上
スピニング：オフ
パルス角：90°
^{13}C 核デカップリング：あり
遅延時間：繰り返しパルス待ち時間 60 秒以上
積算回数：8 回以上
ダミースキャン：2 回以上
測定温度：20 ～ 30℃の一定温度

システム適合性
検出の確認：試料溶液につき，上記の条件で測定するとき，δ 6.44 ppm 及び δ 6.71 ppm 付近の各シグナルの SN 比は 100 以上である．
システムの性能：試料溶液につき，上記の条件で測定するとき，δ 6.44 ppm 及び δ 6.71 ppm 付近のシグナルについて，明らかな混在物のシグナルが重なっていないことを確認する．また，試料溶液につき，上記の条件で測定するとき，各シグナル間の面積強度比 A_1/A_2 は，0.99 ～ 1.01 である．
システムの再現性：試料溶液につき，上記の条件で測定を 6 回繰り返すとき，面積強度 A_1 又は A_2 の qNMR 用基準物質の面積強度に対する比の相対標準偏差は 1.0% 以下である．

[6]-ギンゲロール，定量用　$C_{17}H_{26}O_4$　[6]-ギンゲロール，薄層クロマトグラフィー用．ただし，以下の試験に適合するもの．なお，本品は定量法で求めた含量で補正して用いる．

ピークの単一性　本品 5 mg をメタノール 5 mL に溶かし，試料溶液とする．試料溶液 10 μL につき，次の条件で液体クロマトグラフィー〈*2.01*〉により試験を行

い，[6]-ギンゲロールのピークの頂点及び頂点の前後でピーク高さの中点付近の2時点を含む少なくとも3時点以上でのピークの吸収スペクトルを比較するとき，スペクトルの形状に差がない．

試験条件

カラム，カラム温度，移動相及び流量は「半夏厚朴湯エキス」の定量法（3）の試験条件を準用する．

検出器：フォトダイオードアレイ検出器（測定波長：282 nm，スペクトル測定範囲：220 ～ 400 nm）

システム適合性

システムの性能：試料溶液10 μLにつき，上記の条件で操作するとき，[6]-ギンゲロールのピークの理論段数及びシンメトリー係数は，それぞれ5000段以上，1.5以下である．

定量法　ウルトラミクロ化学はかりを用い，本品5 mg及び核磁気共鳴スペクトル測定用1,4-BTMSB-d_4 1 mgをそれぞれ精密に量り，核磁気共鳴スペクトル測定用重水素化メタノール1 mLに溶かし，試料溶液とする．この液を外径5 mmのNMR試料管に入れ，核磁気共鳴スペクトル測定用1,4-BTMSB-d_4をqNMR用基準物質として，次の試験条件で核磁気共鳴スペクトル測定法（〈*2.21*〉及び〈*5.01*〉）により，^{1}H NMRを測定する．qNMR用基準物質のシグナルをδ0 ppmとし，δ3.56 ppm及びδ6.52 ppm付近のそれぞれのシグナルの面積強度A_1（水素数3に相当）及びA_2（水素数1に相当）を算出する．

[6]-ギンゲロール（$C_{17}H_{26}O_4$）の量（%）
$$= M_S \times I \times P / (M \times N) \times 1.2997$$

M：本品の秤取量（mg）

M_S：核磁気共鳴スペクトル測定用1,4-BTMSB-d_4の秤取量（mg）

I：核磁気共鳴スペクトル測定用1,4-BTMSB-d_4のシグナルの面積強度を18.000としたときの各シグナルの面積強度A_1及びA_2の和

N：A_1及びA_2に由来する各シグナルの水素数の和

P：核磁気共鳴スペクトル測定用1,4-BTMSB-d_4の純度（%）

試験条件

装置：^{1}H共鳴周波数400 MHz以上の核磁気共鳴スペクトル測定装置

測定対象とする核：^{1}H

デジタル分解能：0.25 Hz以下

観測スペクトル幅：−5 ～ 15 ppmを含む20 ppm以上

スピニング：オフ

パルス角：90°
^{13}C 核デカップリング：あり
遅延時間：繰り返しパルス待ち時間60秒以上
積算回数：8回以上
ダミースキャン：2回以上
測定温度：20～30℃の一定温度
システム適合性
検出の確認：試料溶液につき，上記の条件で測定するとき，δ3.56 ppm 及び δ6.52 ppm 付近の各シグナルの SN 比は 100 以上である．
システムの性能：試料溶液につき，上記の条件で測定するとき，δ3.56 ppm 及び δ6.52 ppm 付近のシグナルについて，明らかな混在物のシグナルが重なっていないことを確認する．また，試料溶液につき，上記の条件で測定するとき，各シグナル間の面積強度比 $(A_1/3)/A_2$ は，それぞれ 0.99～1.01 である．
システムの再現性：試料溶液につき，上記の条件で測定を6回繰り返すとき，面積強度 A_1 又は A_2 の qNMR 用基準物質の面積強度に対する比の相対標準偏差は 1.0％以下である．

抗ウロキナーゼ血清　「ウロキナーゼ」でウサギを免疫して得た抗血清で，以下の性能試験に適合するもの．－20℃以下に保存する．

性能試験　カンテン 1.0 g を pH 8.4 のホウ酸・水酸化ナトリウム緩衝液 100 mL に加温して溶かし，シャーレに液の深さが約 2 mm になるように入れる．冷後，直径 2.5 mm の2個の穴をそれぞれ 6 mm の間隔で3組作る．各組の一方の穴に本品 10 μL を入れ，他方の穴に，「ウロキナーゼ」に生理食塩液を加えて 1 mL 中に 30000 単位を含むように調製した液 10 μL，ヒト血清 10 μL 及びヒト尿 10 μL を別々に入れ，一夜静置するとき，本品とウロキナーゼの間に明瞭な1本又は2本の沈降線を生じ，本品とヒト血清との間及び本品とヒト尿との間に沈降線を生じない．

ジフェニルスルホン，定量用　$C_{12}H_{10}O_2S$　白色の結晶又は結晶性の粉末で，ジメチルスルホキシドに溶ける．

本品は定量法で求めた含量で補正して用いる．

確認試験　本品につき，定量法を準用するとき，δ7.65 ppm 付近に三重線様の4水素分のシグナル，δ7.73 ppm 付近に三重線様の2水素分のシグナル，δ7.99 ppm 付近に二重線様の4水素分のシグナルを示す．

ピークの単一性　本品 10 mg をメタノール 100 mL に溶かす．この液 10 mL にメタノールを加えて 100 mL とし，試料溶液とする．試料溶液 10 μL につき，次の条件で液体クロマトグラフィー〈*2.01*〉により試験を行い，ジフェニルスルホンのピークの頂点及び頂点の前後でピーク高さの中点付近の2時点を含む少なくとも3

時点以上でのピークの吸収スペクトルを比較するとき，スペクトルの形状に差がない．

試験条件

カラム，カラム温度，移動相及び流量は「ソヨウ」の定量法の試験条件を準用する．

検出器：フォトダイオードアレイ検出器（測定波長：234 nm，スペクトル測定範囲：220 ～ 400 nm）

システム適合性

システムの性能：(*E*)-アサロン 1 mg 及び薄層クロマトグラフィー用ペリルアルデヒド 1 mg を試料溶液に溶かし，50 mL とする．この液 10 μL につき，上記の条件で操作するとき，ジフェニルスルホン，ペリルアルデヒド，(*E*)-アサロンの順に溶出し，それぞれの分離度は 1.5 以上である．

ただし，ジフェニルスルホン（$C_{12}H_{10}O_2S$）の量（%）が 99.5 ～ 100.5 % に入るものは，ピークの単一性は不要とする．

定量法　ウルトラミクロ化学はかりを用い，本品 5 mg 及び核磁気共鳴スペクトル測定用 DSS-d_6 1 mg をそれぞれ精密に量り，核磁気共鳴スペクトル測定用重水素化ジメチルスルホキシド 2 mL に溶かし，試料溶液とする．この液を外径 5 mm の NMR 試料管に入れ，核磁気共鳴スペクトル測定用 DSS-d_6 を qNMR 用基準物質として，次の試験条件で核磁気共鳴スペクトル測定法（〈*2.21*〉及び〈*5.01*〉）により，^{1}H NMR を測定する．qNMR 用基準物質のシグナルを δ 0 ppm とし，δ 7.64 ～ 7.74 ppm 及び δ 7.98 ～ 8.01 ppm 付近のシグナルの面積強度 A_1（水素数 6 に相当）及び A_2（水素数 4 に相当）を算出する．

ジフェニルスルホン（$C_{12}H_{10}O_2S$）の量（%）

$$= M_S \times I \times P / (M \times N) \times 0.9729$$

M：本品の秤取量（mg）

M_S：核磁気共鳴スペクトル測定用 DSS-d_6 の秤取量（mg）

I：核磁気共鳴スペクトル測定用 DSS-d_6 のシグナルの面積強度を 9.000 としたときの各シグナルの面積強度 A_1 及び A_2 の和

N：A_1 及び A_2 に由来する各シグナルの水素数の和

P：核磁気共鳴スペクトル測定用 DSS-d_6 の純度（%）

試験条件

装置：^{1}H 共鳴周波数 400 MHz 以上の核磁気共鳴スペクトル測定装置

測定対象とする核：^{1}H

デジタル分解能：0.25 Hz 以下

観測スペクトル幅：−5 ～ 15 ppm を含む 20 ppm 以上
スピニング：オフ
パルス角：90°
^{13}C 核デカップリング：あり
遅延時間：繰り返しパルス待ち時間 60 秒以上
積算回数：8 回以上
ダミースキャン：2 回以上
測定温度：20 ～ 30℃の一定温度

システム適合性

検出の確認：試料溶液につき，上記の条件で測定するとき，δ 7.64 ～ 7.74 ppm 及び δ 7.98 ～ 8.01 ppm 付近のシグナルの SN 比は 100 以上である．

システムの性能：試料溶液につき，上記の条件で測定するとき，δ 7.64 ～ 7.74 ppm 及び δ 7.98 ～ 8.01 ppm 付近のシグナルについて，明らかな混在物のシグナルが重なっていないことを確認する．また，試料溶液につき，上記の条件で測定するとき，各シグナル間の面積強度比 $(A_1/6)/(A_2/4)$ は，0.99 ～ 1.01 である．

システムの再現性：試料溶液につき，上記の条件で測定を 6 回繰り返すとき，面積強度 A_1 又は A_2 の qNMR 用基準物質の面積強度に対する比の相対標準偏差は 1.0% 以下である．

シャゼンシ，薄層クロマトグラフィー用　［医薬品各条，「シャゼンシ」ただし，次の試験に適合するもの］

確認試験

(1)　本品の細末 1 g をとり，メタノール 3 mL を加え，水浴上で 3 分間加温する．冷後，遠心分離し，上澄液を試料溶液とする．この液につき，薄層クロマトグラフィー〈*2.03*〉により試験を行う．試料溶液 10 μL を薄層クロマトグラフィー用シリカゲルを用いて調製した薄層板にスポットする．次にアセトン / 酢酸エチル / 水 / 酢酸（100）混液（10：10：3：1）を展開溶媒として約 10 cm 展開した後，薄層板を風乾する．これに 4-メトキシベンズアルデヒド・硫酸試液を均等に噴霧し，105 ℃で 10 分間加熱するとき，以下と同等のスポットを認める．

R_f 値	スポットの色及び形状
0 付近	ごく暗い青の強いスポット
0.08 付近	ごく暗い青のスポット
0.1 ～ 0.2 付近	ごく暗い青のリーディングしたスポット
0.25 付近	濃い青の強いスポット （プランタゴグアニジン酸に相当）

0.35 付近	暗い灰みの青の強いスポット（ゲニポシド酸に相当）
0.45 付近	灰みの黄みを帯びた緑の弱いスポット
0.50 付近	濃い黄緑の強いスポット（ベルバスコシドに相当）
0.6 付近	薄い青の弱いスポット
0.85 付近	濃い青のスポット
0.9 ～ 0.95 付近	灰みの青のテーリングしたスポット

(2)　(1)で得た試料溶液につき，(1)の方法を準用する．ただし，展開溶媒に酢酸エチル / 水 / ギ酸混液（6：1：1）を用いて試験を行うとき，以下と同等のスポットを認める．

R_f 値	スポットの色及び形状
0 付近	黄緑みの暗い灰色のスポット
0.05 付近	暗い灰みの黄緑の弱いスポット
0.2 付近	暗い緑の弱いスポット
0.25 付近	暗い赤みの紫の強いスポット（ゲニポシド酸に相当）
0.35 付近	あざやかな青の弱いスポット
0.4 ～ 0.45 付近	くすんだ緑みの青の弱いテーリングしたスポット
0.45 付近	濃い黄緑の強いスポット（ベルバスコシドに相当）
0.5 付近	濃い青の強いスポット（プランタゴグアニジン酸に相当）
0.95 付近	暗い灰みの青緑の強いスポット
0.97 付近	暗い灰みの青緑のスポット

[6]-ショーガオール，定量用　$C_{17}H_{24}O_3$　[6]-ショーガオール，薄層クロマトグラフィー用．ただし，以下の試験に適合するもの．なお，本品は定量法で求めた含量で補正して用いる．

ピークの単一性　本品 5 mg をアセトニトリル / 水混液（2：1）10 mL に溶かし，試料溶液とする．試料溶液 10 μL につき，次の条件で液体クロマトグラフィー〈*2.01*〉により試験を行い，[6]-ショーガオールのピークの頂点及び頂点の前後でピーク高さの中点付近の 2 時点を含む少なくとも 3 時点以上でのピークの吸収スペクトルを比較するとき，スペクトルの形状に差がない．

試験条件

カラム，カラム温度，移動相及び流量は「無コウイ大建中湯エキス」の定量法(2) の試験条件を準用する．

検出器：フォトダイオードアレイ検出器（測定波長：225 nm，スペクトル測定範囲：220 ～ 400 nm）

システム適合性

システムの性能：試料溶液 10 μL につき，上記の条件で操作するとき，[6]-ショーガオールのピークの理論段数及びシンメトリー係数は，それぞれ 5000 段以上，1.5 以下である．

定量法　ウルトラミクロ化学はかりを用い，本品 5 mg 及び核磁気共鳴スペクトル測定用 1,4-BTMSB-d_4 1 mg をそれぞれ精密に量り，核磁気共鳴スペクトル測定用重水素化メタノール 1 mL に溶かし，試料溶液とする．この液を外径 5 mm の NMR 試料管に入れ，核磁気共鳴スペクトル測定用 1,4-BTMSB-d_4 を qNMR 用基準物質として，次の試験条件で核磁気共鳴スペクトル測定法（〈*2.21*〉及び〈*5.01*〉）により，^{1}H NMR を測定する．qNMR 用基準物質のシグナルを δ 0 ppm とし，δ 3.57 ppm 付近のシグナルの面積強度 A（水素数 3 に相当）を算出する．

[6]-ショーガオール（$C_{17}H_{24}O_3$）の量（%）

$$= M_S \times I \times P / (M \times N) \times 1.2202$$

M：本品の秤取量（mg）

M_S：核磁気共鳴スペクトル測定用 1,4-BTMSB-d_4 の秤取量（mg）

I：核磁気共鳴スペクトル測定用 1,4-BTMSB-d_4 のシグナルの面積強度を 18.000 としたときの面積強度 A

N：A に由来するシグナルの水素数

P：核磁気共鳴スペクトル測定用 1,4-BTMSB-d_4 の純度（%）

試験条件

装置：^{1}H 共鳴周波数 400 MHz 以上の核磁気共鳴スペクトル測定装置

測定対象とする核：^{1}H

デジタル分解能：0.25 Hz 以下

観測スペクトル幅：−5 ～ 15 ppm を含む 20 ppm 以上

スピニング：オフ

パルス角：90°

^{13}C 核デカップリング：あり

遅延時間：繰り返しパルス待ち時間 60 秒以上

積算回数：8 回以上

ダミースキャン：2 回以上

測定温度：20 ～ 30℃の一定温度

システム適合性

検出の確認：試料溶液につき，上記の条件で測定するとき，δ3.57 ppm 及びδ6.37 ～ 6.43 ppm 付近の各シグナルの SN 比は 100 以上である．

システムの性能：試料溶液につき，上記の条件で測定するとき，δ3.57 ppm 及びδ6.37 ～ 6.43 ppm 付近のシグナルについて，明らかな混在物のシグナルが重なっていないことを確認する．また，試料溶液につき，上記の条件でδ3.57 ppm 及びδ6.37 ～ 6.43 ppm 付近のそれぞれのシグナルの面積強度 A（水素数 3 に相当）及び面積強度 A_1（水素数 2 に相当）を測定するとき，各シグナル間の面積強度比 $(A/3)/(A_1/2)$ は，0.99 ～ 1.01 である．

システムの再現性：試料溶液につき，上記の条件で測定を 6 回繰り返すとき，面積強度 A の qNMR 用基準物質の面積強度に対する比の相対標準偏差は 1.0％以下である．

シンドビスウイルス　トガウイルス科の RNA ウイルスで，ニワトリ胚細胞初代培養又はニワトリ胚線維芽細胞由来の株化細胞（ATCC CRL-12203 など）培養で増殖させる．同細胞培養上でプラーク数を測定し，1×10^8 PFU/mL 以上のものを用いる．

デヒドロコリダリン硝化物，定量用　$C_{22}H_{24}N_2O_7$　デヒドロコリダリン硝化物，薄層クロマトグラフィー用．ただし，以下の定量用 1 又は定量用 2（qNMR 純度規定）の試験に適合するもの．なお，定量用 1 はデシケーター（シリカゲル）で 1 時間以上乾燥して用いる．定量用 2 は定量法で求めた含量で補正して用いる．

1）定量用 1

吸光度 〈*2.24*〉 $E^{1\%}_{1\,\mathrm{cm}}$ (333 nm)：577 ～ 642（3 mg，水，500 mL）．ただし，デシケーター（シリカゲル）で 1 時間以上乾燥したもの．

純度試験　類縁物質　本品 5.0 mg を移動相 10 mL に溶かし，試料溶液とする．この液 1 mL を正確に量り，移動相を加えて正確に 100 mL とし，標準溶液とする．試料溶液及び標準溶液 5 μL ずつを正確にとり，次の条件で液体クロマトグラフィー〈*2.01*〉により試験を行う．それぞれの液の各々のピーク面積を自動積分法により測定するとき，試料溶液のデヒドロコリダリン以外のピークの合計面積は，標準溶液のデヒドロコリダリンのピーク面積より大きくない．

試験条件

カラム，カラム温度，移動相及び流量は「エンゴサク」の定量法の試験条件を準用する．

検出器：紫外吸光光度計（測定波長：230 nm）

面積測定範囲：硝酸のピークの後からデヒドロコリダリンの保持時間の約 3 倍の範囲

システム適合性

検出の確認：標準溶液 1 mL を正確に量り，移動相を加えて正確に 20 mL とする．この液 5 μL から得たデヒドロコリダリンのピーク面積が，標準溶液のデヒドロコリダリンのピーク面積の 3.5 ～ 6.5％になることを確認する．

システムの性能：本品 1 mg 及びベルベリン塩化物水和物 1 mg を水／アセトニトリル混液（20：9）20 mL に溶かす．この液 5 μL につき，上記の条件で操作するとき，ベルベリン，デヒドロコリダリンの順に溶出し，その分離度は 1.5 以上である．

システムの再現性：標準溶液 5 μL につき，上記の条件で試験を 6 回繰り返すとき，デヒドロコリダリンのピーク面積の相対標準偏差は 1.5％以下である．

2）定量用 2（qNMR 純度規定）

ピークの単一性　本品 1 mg をメタノール／希塩酸混液（3：1）2 mL に溶かし，試料溶液とする．試料溶液 5 μL につき，次の条件で液体クロマトグラフィー〈*2.01*〉により試験を行い，デヒドロコリダリンのピークの頂点及び頂点の前後でピーク高さの中点付近の 2 時点を含む少なくとも 3 時点以上でのピークの吸収スペクトルを比較するとき，スペクトルの形状に差がない．

試験条件

カラム，カラム温度，移動相及び流量は「エンゴサク」の定量法の試験条件を準用する．

検出器：フォトダイオードアレイ検出器（測定波長：230 nm，スペクトル測定範囲：220 ～ 400 nm）

システム適合性

システムの性能：本品 1 mg 及びベルベリン塩化物水和物 1 mg を水／アセトニトリル混液（20：9）20 mL に溶かす．この液 5 μL につき，上記の条件で操作するとき，ベルベリン，デヒドロコリダリンの順に溶出し，その分離度は 1.5 以上である．

定量法　ウルトラミクロ化学はかりを用い，本品 5 mg 及び核磁気共鳴スペクトル測定用 DSS-d_6 1 mg をそれぞれ精密に量り，核磁気共鳴スペクトル測定用重水素化ジメチルスルホキシド 1 mL に溶かし，試料溶液とする．この液を外径 5 mm の NMR 試料管に入れ，核磁気共鳴スペクトル測定用 DSS-d_6 を qNMR 用基準物質として，次の試験条件で核磁気共鳴スペクトル測定法（〈*2.21*〉及び〈*5.01*〉）により，^{1}H NMR を測定する．qNMR 用基準物質のシグナルを δ 0 ppm とし，δ 7.42 ppm 付近のシグナルの面積強度 A（水素数 1 に相当）を算出する．

デヒドロコリダリン硝化物（$C_{22}H_{24}N_2O_7$）の量（％）

$$= M_S \times I \times P / (M \times N) \times 1.9096$$

M：本品の秤取量（mg）
M_S：核磁気共鳴スペクトル測定用DSS-d_6の秤取量（mg）
I：核磁気共鳴スペクトル測定用DSS-d_6のシグナルの面積強度を9.000としたときの面積強度A
N：Aに由来するシグナルの水素数
P：核磁気共鳴スペクトル測定用DSS-d_6の純度（%）

試験条件
装置：^{1}H共鳴周波数400 MHz以上の核磁気共鳴スペクトル測定装置
測定対象とする核：^{1}H
デジタル分解能：0.25 Hz以下
観測スペクトル幅：−5～15 ppmを含む20 ppm以上
スピニング：オフ
パルス角：90°
^{13}C核デカップリング：あり
遅延時間：繰り返しパルス待ち時間60秒以上
積算回数：8回以上
ダミースキャン：2回以上
測定温度：20～30℃の一定温度
システム適合性
検出の確認：試料溶液につき，上記の条件で測定するとき，δ 7.42 ppm付近のシグナルのSN比は100以上である．
システムの性能：試料溶液につき，上記の条件で測定するとき，δ 7.42 ppm付近のシグナルについて，明らかな混在物のシグナルが重なっていないことを確認する．
システムの再現性：試料溶液につき，上記の条件で測定を6回繰り返すとき，面積強度AのqNMR用基準物質の面積強度に対する比の相対標準偏差は1.0%以下である．

デヒドロコリダリン硝化物，薄層クロマトグラフィー用　$C_{22}H_{24}N_2O_7$　黄色の結晶又は結晶性の粉末である．メタノールにやや溶けにくく，水又はエタノール（99.5）に溶けにくい．融点：約240℃（分解）．

純度試験　類縁物質　本品5.0 mgを水／メタノール混液（1：1）1 mLに溶かし，試料溶液とする．この液0.5 mLを正確に量り，水／メタノール混液（1：1）を加えて正確に50 mLとし，標準溶液とする．これらの液につき，薄層クロマトグラフィー〈*2.03*〉により試験を行う．試料溶液及び標準溶液5 µLずつを薄層クロマトグラフィー用シリカゲルを用いて調製した薄層板にスポットし，速やかにメタノール／酢酸アンモニウム溶液（3→10）／酢酸（100）混液（20：1：1）を展開溶媒として約10 cm展開した後，薄層板を風乾する．これに噴霧用ドラーゲンドルフ試液を均等に噴霧し，風乾後，亜硝酸ナトリウム試液を均等に噴霧するとき，試料溶液から得た主スポット以外のスポットは，標準溶液から得たスポットより濃くない．

パラオキシ安息香酸ベンジル　$C_{14}H_{12}O_3$　白色の微細な結晶又は結晶性の粉末である．本品はエタノール(95)に溶けやすく，水に極めて溶けにくい．

融点〈*2.60*〉 109 ～ 114℃

含量　99.0％以上．　**定量法**　本品約1 gを精密に量り，1 mol/L水酸化ナトリウム液20 mLを正確に加え，約70℃で1時間加熱した後，速やかに氷冷する．この液につき，過量の水酸化ナトリウムを第二変曲点まで0.5 mol/L硫酸で滴定〈*2.50*〉する（電位差滴定法）．同様の方法で空試験を行う．

1 mol/L水酸化ナトリウム液1 mL = 228.2 mg $C_{14}H_{12}O_3$

ヒルスチン，定量用　$C_{22}H_{28}N_2O_3$　ヒルスチン，薄層クロマトグラフィー用．ただし，以下の定量用1又は定量用2（qNMR純度規定）の試験に適合するもの．なお，定量用2は定量法で求めた含量で補正して用いる．

1）定量用1

吸光度〈*2.24*〉 $E^{1\%}_{1\,\mathrm{cm}}$ (245 nm)：354 ～ 389［脱水物に換算したもの5 mg，メタノール/希酢酸混液（7：3），500 mL］．

純度試験　類縁物質　本品5 mgをメタノール/希酢酸混液（7：3）100 mLに溶かし，試料溶液とする．この液1 mLを正確に量り，メタノール/希酢酸混液（7：3）を加えて正確に50 mLとし，標準溶液とする．試料溶液及び標準溶液20 µLずつを正確にとり，次の条件で液体クロマトグラフィー〈*2.01*〉により試験を行う．それぞれの液の各々のピーク面積を自動積分法により測定するとき，試料溶液のヒルスチン以外のピークの合計面積は，標準溶液のヒルスチンのピーク面積より大きくない．

試験条件

検出器，カラム，カラム温度，移動相及び流量は「チョウトウコウ」の定量法の試験条件を準用する．

面積測定範囲：溶媒のピークの後からヒルスチンの保持時間の約1.5倍の範囲

システム適合性

検出の確認：標準溶液1 mLを正確に量り，メタノール/希酢酸混液（7：3）を加えて正確に20 mLとする．この液20 µLから得たヒルスチンのピーク面積が，標準溶液のヒルスチンのピーク面積の3.5 ～ 6.5%になることを確認する．

システムの性能：定量用リンコフィリン1 mgをメタノール/希酢酸混液（7：

3）20 mL に溶かす．この液 5 mL にアンモニア水(28) 1 mL を加え，50℃で 2 時間加熱，又は還流冷却器を付けて 10 分間加熱する．冷後，反応液 1 mL を量り，メタノール / 希酢酸混液（7：3）を加えて 5 mL とする．この液 20 µL につき，上記の条件で操作するとき，リンコフィリン以外にイソリンコフィリンのピークを認め，リンコフィリンとイソリンコフィリンの分離度は 1.5 以上である．

システムの再現性：標準溶液 20 µL につき，上記の条件で試験を 6 回繰り返すとき，ヒルスチンのピーク面積の相対標準偏差は 1.5％以下である．

2）定量用 2（qNMR 純度規定）

ピークの単一性　本品 1 mg をメタノール / 希酢酸混液（7：3）20 mL に溶かし，試料溶液とする．試料溶液 20 µL につき，次の条件で液体クロマトグラフィー〈*2.01*〉により試験を行い，ヒルスチンのピークの頂点及び頂点の前後でピーク高さの中点付近の 2 時点を含む少なくとも 3 時点以上でのピークの吸収スペクトルを比較するとき，スペクトルの形状に差がない．

試験条件

カラム，カラム温度，移動相及び流量は「チョウトウコウ」の定量法の試験条件を準用する．

検出器：フォトダイオードアレイ検出器（測定波長：245 nm，スペクトル測定範囲：220 ～ 400 nm）

システム適合性

システムの性能：定量用リンコフィリン 1 mg をメタノール / 希酢酸混液（7：3）20 mL に溶かす．この液 5 mL にアンモニア水(28) 1 mL を加え，50℃で 2 時間加熱，又は還流冷却器を付けて 10 分間加熱する．冷後，反応液 1 mL を量り，メタノール / 希酢酸混液（7：3）を加えて 5 mL とする．この液 20 µL につき，上記の条件で操作するとき，リンコフィリン以外にイソリンコフィリンのピークを認め，リンコフィリンとイソリンコフィリンの分離度は 1.5 以上である．

定量法　ウルトラミクロ化学はかりを用い，本品 5 mg 及び核磁気共鳴スペクトル測定用 1,4-BTMSB-d_4 1 mg をそれぞれ精密に量り，核磁気共鳴スペクトル測定用重水素化アセトン 1 mL に溶かし，試料溶液とする．この液を外径 5 mm の NMR 試料管に入れ，核磁気共鳴スペクトル測定用 1,4-BTMSB-d_4 を qNMR 用基準物質として，次の試験条件で核磁気共鳴スペクトル測定法（〈*2.21*〉及び〈*5.01*〉）により，^{1}H NMR を測定する．qNMR 用基準物質のシグナルを δ 0 ppm とし，δ 6.70 ～ 6.79 ppm 付近のシグナルの面積強度 A（水素数 2 に相当）を算出する．

ヒルスチン（$C_{22}H_{28}N_2O_3$）の量（％）
$= M_S \times I \times P / (M \times N) \times 1.6268$

M：本品の秤取量（mg）
M_S：核磁気共鳴スペクトル測定用 1,4-BTMSB-d_4 の秤取量（mg）
I：核磁気共鳴スペクトル測定用 1,4-BTMSB-d_4 のシグナルの面積強度を 18.000 としたときのシグナルの面積強度 A
N：A に由来するシグナルの水素数
P：核磁気共鳴スペクトル測定用 1,4-BTMSB-d_4 の純度（%）

試験条件
装置：^{1}H 共鳴周波数 400 MHz 以上の核磁気共鳴スペクトル測定装置
測定対象とする核：^{1}H
デジタル分解能：0.25 Hz 以下
観測スペクトル幅：−5 ～ 15 ppm を含む 20 ppm 以上
スピニング：オフ
パルス角：90°
^{13}C 核デカップリング：あり
遅延時間：繰り返しパルス待ち時間 60 秒以上
積算回数：8 回以上
ダミースキャン：2 回以上
測定温度：20 ～ 30℃の一定温度
システム適合性
検出の確認：試料溶液につき，上記の条件で測定するとき，δ 6.70 ～ 6.79 ppm 付近のシグナルの SN 比は 100 以上である．
システムの性能：試料溶液につき，上記の条件で測定するとき，δ 6.70 ～ 6.79 ppm 付近のシグナルについて，明らかな混在物のシグナルが重なっていないことを確認する．
システムの再現性：試料溶液につき，上記の条件で測定を 6 回繰り返すとき，面積強度 A の qNMR 用基準物質の面積強度に対する比の相対標準偏差は 1.0%以下である．

リンコフィリン，定量用　$C_{22}H_{28}N_2O_4$　リンコフィリン，薄層クロマトグラフィー用．ただし，以下の定量用 1 又は定量用 2（qNMR 純度規定）の試験に適合するもの．なお，定量用 2 は定量法で求めた含量で補正して用いる．

1）定量用 1

吸光度〈*2.24*〉 $E^{1\%}_{1\,cm}$（245 nm）：473 ～ 502［5 mg，メタノール / 希酢酸混液（7：3），500 mL］．

純度試験　類縁物質　本品 5 mg をメタノール / 希酢酸混液（7：3）100 mL に溶かし，試料溶液とする．この液 1 mL を正確に量り，メタノール / 希酢酸混液（7：3）を加えて正確に 100 mL とし，標準溶液とする．試料溶液及び標準溶液 20 µL

ずつを正確にとり，次の条件で液体クロマトグラフィー〈*2.01*〉により試験を行う．それぞれの液の各々のピーク面積を自動積分法により測定するとき，試料溶液のリンコフィリン以外のピークの合計面積は，標準溶液のリンコフィリンのピーク面積より大きくない．

試験条件

検出器，カラム，カラム温度，移動相及び流量は「チョウトウコウ」の定量法の試験条件を準用する．

面積測定範囲：溶媒のピークの後からリンコフィリンの保持時間の約4倍の範囲

システム適合性

検出の確認：標準溶液1 mLを正確に量り，メタノール/希酢酸混液（7：3）を加えて正確に20 mLとする．この液20 μLから得たリンコフィリンのピーク面積が，標準溶液のリンコフィリンのピーク面積の3.5～6.5％になることを確認する．

システムの性能：試料溶液5 mLにアンモニア水（28）1 mLを加え，50℃で2時間加熱，又は還流冷却器を付けて10分間加熱する．冷後，反応液1 mLを量り，メタノール/希酢酸混液（7：3）を加えて5 mLとする．この液20 μLにつき，上記の条件で操作するとき，リンコフィリン以外にイソリンコフィリンのピークを認め，リンコフィリンとイソリンコフィリンの分離度は1.5以上である．

システムの再現性：標準溶液20 μLにつき，上記の条件で試験を6回繰り返すとき，リンコフィリンのピーク面積の相対標準偏差は1.5％以下である．

2）定量用2（qNMR純度規定）

ピークの単一性　本品1 mgをメタノール/希酢酸混液（7：3）100 mLに溶かし，試料溶液とする．試料溶液20 μLにつき，次の条件で液体クロマトグラフィー〈*2.01*〉により試験を行い，リンコフィリンのピークの頂点及び頂点の前後でピーク高さの中点付近の2時点を含む少なくとも3時点以上でのピークの吸収スペクトルを比較するとき，スペクトルの形状に差がない．

試験条件

カラム，カラム温度，移動相及び流量は「チョウトウコウ」の定量法の試験条件を準用する．

検出器：フォトダイオードアレイ検出器（測定波長：245 nm，スペクトル測定範囲：220～400 nm）

システム適合性

システムの性能：本品1 mgをメタノール/希酢酸混液（7：3）20 mLに溶かす．この液5 mLにアンモニア水（28）1 mLを加え，50℃で2時間加熱，又は還流冷却器を付けて10分間加熱する．冷後，反応液1 mLを量り，メタノール／希酢酸混液（7：3）を加えて5 mLとする．この液20 μLにつき，上記の条件で操作するとき，リンコフィリン以外にイソリンコフィリンのピークを認め，リンコフィリンとイソリンコフィリンの分離度は1.5以上である．

定量法 ウルトラミクロ化学はかりを用い，本品5 mg及び核磁気共鳴スペクトル測定用1,4-BTMSB-d_4 1 mgをそれぞれ精密に量り，核磁気共鳴スペクトル測定用重水素化アセトン1 mLに溶かし，試料溶液とする．この液を外径5 mmのNMR試料管に入れ，核磁気共鳴スペクトル測定用1,4-BTMSB-d_4をqNMR用基準物質として，次の試験条件で核磁気共鳴スペクトル測定法（〈*2.21*〉及び〈*5.01*〉）により，^{1}H NMRを測定する．qNMR用基準物質のシグナルをδ 0 ppmとし，δ 6.60 ppm及びδ 6.73 ppm付近のそれぞれのシグナルの面積強度A_1（水素数1に相当）及びA_2（水素数1に相当）を算出する．

リンコフィリン（$C_{22}H_{28}N_2O_4$）の量（％）
$$= M_S \times I \times P / (M \times N) \times 1.6974$$

M：本品の秤取量（mg）
M_S：核磁気共鳴スペクトル測定用1,4-BTMSB-d_4の秤取量（mg）
I：核磁気共鳴スペクトル測定用1,4-BTMSB-d_4のシグナルの面積強度を18.000としたときの各シグナルの面積強度A_1及びA_2の和
N：A_1及びA_2に由来する各シグナルの水素数の和
P：核磁気共鳴スペクトル測定用1,4-BTMSB-d_4の純度（％）

試験条件
装置：^{1}H共鳴周波数400 MHz以上の核磁気共鳴スペクトル測定装置
測定対象とする核：^{1}H
デジタル分解能：0.25 Hz以下
観測スペクトル幅：－5～15 ppmを含む20 ppm以上
スピニング：オフ
パルス角：90°
^{13}C核デカップリング：あり
遅延時間：繰り返しパルス待ち時間60秒以上
積算回数：8回以上
ダミースキャン：2回以上
測定温度：20～30℃の一定温度
システム適合性
検出の確認：試料溶液につき，上記の条件で測定するとき，δ 6.60 ppm及び

δ 6.73 ppm 付近の各シグナルの SN 比は 100 以上である．

システムの性能：試料溶液につき，上記の条件で測定するとき，δ 6.60 ppm 及び δ 6.73 ppm 付近のシグナルについて，明らかな混在物のシグナルが重なっていないことを確認する．また，試料溶液につき，上記の条件で測定するとき，各シグナル間の面積強度比 A_1/A_2 は 0.99 ～ 1.01 である．

システムの再現性：試料溶液につき，上記の条件で測定を 6 回繰り返すとき，面積強度 A_1 又は A_2 の qNMR 用基準物質の面積強度に対する比の相対標準偏差は 1.0％以下である．

ロガニン，定量用　$C_{17}H_{26}O_{10}$　ロガニン，薄層クロマトグラフィー用．ただし，以下の試験に適合するもの．なお，本品は定量法で求めた含量で補正して用いる．

ピークの単一性　本品 2 mg を移動相 5 mL に溶かし，試料溶液とする．試料溶液 10 μL につき，次の条件で液体クロマトグラフィー〈*2.01*〉により試験を行い，ロガニンのピークの頂点及び頂点の前後でピーク高さの中点付近の 2 時点を含む少なくとも 3 時点以上でのピークの吸収スペクトルを比較するとき，スペクトルの形状に差がない．

試験条件

カラム，カラム温度，移動相及び流量は「牛車腎気丸エキス」の定量法（1）の試験条件を準用する．

検出器：フォトダイオードアレイ検出器（測定波長：238 nm，スペクトル測定範囲：220 ～ 400 nm）

システム適合性

システムの性能：試料溶液 10 μL につき，上記の条件で操作するとき，ロガニンのピークの理論段数及びシンメトリー係数は，それぞれ 5000 段以上，1.5 以下である．

定量法　ウルトラミクロ化学はかりを用い，本品 5 mg 及び核磁気共鳴スペクトル測定用 1,4-BTMSB-d_4 1 mg をそれぞれ精密に量り，核磁気共鳴スペクトル測定用重水素化メタノール 1 mL に溶かし，試料溶液とする．この液を外径 5 mm の NMR 試料管に入れ，核磁気共鳴スペクトル測定用 1,4-BTMSB-d_4 を qNMR 用基準物質として，次の試験条件で核磁気共鳴スペクトル測定法（〈*2.21*〉及び〈*5.01*〉）により，^{1}H NMR を測定する．qNMR 用基準物質のシグナルを δ 0 ppm とし，δ 7.14 ppm 付近のシグナルの面積強度 A（水素数 1 に相当）を算出する．

ロガニン（$C_{17}H_{26}O_{10}$）の量（％）

$$= M_S \times I \times P / (M \times N) \times 1.7235$$

M：本品の秤取量（mg）

M_S：核磁気共鳴スペクトル測定用 1,4-BTMSB-d_4 の秤取量（mg）

I：核磁気共鳴スペクトル測定用1,4-BTMSB-d_4のシグナルの面積強度を18.000としたときの面積強度A

N：Aに由来するシグナルの水素数

P：核磁気共鳴スペクトル測定用1,4-BTMSB-d_4の純度（%）

試験条件

装置：^{1}H共鳴周波数400 MHz以上の核磁気共鳴スペクトル測定装置

測定対象とする核：^{1}H

デジタル分解能：0.25 Hz以下

観測スペクトル幅：−5～15 ppmを含む20 ppm以上

スピニング：オフ

パルス角：90°

^{13}C核デカップリング：あり

遅延時間：繰り返しパルス待ち時間60秒以上

積算回数：8回以上

ダミースキャン：2回以上

測定温度：20～30℃の一定温度

システム適合性

検出の確認：試料溶液につき，上記の条件で測定するとき，δ 5.02 ppm及びδ 7.14 ppm付近の各シグナルのSN比は100以上である.

システムの性能：試料溶液につき，上記の条件で測定するとき，δ 5.02 ppm及びδ 7.14 ppm付近のシグナルについて，明らかな混在物のシグナルが重なっていないことを確認する．また，試料溶液につき，上記の条件でδ 5.02 ppm及びδ 7.14 ppm付近のそれぞれのシグナルの面積強度A_1（水素数1に相当）及び面積強度A（水素数1に相当）を測定するとき，各シグナル間の面積強度比A_1/Aは，0.99～1.01である.

システムの再現性：試料溶液につき，上記の条件で測定を6回繰り返すとき，面積強度AのqNMR用基準物質の面積強度に対する比の相対標準偏差は1.0%以下である.

一般試験法の部　9.41　試薬・試液の条に次の項を加える.

9.41　試薬・試液

1,4-ジアミノブタン　$C_4H_{12}N_2$　白色～僅かに薄い黄色の粉末又は塊，又は無色～薄い黄色の澄明な液である.

テモゾロミド　$C_6H_6N_6O_2$　［医薬品各条］

ノオトカトン，薄層クロマトグラフィー用　$C_{15}H_{22}O$　白色～薄い黄色の結晶又は結晶性の粉末である．メタノール，エタノール（99.5）又はヘキサンに極めて溶けやすく，水にほとんど溶けない．

確認試験　本品につき，赤外吸収スペクトル測定法〈*2.25*〉の臭化カリウム錠剤法により測定するとき，波数 2950 cm^{-1}，1670 cm^{-1} 及び 898 cm^{-1} 付近に吸収を認める．

純度試験　類縁物質　本品 2 mg をヘキサン 2 mL に溶かし，試料溶液とする．この液 1 mL を正確に量り，ヘキサンを加えて正確に 20 mL とし，標準溶液とする．これらの液につき，薄層クロマトグラフィー〈*2.03*〉により試験を行う．試料溶液及び標準溶液 10 µL ずつにつき，「ヤクチ」の確認試験を準用し，試験を行うとき，試料溶液から得た R_f 値 0.35 付近の主スポット以外のスポットは，標準溶液から得たスポットより濃くない．

薄層クロマトグラフィー用ノオトカトン　ノオトカトン，薄層クロマトグラフィー用を参照．

四酢酸鉛　$Pb(CH_3COO)_4$　白色～微褐色の粉末である．融点：約 176℃（分解）．

四酢酸鉛・フルオレセインナトリウム試液　四酢酸鉛の酢酸（100）溶液（3 → 100）5 mL 及びフルオレセインナトリウムのエタノール（99.5）溶液（1 → 100）2.5 mL に，ジクロロメタンを加えて 100 mL とする．用時調製する．

リン酸塩緩衝液，pH 3.2　リン酸二水素ナトリウム二水和物溶液（1 → 250）900 mL にリン酸溶液（1 → 400）100 mL を加え，リン酸又は水酸化ナトリウム試液を加えて pH 3.2 に調整する．

リン酸カリウム三水和物　$K_3PO_4 \cdot 3H_2O$　白色の結晶性の粉末又は粉末で，水に溶けやすい．本品の水溶液（1 → 100）の pH は 11.5 ～ 12.5 である．

確認試験

（1）　本品の水溶液（1 → 20）は，カリウム塩の定性反応（3）〈*1.09*〉を呈する．

（2）　本品の水溶液（1 → 20）は，リン酸塩の定性反応（1）〈*1.09*〉を呈する．

一般試験法の部　9.41　試薬・試液の条の次の項を削る．

9.41　試薬・試液

ウサギ抗ナルトグラスチム抗体

ウサギ抗ナルトグラスチム抗体試液

ウシ血清アルブミン試液，ナルトグラスチム試験用

還元緩衝液，ナルトグラスチム試料用

緩衝液，ナルトグラスチム試料用

継代培地，ナルトグラスチム試験用

洗浄液，ナルトグラスチム試験用

ナルトグラスチム試験用ウシ血清アルブミン試液

ナルトグラスチム試験用継代培地

ナルトグラスチム試験用洗浄液

ナルトグラスチム試験用ブロッキング試液

ナルトグラスチム試験用分子量マーカー

ナルトグラスチム試験用力価測定培地

ナルトグラスチム試料用還元緩衝液

ナルトグラスチム試料用緩衝液

ナルトグラスチム用ポリアクリルアミドゲル

フロイント完全アジュバント

ブロッキング試液，ナルトグラスチム試験用

分子量マーカー，ナルトグラスチム試験用

ポリアクリルアミドゲル，ナルトグラスチム用

力価測定培地，ナルトグラスチム試験用

一般試験法の部　9.42　クロマトグラフィー用担体／充塡剤の条に次の項を加える．

9.42　クロマトグラフィー用担体／充塡剤

液体クロマトグラフィー用オクタデシルシリル基及びオクチルシリル基を結合した多孔質シリカゲル　オクタデシルシリル基及びオクチルシリル基を結合した多孔質シリカゲル，液体クロマトグラフィー用　を参照．

液体クロマトグラフィー用ポリアミンシリカゲル　ポリアミンシリカゲル，液体クロマトグラフィー用　を参照.

オクタデシルシリル基及びオクチルシリル基を結合した多孔質シリカゲル，液体クロマトグラフィー用　オクタデシルシリル基及びオクチルシリル基を結合した多孔質シリカゲルで，液体クロマトグラフィー用に製造したもの.

ポリアミンシリカゲル，液体クロマトグラフィー用　液体クロマトグラフィー用に製造したもの.

医薬品各条　改正事項

医薬品各条の部において，次のとおり純度試験の項中の一部の目を削り，以降を繰り上げる．

医薬品各条名	純度試験において削除する項目
アクラルビシン塩酸塩	重金属
アクリノール水和物	重金属
アザチオプリン	重金属，ヒ素
アシクロビル	重金属
アジスロマイシン水和物	重金属
アスコルビン酸	重金属
アズトレオナム	重金属
L-アスパラギン酸	重金属
アスピリン	重金属
アスポキシシリン水和物	重金属，ヒ素
アセタゾラミド	重金属
注射用アセチルコリン塩化物	重金属
アセチルシステイン	重金属
アセトアミノフェン	重金属，ヒ素
アセトヘキサミド	重金属
アセブトロール塩酸塩	重金属，ヒ素
アセメタシン	重金属
アゼラスチン塩酸塩	重金属，ヒ素
アゼルニジピン	重金属
アゾセミド	重金属
アテノロール	重金属
アトルバスタチンカルシウム水和物	重金属
アドレナリン	重金属
アプリンジン塩酸塩	重金属
アフロクアロン	重金属
アマンタジン塩酸塩	重金属，ヒ素
アミオダロン塩酸塩	重金属
アミカシン硫酸塩	重金属
アミドトリゾ酸	重金属，ヒ素
アミトリプチリン塩酸塩	重金属
アミノ安息香酸エチル	重金属
アミノフィリン水和物	重金属

医薬品各条名	純度試験において削除する項目
アムロジピンベシル酸塩	重金属
アモキサピン	重金属
アモキシシリン水和物	重金属，ヒ素
アモスラロール塩酸塩	重金属
アモバルビタール	重金属
アラセプリル	重金属
L-アラニン	重金属
アリメマジン酒石酸塩	重金属，ヒ素
亜硫酸水素ナトリウム	重金属
乾燥亜硫酸ナトリウム	重金属
アルガトロバン水和物	重金属，ヒ素
L-アルギニン	重金属
L-アルギニン塩酸塩	重金属，ヒ素
アルジオキサ	重金属
アルプラゾラム	重金属
アルプレノロール塩酸塩	重金属，ヒ素
アルプロスタジル注射液	重金属
アルベカシン硫酸塩	重金属
アレンドロン酸ナトリウム水和物	重金属
アロチノロール塩酸塩	重金属
アロプリノール	重金属，ヒ素
安息香酸	重金属
安息香酸ナトリウム	重金属，ヒ素
安息香酸ナトリウムカフェイン	重金属，ヒ素
アンチピリン	重金属
無水アンピシリン	重金属，ヒ素
アンピシリン水和物	重金属，ヒ素
アンピシリンナトリウム	重金属，ヒ素
アンピロキシカム	重金属
アンベノニウム塩化物	重金属
アンモニア水	重金属
アンレキサノクス	重金属
イオウ	ヒ素
イオタラム酸	重金属，ヒ素
イオトロクス酸	重金属
イオパミドール	重金属
イオヘキソール	重金属
イコサペント酸エチル	重金属，ヒ素
イセパマイシン硫酸塩	重金属
イソクスプリン塩酸塩	重金属
イソソルビド	重金属，ヒ素
イソニアジド	重金属，ヒ素
l-イソプレナリン塩酸塩	重金属
イソプロピルアンチピリン	重金属，ヒ素
イソマル水和物	重金属
L-イソロイシン	重金属，ヒ素

医薬品各条名	純度試験において削除する項目
イダルビシン塩酸塩	銀
70％一硝酸イソソルビド乳糖末	重金属
イドクスウリジン	重金属
イトラコナゾール	重金属
イフェンプロジル酒石酸塩	重金属
イブジラスト	重金属
イブプロフェン	重金属，ヒ素
イブプロフェンピコノール	重金属
イプラトロピウム臭化物水和物	重金属，ヒ素
イプリフラボン	重金属，ヒ素
イミダプリル塩酸塩	重金属
イミペネム水和物	重金属，ヒ素
イリノテカン塩酸塩水和物	重金属
イルソグラジンマレイン酸塩	重金属
イルベサルタン	重金属
インジゴカルミン	ヒ素
インダパミド	重金属
インデノロール塩酸塩	重金属，ヒ素
インドメタシン	重金属，ヒ素
ウベニメクス	重金属
ウラピジル	重金属
ウリナスタチン	重金属
ウルソデオキシコール酸	重金属，バリウム
ウロキナーゼ	重金属
エカベトナトリウム水和物	重金属
エコチオパートヨウ化物	重金属
エスタゾラム	重金属，ヒ素
エストリオール	重金属
エタクリン酸	重金属，ヒ素
エダラボン	重金属
エタンブトール塩酸塩	重金属，ヒ素
エチオナミド	重金属，ヒ素
エチゾラム	重金属
エチドロン酸二ナトリウム	重金属，ヒ素
L-エチルシステイン塩酸塩	重金属
エチルセルロース	重金属
エチレフリン塩酸塩	重金属
エチレンジアミン	重金属
エデト酸カルシウムナトリウム水和物	重金属
エデト酸ナトリウム水和物	重金属，ヒ素
エテンザミド	重金属，ヒ素
エトスクシミド	重金属，ヒ素
エトドラク	重金属
エトポシド	重金属
エドロホニウム塩化物	重金属，ヒ素
エナラプリルマレイン酸塩	重金属

医薬品各条名	純度試験において削除する項目
エノキサシン水和物	重金属，ヒ素
エバスチン	重金属
エパルレスタット	重金属
エピリゾール	重金属，ヒ素
エピルビシン塩酸塩	重金属
エフェドリン塩酸塩	重金属
エプレレノン	重金属
エペリゾン塩酸塩	重金属
エメダスチンフマル酸塩	重金属
エモルファゾン	重金属，ヒ素
エリスロマイシン	重金属
エリブリンメシル酸塩	重金属
塩化亜鉛	重金属，ヒ素
塩化カリウム	重金属，ヒ素
塩化カルシウム水和物	重金属，ヒ素，バリウム
塩化ナトリウム	重金属
塩酸	重金属，ヒ素，水銀
希塩酸	重金属，ヒ素，水銀
エンタカポン	重金属
エンビオマイシン硫酸塩	重金属，ヒ素
オキサゾラム	重金属，ヒ素
オキサピウムヨウ化物	重金属
オキサプロジン	重金属，ヒ素
オキシテトラサイクリン塩酸塩	重金属
オキシドール	重金属，ヒ素
オキシブプロカイン塩酸塩	重金属
オキセサゼイン	重金属
オクスプレノロール塩酸塩	重金属，ヒ素
オザグレルナトリウム	重金属
オフロキサシン	重金属
オメプラゾール	重金属
オーラノフィン	重金属，ヒ素
オルシプレナリン硫酸塩	重金属
オルメサルタン　メドキソミル	重金属
オロパタジン塩酸塩	重金属
カイニン酸水和物	重金属，ヒ素
ガチフロキサシン水和物	重金属
果糖	重金属，ヒ素
果糖注射液	重金属，ヒ素
カドララジン	重金属
カナマイシン一硫酸塩	重金属，ヒ素
カナマイシン硫酸塩	重金属，ヒ素
無水カフェイン	重金属
カフェイン水和物	重金属
カプトプリル	重金属，ヒ素
ガベキサートメシル酸塩	重金属，ヒ素

医薬品各条名	純度試験において削除する項目
カベルゴリン	重金属
過マンガン酸カリウム	ヒ素
カモスタットメシル酸塩	重金属，ヒ素
β-ガラクトシダーゼ（アスペルギルス）	重金属，ヒ素
β-ガラクトシダーゼ（ペニシリウム）	重金属，ヒ素
カルテオロール塩酸塩	重金属，ヒ素
カルバゾクロムスルホン酸ナトリウム水和物	重金属
カルバマゼピン	重金属
カルビドパ水和物	重金属
カルベジロール	重金属
L-カルボシステイン	重金属，ヒ素
カルメロース	重金属
カルメロースカルシウム	重金属
カルメロースナトリウム	重金属，ヒ素
クロスカルメロースナトリウム	重金属
カルモナムナトリウム	重金属，ヒ素
カルモフール	重金属
カンデサルタン　シレキセチル	重金属
カンレノ酸カリウム	重金属，ヒ素
キシリトール	重金属，ヒ素，ニッケル
キタサマイシン酒石酸塩	重金属
キナプリル塩酸塩	重金属
キニーネエチル炭酸エステル	重金属
キニーネ硫酸塩水和物	重金属
金チオリンゴ酸ナトリウム	重金属，ヒ素
グアイフェネシン	重金属，ヒ素
グアナベンズ酢酸塩	重金属
グアネチジン硫酸塩	重金属
クエチアピンフマル酸塩	重金属
無水クエン酸	重金属
クエン酸水和物	重金属
クエン酸ナトリウム水和物	重金属，ヒ素
クラブラン酸カリウム	重金属，ヒ素
クラリスロマイシン	重金属
グリクラジド	重金属
グリシン	重金属，ヒ素
グリセリン	重金属
濃グリセリン	重金属
クリノフィブラート	重金属，ヒ素
グリベンクラミド	重金属
グリメピリド	重金属
クリンダマイシン塩酸塩	重金属
クリンダマイシンリン酸エステル	重金属，ヒ素
グルコン酸カルシウム水和物	重金属，ヒ素

医薬品各条名	純度試験において削除する項目
グルタチオン	重金属，ヒ素
L-グルタミン	重金属
L-グルタミン酸	重金属
クレボプリドリンゴ酸塩	重金属
クレマスチンフマル酸塩	重金属，ヒ素
クロカプラミン塩酸塩水和物	重金属
クロキサシリンナトリウム水和物	重金属，ヒ素
クロキサゾラム	重金属，ヒ素
クロコナゾール塩酸塩	重金属
クロスポビドン	重金属
クロチアゼパム	重金属，ヒ素
クロトリマゾール	重金属，ヒ素
クロナゼパム	重金属
クロニジン塩酸塩	重金属，ヒ素
クロピドグレル硫酸塩	重金属
クロフィブラート	重金属，ヒ素
クロフェダノール塩酸塩	重金属
クロベタゾールプロピオン酸エステル	重金属
クロペラスチン塩酸塩	重金属
クロペラスチンフェンジゾ酸塩	重金属
クロミフェンクエン酸塩	重金属
クロミプラミン塩酸塩	重金属，ヒ素
クロモグリク酸ナトリウム	重金属
クロラゼプ酸二カリウム	重金属，ヒ素
クロラムフェニコール	重金属
クロラムフェニコールコハク酸エステルナトリウム	重金属
クロラムフェニコールパルミチン酸エステル	重金属，ヒ素
クロルジアゼポキシド	重金属
クロルフェニラミンマレイン酸塩	重金属
d-クロルフェニラミンマレイン酸塩	重金属
クロルフェネシンカルバミン酸エステル	重金属，ヒ素
クロルプロパミド	重金属
クロルプロマジン塩酸塩	重金属
クロルヘキシジン塩酸塩	重金属，ヒ素
クロルマジノン酢酸エステル	重金属，ヒ素
軽質無水ケイ酸	重金属
合成ケイ酸アルミニウム	重金属，ヒ素
天然ケイ酸アルミニウム	重金属，ヒ素
ケイ酸アルミン酸マグネシウム	重金属
メタケイ酸アルミン酸マグネシウム	重金属
ケタミン塩酸塩	重金属，ヒ素
ケトコナゾール	重金属
ケトチフェンフマル酸塩	重金属

医薬品各条名	純度試験において削除する項目
ケトプロフェン	重金属
ケノデオキシコール酸	重金属，バリウム
ゲファルナート	重金属
ゲフィチニブ	重金属
ゲンタマイシン硫酸塩	重金属
硬化油	重金属
コポビドン	重金属
コリスチンメタンスルホン酸ナトリウム	重金属，ヒ素
コレスチミド	重金属
サイクロセリン	重金属
酢酸	重金属
氷酢酸	重金属
酢酸ナトリウム水和物	重金属，ヒ素
サッカリン	重金属
サッカリンナトリウム水和物	重金属
サラゾスルファピリジン	重金属，ヒ素
サリチル酸	重金属
サリチル酸ナトリウム	重金属，ヒ素
サリチル酸メチル	重金属
ザルトプロフェン	重金属，ヒ素
サルブタモール硫酸塩	重金属
サルポグレラート塩酸塩	重金属，ヒ素
酸化亜鉛	鉛，ヒ素
酸化マグネシウム	重金属
ジアゼパム	重金属
シアナミド	重金属
ジエチルカルバマジンクエン酸塩	重金属
シクラシリン	重金属，ヒ素
シクロスポリン	重金属
ジクロフェナクナトリウム	重金属，ヒ素
シクロペントラート塩酸塩	重金属
シクロホスファミド水和物	重金属
ジスチグミン臭化物	重金属
L-シスチン	重金属
L-システイン	重金属
L-システイン塩酸塩水和物	重金属
ジスルフィラム	重金属，ヒ素
ジソピラミド	重金属，ヒ素
シタグリプチンリン酸塩水和物	重金属
シタラビン	重金属
シチコリン	重金属，ヒ素
ジドブジン	重金属
ジドロゲステロン	重金属
シノキサシン	重金属
ジヒドロエルゴトキシンメシル酸塩	重金属

医薬品各条名	純度試験において削除する項目
ジピリダモール	重金属，ヒ素
ジフェニドール塩酸塩	重金属，ヒ素
ジフェンヒドラミン	重金属
ジフェンヒドラミン塩酸塩	重金属
ジブカイン塩酸塩	重金属
ジフルコルトロン吉草酸エステル	重金属
シプロフロキサシン	重金属
シプロフロキサシン塩酸塩水和物	重金属
シプロヘプタジン塩酸塩水和物	重金属
ジフロラゾン酢酸エステル	重金属
ジベカシン硫酸塩	重金属
シベレスタットナトリウム水和物	重金属
シベンゾリンコハク酸塩	重金属，ヒ素
シメチジン	重金属，ヒ素
ジメモルファンリン酸塩	重金属，ヒ素
ジメルカプロール	重金属
次没食子酸ビスマス	ヒ素，銅，鉛，銀
ジモルホラミン	重金属
臭化カリウム	重金属，ヒ素，バリウム
臭化ナトリウム	重金属，ヒ素，バリウム
酒石酸	重金属，ヒ素
硝酸銀	ビスマス，銅及び鉛のうち銅，鉛 （本試験法の名称をビスマスとする．）
硝酸イソソルビド	重金属
ジョサマイシン	重金属
ジョサマイシンプロピオン酸エステル	重金属
シラザプリル水和物	重金属
シラスタチンナトリウム	重金属，ヒ素
ジラゼプ塩酸塩水和物	重金属，ヒ素
ジルチアゼム塩酸塩	重金属，ヒ素
シルニジピン	重金属
シロスタゾール	重金属
シロドシン	重金属
シンバスタチン	重金属
乾燥水酸化アルミニウムゲル	重金属，ヒ素
水酸化カリウム	重金属
水酸化カルシウム	重金属，ヒ素
水酸化ナトリウム	重金属，水銀
スクラルファート水和物	重金属，ヒ素
ステアリン酸	重金属
ステアリン酸カルシウム	重金属
ステアリン酸ポリオキシル40	重金属
ステアリン酸マグネシウム	重金属
ストレプトマイシン硫酸塩	重金属，ヒ素
スピラマイシン酢酸エステル	重金属
スリンダク	重金属，ヒ素

医薬品各条名	純度試験において削除する項目
スルタミシリントシル酸塩水和物	重金属
スルチアム	重金属，ヒ素
スルバクタムナトリウム	重金属
スルピリド	重金属
スルピリン水和物	重金属
スルファメチゾール	重金属，ヒ素
スルファメトキサゾール	重金属，ヒ素
スルファモノメトキシン水和物	重金属，ヒ素
スルフイソキサゾール	重金属
スルベニシリンナトリウム	重金属，ヒ素
スルホブロモフタレインナトリウム	重金属，ヒ素
生理食塩液	重金属，ヒ素
セチリジン塩酸塩	重金属
セトチアミン塩酸塩水和物	重金属
セトラキサート塩酸塩	重金属，ヒ素
セファクロル	重金属，ヒ素
セファゾリンナトリウム	重金属，ヒ素
セファゾリンナトリウム水和物	重金属
セファトリジンプロピレングリコール	重金属，ヒ素
セファドロキシル	重金属
セファレキシン	重金属，ヒ素
セファロチンナトリウム	重金属，ヒ素
セフェピム塩酸塩水和物	重金属
セフォジジムナトリウム	重金属，ヒ素
セフォゾプラン塩酸塩	重金属，ヒ素
セフォタキシムナトリウム	重金属，ヒ素
セフォチアム塩酸塩	重金属，ヒ素
セフォチアム　ヘキセチル塩酸塩	重金属，ヒ素
セフォテタン	重金属
セフォペラゾンナトリウム	重金属，ヒ素
セフカペン　ピボキシル塩酸塩水和物	重金属
セフジトレン　ピボキシル	重金属
セフジニル	重金属
セフスロジンナトリウム	重金属，ヒ素
セフタジジム水和物	重金属
セフチゾキシムナトリウム	重金属，ヒ素
セフチブテン水和物	重金属
セフテラム　ピボキシル	重金属
セフトリアキソンナトリウム水和物	重金属，ヒ素
セフピラミドナトリウム	重金属
セフピロム硫酸塩	重金属，ヒ素
セフブペラゾンナトリウム	重金属，ヒ素
セフポドキシム　プロキセチル	重金属
セフミノクスナトリウム水和物	重金属，ヒ素
セフメタゾールナトリウム	重金属，ヒ素
セフメノキシム塩酸塩	重金属，ヒ素

医薬品各条名	純度試験において削除する項目
セフロキサジン水和物	重金属
セフロキシム　アキセチル	重金属
セラセフェート	重金属
ゼラチン	重金属，ヒ素
精製ゼラチン	重金属，ヒ素
精製セラック	重金属
白色セラック	重金属
L-セリン	重金属
結晶セルロース	重金属
粉末セルロース	重金属
セレコキシブ	重金属
ゾニサミド	重金属
ゾピクロン	重金属
ソルビタンセスキオレイン酸エステル	重金属
ゾルピデム酒石酸塩	重金属
D-ソルビトール	重金属，ヒ素，ニッケル
D-ソルビトール液	重金属，ヒ素，ニッケル
ダウノルビシン塩酸塩	重金属
タウリン	重金属
タクロリムス水和物	重金属
タゾバクタム	重金属
ダナゾール	重金属
タムスロシン塩酸塩	重金属
タモキシフェンクエン酸塩	重金属
タランピシリン塩酸塩	重金属，ヒ素
タルチレリン水和物	重金属
炭酸カリウム	重金属，ヒ素
沈降炭酸カルシウム	重金属，ヒ素，バリウム
炭酸水素ナトリウム	重金属，ヒ素
乾燥炭酸ナトリウム	重金属
炭酸ナトリウム水和物	重金属
炭酸マグネシウム	重金属，ヒ素
炭酸リチウム	重金属，ヒ素，バリウム
ダントロレンナトリウム水和物	重金属
タンニン酸ジフェンヒドラミン	重金属
チアプリド塩酸塩	重金属
チアマゾール	重金属，ヒ素，セレン
チアミラールナトリウム	重金属
チアミン塩化物塩酸塩	重金属
チアミン硝化物	重金属
チアラミド塩酸塩	重金属，ヒ素
チオペンタールナトリウム	重金属
注射用チオペンタールナトリウム	重金属
チオリダジン塩酸塩	重金属，ヒ素
チオ硫酸ナトリウム水和物	重金属，ヒ素
チクロピジン塩酸塩	重金属，ヒ素

医薬品各条名	純度試験において削除する項目
チザニジン塩酸塩	重金属
チニダゾール	重金属，ヒ素
チペピジンヒベンズ酸塩	重金属，ヒ素
チメピジウム臭化物水和物	重金属
チモロールマレイン酸塩	重金属
L-チロシン	重金属
ツロブテロール	重金属
ツロブテロール塩酸塩	重金属
テイコプラニン	重金属，ヒ素
テオフィリン	重金属，ヒ素
テガフール	重金属，ヒ素
デキサメタゾン	重金属
デキストラン40	重金属，ヒ素
デキストラン70	重金属，ヒ素
デキストラン硫酸エステルナトリウムイオウ 5	重金属，ヒ素
デキストラン硫酸エステルナトリウムイオウ 18	重金属，ヒ素
デキストリン	重金属
デキストロメトルファン臭化水素酸塩水和物	重金属
テトラカイン塩酸塩	重金属
テトラサイクリン塩酸塩	重金属
デヒドロコール酸	重金属，バリウム
精製デヒドロコール酸	重金属，バリウム
デヒドロコール酸注射液	重金属
デフェロキサミンメシル酸塩	重金属，ヒ素
テプレノン	重金属
デメチルクロルテトラサイクリン塩酸塩	重金属
テモカプリル塩酸塩	重金属
テルビナフィン塩酸塩	重金属
テルブタリン硫酸塩	重金属，ヒ素
テルミサルタン	重金属
デンプングリコール酸ナトリウム	重金属
ドキサゾシンメシル酸塩	重金属
ドキサプラム塩酸塩水和物	重金属，ヒ素
ドキシサイクリン塩酸塩水和物	重金属
ドキシフルリジン	重金属
トコフェロール	重金属
トコフェロール酢酸エステル	重金属
トコフェロールニコチン酸エステル	重金属，ヒ素
トスフロキサシントシル酸塩水和物	重金属，ヒ素
ドセタキセル水和物	重金属
トドララジン塩酸塩水和物	重金属，ヒ素
ドネペジル塩酸塩	重金属

医薬品各条名	純度試験において削除する項目
ドパミン塩酸塩	重金属，ヒ素
トフィソパム	重金属，ヒ素
ドブタミン塩酸塩	重金属
トブラマイシン	重金属
トラニラスト	重金属
トラネキサム酸	重金属，ヒ素
トラピジル	重金属，ヒ素
トラマドール塩酸塩	重金属
トリアゾラム	重金属
トリアムシノロン	重金属
トリアムシノロンアセトニド	重金属
トリアムテレン	重金属，ヒ素
トリエンチン塩酸塩	重金属
トリクロホスナトリウム	重金属，ヒ素
トリクロルメチアジド	重金属，ヒ素
L-トリプトファン	重金属，ヒ素
トリヘキシフェニジル塩酸塩	重金属
ドリペネム水和物	重金属
トリメタジオン	重金属
トリメタジジン塩酸塩	重金属
トリメトキノール塩酸塩水和物	重金属
トリメブチンマレイン酸塩	重金属，ヒ素
ドルゾラミド塩酸塩	重金属
トルナフタート	重金属
トルブタミド	重金属
トルペリゾン塩酸塩	重金属
L-トレオニン	重金属，ヒ素
トレハロース水和物	重金属
トレピブトン	重金属
ドロキシドパ	重金属，ヒ素
トロキシピド	重金属
トロピカミド	重金属
ドロペリドール	重金属
ドンペリドン	重金属
ナイスタチン	重金属
ナテグリニド	重金属
ナドロール	重金属
ナファゾリン硝酸塩	重金属
ナファモスタットメシル酸塩	重金属
ナフトピジル	重金属
ナブメトン	重金属
ナプロキセン	重金属，ヒ素
ナリジクス酸	重金属
ニカルジピン塩酸塩	重金属
ニコチン酸	重金属
ニコチン酸アミド	重金属

医薬品各条名	純度試験において削除する項目
ニコモール	重金属，ヒ素
ニコランジル	重金属
ニザチジン	重金属
ニセリトロール	重金属，ヒ素
ニセルゴリン	重金属
ニトラゼパム	重金属，ヒ素
ニトレンジピン	重金属
ニフェジピン	重金属，ヒ素
乳酸	重金属
L-乳酸	重金属
乳酸カルシウム水和物	重金属，ヒ素
L-乳酸ナトリウム液	重金属，ヒ素
L-乳酸ナトリウムリンゲル液	重金属
無水乳糖	重金属
乳糖水和物	重金属
尿素	重金属
ニルバジピン	重金属
ノスカピン	重金属
ノルゲストレル	重金属
ノルトリプチリン塩酸塩	重金属，ヒ素
ノルフロキサシン	重金属，ヒ素
バカンピシリン塩酸塩	重金属，ヒ素
白糖	重金属
バクロフェン	重金属，ヒ素
バシトラシン	重金属
パズフロキサシンメシル酸塩	重金属
パニペネム	重金属
バメタン硫酸塩	重金属，ヒ素
パラアミノサリチル酸カルシウム水和物	重金属，ヒ素
パラオキシ安息香酸エチル	重金属
パラオキシ安息香酸ブチル	重金属
パラオキシ安息香酸プロピル	重金属
パラオキシ安息香酸メチル	重金属
バラシクロビル塩酸塩	重金属，パラジウム
パラフィン	重金属
流動パラフィン	重金属
軽質流動パラフィン	重金属
L-バリン	重金属，ヒ素
バルサルタン	重金属
パルナパリンナトリウム	重金属
バルビタール	重金属
バルプロ酸ナトリウム	重金属
ハロキサゾラム	重金属，ヒ素
パロキセチン塩酸塩水和物	重金属
ハロペリドール	重金属

医薬品各条名	純度試験において削除する項目
バンコマイシン塩酸塩	重金属
パンテチン	重金属，ヒ素
パントテン酸カルシウム	重金属
精製ヒアルロン酸ナトリウム	重金属
ピオグリタゾン塩酸塩	重金属
ビオチン	重金属，ヒ素
ビカルタミド	重金属
ピコスルファートナトリウム水和物	重金属，ヒ素
ビサコジル	重金属
L-ヒスチジン	重金属
L-ヒスチジン塩酸塩水和物	重金属
ビソプロロールフマル酸塩	重金属
ピタバスタチンカルシウム水和物	重金属
ヒドララジン塩酸塩	重金属
ヒドロキシエチルセルロース	重金属
ヒドロキシジン塩酸塩	重金属
ヒドロキシジンパモ酸塩	重金属，ヒ素
ヒドロキシプロピルセルロース	重金属
低置換度ヒドロキシプロピルセルロース	重金属
ヒドロクロロチアジド	重金属
ヒドロコタルニン塩酸塩水和物	重金属
ヒドロコルチゾン酪酸エステル	重金属
ヒドロコルチゾンリン酸エステルナトリウム	重金属，ヒ素
ピブメシリナム塩酸塩	重金属，ヒ素
ヒプロメロース	重金属
ヒプロメロース酢酸エステルコハク酸エステル	重金属
ヒプロメロースフタル酸エステル	重金属
ピペミド酸水和物	重金属，ヒ素
ピペラシリン水和物	重金属
ピペラシリンナトリウム	重金属，ヒ素
ピペラジンアジピン酸塩	重金属
ピペラジンリン酸塩水和物	重金属，ヒ素
ビペリデン塩酸塩	重金属，ヒ素
ビホナゾール	重金属
ピマリシン	重金属
ヒメクロモン	重金属，ヒ素
ピモジド	重金属，ヒ素
ピラジナミド	重金属
ピラルビシン	重金属
ピランテルパモ酸塩	重金属，ヒ素
ピリドキサールリン酸エステル水和物	重金属，ヒ素
ピリドキシン塩酸塩	重金属
ピリドスチグミン臭化物	重金属，ヒ素

医薬品各条名	純度試験において削除する項目
ピルシカイニド塩酸塩水和物	重金属
ピレノキシン	重金属
ピレンゼピン塩酸塩水和物	重金属
ピロ亜硫酸ナトリウム	重金属
ピロキシカム	重金属
ピンドロール	重金属，ヒ素
ファモチジン	重金属
ファロペネムナトリウム水和物	重金属
フィトナジオン	重金属
フェキソフェナジン塩酸塩	重金属
フェニトイン	重金属
注射用フェニトインナトリウム	重金属
L-フェニルアラニン	重金属，ヒ素
フェニルブタゾン	重金属，ヒ素
フェネチシリンカリウム	重金属，ヒ素
フェノバルビタール	重金属
フェノフィブラート	重金属
フェルビナク	重金属
フェロジピン	重金属
フェンタニルクエン酸塩	重金属
フェンブフェン	重金属，ヒ素
ブクモロール塩酸塩	重金属，ヒ素
フシジン酸ナトリウム	重金属
ブシラミン	重金属，ヒ素
ブスルファン	重金属
ブチルスコポラミン臭化物	重金属
ブテナフィン塩酸塩	重金属
ブドウ酒	ヒ素
ブドウ糖	重金属
精製ブドウ糖	重金属
ブドウ糖水和物	重金属
フドステイン	重金属，ヒ素
ブトロピウム臭化物	重金属
ブナゾシン塩酸塩	重金属
ブピバカイン塩酸塩水和物	重金属
ブフェトロール塩酸塩	重金属
ブプラノロール塩酸塩	重金属，ヒ素
ブプレノルフィン塩酸塩	重金属
ブホルミン塩酸塩	重金属，ヒ素
ブメタニド	重金属，ヒ素
フラジオマイシン硫酸塩	重金属，ヒ素
プラステロン硫酸エステルナトリウム水和物	重金属
プラゼパム	重金属，ヒ素
プラゾシン塩酸塩	重金属
プラノプロフェン	重金属

医薬品各条名	純度試験において削除する項目
プラバスタチンナトリウム	重金属
フラビンアデニンジヌクレオチドナトリウム	重金属，ヒ素
フラボキサート塩酸塩	重金属，ヒ素
プランルカスト水和物	重金属，ヒ素
プリミドン	重金属
フルオロウラシル	重金属，ヒ素
フルオロメトロン	重金属
フルコナゾール	重金属
フルジアゼパム	重金属
フルシトシン	重金属，ヒ素
フルスルチアミン塩酸塩	重金属
フルタミド	重金属
フルトプラゼパム	重金属
フルドロコルチゾン酢酸エステル	重金属
フルニトラゼパム	重金属
フルフェナジンエナント酸エステル	重金属
フルボキサミンマレイン酸塩	重金属
フルラゼパム塩酸塩	重金属
プルラン	重金属
フルルビプロフェン	重金属
ブレオマイシン塩酸塩	銅
ブレオマイシン硫酸塩	銅
フレカイニド酢酸塩	重金属
プレドニゾロン	セレン
プレドニゾロンリン酸エステルナトリウム	重金属
プロカイン塩酸塩	重金属
プロカインアミド塩酸塩	重金属，ヒ素
プロカテロール塩酸塩水和物	重金属
プロカルバジン塩酸塩	重金属
プログルミド	重金属，ヒ素
プロクロルペラジンマレイン酸塩	重金属
フロセミド	重金属
プロチオナミド	重金属，ヒ素
ブロチゾラム	重金属
プロチレリン	重金属
プロチレリン酒石酸塩水和物	重金属，ヒ素
プロパフェノン塩酸塩	重金属
プロピベリン塩酸塩	重金属
プロピレングリコール	重金属
プロブコール	重金属
プロプラノロール塩酸塩	重金属
フロプロピオン	重金属
プロベネシド	重金属，ヒ素
ブロマゼパム	重金属

医薬品各条名	純度試験において削除する項目
ブロムフェナクナトリウム水和物	重金属
ブロムヘキシン塩酸塩	重金属
プロメタジン塩酸塩	重金属
フロモキセフナトリウム	重金属，ヒ素
ブロモクリプチンメシル酸塩	重金属
ブロモバレリル尿素	重金属，ヒ素
L-プロリン	重金属
ベカナマイシン硫酸塩	重金属，ヒ素
ベクロメタゾンプロピオン酸エステル	重金属
ベザフィブラート	重金属
ベタキソロール塩酸塩	重金属，ヒ素
ベタネコール塩化物	重金属
ベタヒスチンメシル酸塩	重金属
ベタミプロン	重金属
ベタメタゾン	重金属
ベタメタゾンジプロピオン酸エステル	重金属
ベニジピン塩酸塩	重金属
ヘパリンカルシウム	重金属，バリウム
ヘパリンナトリウム	バリウム
ヘパリンナトリウム注射液	バリウム
ペプロマイシン硫酸塩	銅
ベポタスチンベシル酸塩	重金属
ペミロラストカリウム	重金属
ベラパミル塩酸塩	重金属，ヒ素
ペルフェナジン	重金属
ペルフェナジンマレイン酸塩	重金属，ヒ素
ベルベリン塩化物水和物	重金属
ベンジルペニシリンカリウム	重金属，ヒ素
ベンジルペニシリンベンザチン水和物	重金属，ヒ素
ベンズブロマロン	重金属
ベンセラジド塩酸塩	重金属
ペンタゾシン	重金属，ヒ素
ペントキシベリンクエン酸塩	重金属，ヒ素
ペントバルビタールカルシウム	重金属
ペンブトロール硫酸塩	重金属，ヒ素
ホウ酸	重金属，ヒ素
ホウ砂	重金属，ヒ素
ボグリボース	重金属
ホスホマイシンカルシウム水和物	重金属，ヒ素
ホスホマイシンナトリウム	重金属，ヒ素
ポビドン	重金属
ポビドンヨード	重金属，ヒ素
ホモクロルシクリジン塩酸塩	重金属
ポラプレジンク	鉛
ボリコナゾール	重金属
ポリスチレンスルホン酸カルシウム	重金属，ヒ素

医薬品各条名	純度試験において削除する項目
ポリスチレンスルホン酸ナトリウム	重金属，ヒ素
ポリソルベート80	重金属
ホリナートカルシウム水和物	重金属
ポリミキシンB硫酸塩	重金属
ホルモテロールフマル酸塩水和物	重金属
マニジピン塩酸塩	重金属，ヒ素
マプロチリン塩酸塩	重金属
マルトース水和物	重金属，ヒ素
D-マンニトール	重金属
ミグリトール	重金属
ミグレニン	重金属
ミクロノマイシン硫酸塩	重金属
ミコナゾール	重金属，ヒ素
ミコナゾール硝酸塩	重金属，ヒ素
ミゾリビン	重金属
ミチグリニドカルシウム水和物	重金属
ミデカマイシン	重金属
ミデカマイシン酢酸エステル	重金属
ミノサイクリン塩酸塩	重金属
ムピロシンカルシウム水和物	工程由来の無機塩類
メキシレチン塩酸塩	重金属
メキタジン	重金属
メグルミン	重金属
メクロフェノキサート塩酸塩	重金属，ヒ素
メサラジン	重金属
メストラノール	重金属，ヒ素
メダゼパム	重金属，ヒ素
L-メチオニン	重金属，ヒ素
メチクラン	重金属，ヒ素
メチラポン	重金属，ヒ素
dl-メチルエフェドリン塩酸塩	重金属
メチルジゴキシン	ヒ素
メチルセルロース	重金属
メチルドパ水和物	重金属，ヒ素
メチルプレドニゾロンコハク酸エステル	重金属，ヒ素
メテノロンエナント酸エステル	重金属
メテノロン酢酸エステル	重金属
メトキサレン	重金属，ヒ素
メトクロプラミド	重金属，ヒ素
メトプロロール酒石酸塩	重金属
メトホルミン塩酸塩	重金属
メドロキシプロゲステロン酢酸エステル	重金属
メトロニダゾール	重金属
メナテトレノン	重金属

医薬品各条名	純度試験において削除する項目
メピチオスタン	重金属
メピバカイン塩酸塩	重金属
メフェナム酸	重金属，ヒ素
メフルシド	重金属，ヒ素
メフロキン塩酸塩	重金属，ヒ素
メペンゾラート臭化物	重金属，ヒ素
メルカプトプリン水和物	重金属
メルファラン	重金属，ヒ素
メロペネム水和物	重金属
モサプリドクエン酸塩水和物	重金属
モノステアリン酸アルミニウム	重金属
モンテルカストナトリウム	重金属
薬用石ケン	重金属
薬用炭	重金属，ヒ素
ユビデカレノン	重金属
ヨウ化カリウム	重金属，ヒ素，バリウム
ヨウ化ナトリウム	重金属
ラクツロース	重金属，ヒ素
ラタモキセフナトリウム	重金属，ヒ素
ラニチジン塩酸塩	重金属，ヒ素
ラノコナゾール	重金属
ラフチジン	重金属
ラベタロール塩酸塩	重金属
ラベプラゾールナトリウム	重金属
ランソプラゾール	重金属，ヒ素
リシノプリル水和物	重金属
L-リシン塩酸塩	重金属，ヒ素
L-リシン酢酸塩	重金属
リスペリドン	重金属
リセドロン酸ナトリウム水和物	重金属，ヒ素
リゾチーム塩酸塩	重金属
リドカイン	重金属
リトドリン塩酸塩	重金属
リバビリン	重金属，ヒ素
リファンピシン	重金属，ヒ素
リボスタマイシン硫酸塩	重金属，ヒ素
リボフラビン酪酸エステル	重金属
硫酸亜鉛水和物	重金属，ヒ素
硫酸アルミニウムカリウム水和物	重金属，ヒ素
硫酸カリウム	重金属，ヒ素
硫酸鉄水和物	重金属，ヒ素
硫酸バリウム	重金属，ヒ素
硫酸マグネシウム水和物	重金属，ヒ素
リルマザホン塩酸塩水和物	重金属
リンゲル液	重金属，ヒ素
リンコマイシン塩酸塩水和物	重金属

医薬品各条名	純度試験において削除する項目
無水リン酸水素カルシウム	重金属
リン酸水素カルシウム水和物	重金属
リン酸水素ナトリウム水和物	重金属
リン酸二水素カルシウム水和物	重金属
レナンピシリン塩酸塩	重金属，ヒ素
レバミピド	重金属
レバロルファン酒石酸塩	重金属
レボドパ	重金属，ヒ素
レボフロキサシン水和物	重金属
レボホリナートカルシウム水和物	重金属，白金
レボメプロマジンマレイン酸塩	重金属
L-ロイシン	重金属，ヒ素
ロキサチジン酢酸エステル塩酸塩	重金属
ロキシスロマイシン	重金属
ロキソプロフェンナトリウム水和物	重金属
ロサルタンカリウム	重金属
ロスバスタチンカルシウム	重金属
ロフラゼプ酸エチル	重金属，ヒ素
ロベンザリットナトリウム	重金属，ヒ素
ロラゼパム	重金属，ヒ素
黄色ワセリン	重金属，ヒ素
白色ワセリン	重金属，ヒ素
ワルファリンカリウム	重金属

医薬品各条の部　アトロピン硫酸塩注射液の条の次に次の二条を加える．

アナストロゾール

Anastrozole

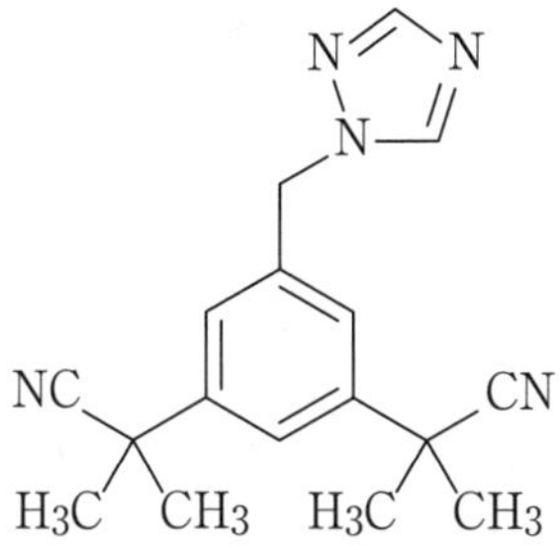

$C_{17}H_{19}N_5$：293.37
2,2′-[5-(1*H*-1,2,4-Triazol-1-ylmethyl)benzene-1,3-diyl]bis(2-methylpropanenitrile)
[*120511-73-1*]

本品は定量するとき，アナストロゾール（$C_{17}H_{19}N_5$）98.0～102.0％を含む．

性　状　本品は白色の結晶性の粉末又は粉末である．

本品はアセトニトリルに極めて溶けやすく，メタノール又はエタノール（99.5）に溶けやすく，水に極めて溶けにくい．

本品は結晶多形が認められる．

確認試験

(1)　本品のメタノール溶液（1→50000）につき，紫外可視吸光度測定法〈*2.24*〉により吸収スペクトルを測定し，本品のスペクトルと本品の参照スペクトル又はアナストロゾール標準品について同様に操作して得られたスペクトルを比較するとき，両者のスペクトルは同一波長のところに同様の強度の吸収を認める．

(2)　本品につき，赤外吸収スペクトル測定法〈*2.25*〉の臭化カリウム錠剤法により試験を行い，本品のスペクトルと本品の参照スペクトル又はアナストロゾール標準品のスペクトルを比較するとき，両者のスペクトルは同一波数のところに同様の強度の吸収を認める．

純度試験　類縁物質　本品約50 mgを精密に量り，液体クロマトグラフィー用アセトニトリル10 mLを加え，超音波処理して溶かした後，移動相Aを加えて正確に25 mLとし，試料溶液とする．別にアナストロゾール標準品約50 mgを精密に量り，液体クロマトグラフィー用アセトニトリル10 mLを加え，超音波処理して溶かした後，移動相Aを加えて正確に25 mLとする．この液1 mLを正確に量り，移動相Aを加えて正確に100 mLとし，標準溶液とする．試料溶液及び標準溶液10 μLずつを正確にとり，次の条件で液体クロマトグラフィー〈*2.01*〉により試験を行う．試料溶液の類縁物質のピーク面積A_T及び標準溶液のアナストロゾールのピークの面積A_Sを自動積分法により測定し，次式により計算するとき，試料溶液のアナストロゾールに対する相対保持時間約0.63の類縁物質A及び相対保持時間約2.2の類縁物質Bはそれぞれ0.2%以下，その他の個々の類縁物質は0.1%以下であり，その他の類縁物質の合計量は0.2%以下，類縁物質の合計量は0.5%以下である．

類縁物質の量（%）＝$M_S/M_T \times A_T/A_S$

M_S：アナストロゾール標準品の秤取量（mg）
M_T：本品の秤取量（mg）

試験条件
検出器，カラム，カラム温度，移動相A，移動相B，移動相の送液及び流量は定量法の試験条件を準用する．
面積測定範囲：試料溶液注入後40分間
システム適合性
検出の確認：標準溶液1 mLを正確に量り，移動相Aを加えて正確に20 mLとする．この液10 μLから得たアナストロゾールのピーク面積が，標準溶液のアナストロゾールのピーク面積の3～7%になることを確認する．
システムの性能：標準溶液10 μLにつき，上記の条件で操作するとき，アナストロゾールのピークの理論段数及びシンメトリー係数は，それぞれ1500段以上，1.4以下である．
システムの再現性：標準溶液10 μLにつき，上記の条件で試験を6回繰り返すとき，アナストロゾールのピーク面積の相対標準偏差は2.0%以下である．

水　分〈*2.48*〉　0.3%以下（50 mg，電量滴定法）．

強熱残分〈*2.44*〉　0.1%以下（1 g）．

定 量 法　本品及びアナストロゾール標準品約25 mgずつを精密に量り，それぞれに液体クロマトグラフィー用アセトニトリル20 mLを加えて超音波処理して溶かし，移動相Aを加えて正確に50 mLとし，試料溶液及び標準溶液とする．試料溶液及び標準溶液10 μLずつを正確にとり，次の条件で液体クロマトグラフィー〈*2.01*〉により試験を行い，それぞれの液のアナストロゾールのピーク面積A_T及びA_Sを測定する．

アナストロゾール（$C_{17}H_{19}N_5$）の量（mg）$= M_S \times A_T / A_S$

M_S：アナストロゾール標準品の秤取量（mg）

試験条件

検出器：紫外吸光光度計（測定波長：215 nm）

カラム：内径 3.2 mm，長さ 10 cm のステンレス管に 5 μm の液体クロマトグラフィー用オクタデシルシリル基及びオクチルシリル基を結合した多孔質シリカゲルを充塡する．

カラム温度：25℃付近の一定温度

移動相 A：水 / 液体クロマトグラフィー用メタノール / 液体クロマトグラフィー用アセトニトリル / トリフルオロ酢酸混液（1200：600：200：1）

移動相 B：液体クロマトグラフィー用メタノール / 水 / 液体クロマトグラフィー用アセトニトリル / トリフルオロ酢酸混液（900：800：300：1）

移動相の送液：移動相 A 及び移動相 B の混合比を次のように変えて濃度勾配制御する．

注入後の時間（分）	移動相 A（vol%）	移動相 B（vol%）
0 ～ 10	100	0
10 ～ 40	100 → 0	0 → 100

流量：毎分 0.75 mL（アナストロゾールの保持時間約 6 分）

システム適合性

システムの性能：標準溶液 10 μL につき，上記の条件で操作するとき，アナストロゾールのピークの理論段数及びシンメトリー係数は，それぞれ 1200 段以上，1.4 以下である．

システムの再現性：標準溶液 10 μL につき，上記の条件で試験を 6 回繰り返すとき，アナストロゾールのピーク面積の相対標準偏差は 1.0% 以下である．

貯　法　容器　密閉容器.

その他

類縁物質 A：

2-[3-(1-Cyanoethyl)-5-(1*H*-1,2,4-triazol-1-ylmethyl)phenyl]-2-methylpropanenitrile

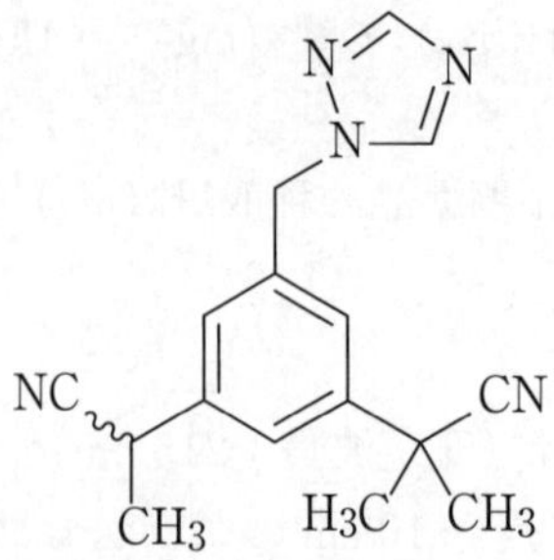

類縁物質 B：
2,3-Bis[3-(2-cyanopropan-2-yl)-5-(1*H*-1,2,4-triazol-1-ylmethyl)phenyl]-2-methylpropanenitrile

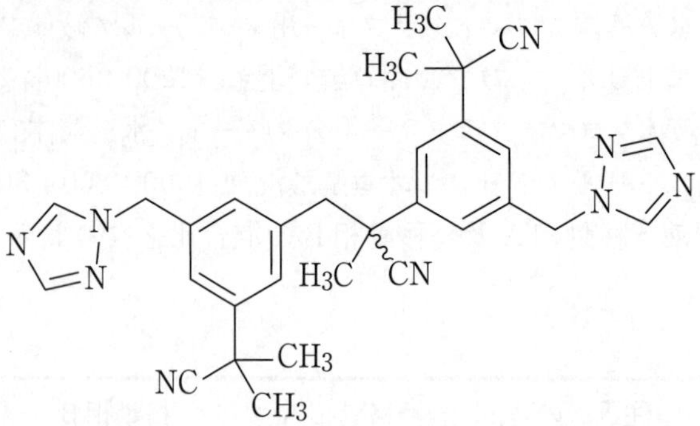

注　釈

劇

本 質　429 その他の腫瘍用薬，アロマターゼ阻害剤

適 用　閉経後乳癌に対して，1 日 1 回 1 mg を経口投与する．

服薬指導　(1) 眠気があらわれることがあるので，自動車の運転や機械の操作の際には注意するよう指導する．(2) 妊婦または妊娠している可能性のある婦人には投与禁忌のため，妊娠の有無を確認する．(3) 授乳中の婦人には授乳を避けるように指導する．

製 剤　錠：劇 処

アナストロゾール錠

Anastrozole Tablets

本品は定量するとき，表示量の 95.0 ～ 105.0 % に対応するアナストロゾール

($C_{17}H_{19}N_5$：293.37) を含む.

製　法　本品は「アナストロゾール」をとり，錠剤の製法により製する.

確認試験　本品を粉末とし，「アナストロゾール」8 mg に対応する量をとり，ジエチルエーテル 10 mL を加え，超音波処理した後，孔径 0.45 μm 以下のメンブランフィルターでろ過する．ろ液に赤外吸収スペクトル用臭化カリウム 0.40 g を加えた後，ジエチルエーテルを蒸発させる．残留物につき，赤外吸収スペクトル測定法〈*2.25*〉の臭化カリウム錠剤法により測定するとき，波数 3100 cm^{-1}，2980 cm^{-1}，2240 cm^{-1}，1606 cm^{-1}，1502 cm^{-1}，1359 cm^{-1}，1206 cm^{-1}，1139 cm^{-1}，876 cm^{-1}，763 cm^{-1}，713 cm^{-1} 及び 680 cm^{-1} 付近に吸収を認める.

製剤均一性〈*6.02*〉　次の方法により含量均一性試験を行うとき，適合する.

本品 1 個をとり，水／液体クロマトグラフィー用アセトニトリル／トリフルオロ酢酸混液（1000：1000：1）8 mL を加え，超音波処理して錠剤が完全に崩壊するまでよく振り混ぜる．1 mL 中にアナストロゾール ($C_{17}H_{19}N_5$) 約 0.1 mg を含む液となるように水／液体クロマトグラフィー用アセトニトリル／トリフルオロ酢酸混液（1000：1000：1）を加えて正確に V mL とする．この液を孔径 0.45 μm 以下のメンブランフィルターでろ過し，初めのろ液 3 mL を除き，次のろ液を試料溶液とする．以下定量法を準用する.

アナストロゾール ($C_{17}H_{19}N_5$) の量 (mg)
$$= M_S \times A_T / A_S \times V / 500$$

M_S：アナストロゾール標準品の秤取量 (mg)

溶 出 性〈*6.10*〉　試験液に水 1000 mL を用い，パドル法により，毎分 50 回転で試験を行うとき，本品の 15 分間の溶出率は 80% 以上である.

本品 1 個をとり，試験を開始し，規定された時間に溶出液 10 mL 以上をとり，孔径 0.45 μm 以下のメンブランフィルターでろ過する．初めのろ液 3 mL 以上を除き，次のろ液 V mL を正確に量り，1 mL 中にアナストロゾール ($C_{17}H_{19}N_5$) 約 1.0 μg を含む液となるように水を加えて正確に V' mL とし，試料溶液とする．別にアナストロゾール標準品約 50 mg を精密に量り，液体クロマトグラフィー用アセトニトリル 20 mL を加え，超音波処理して溶かし，水を加えて正確に 250 mL とする．この液 5 mL を正確に量り，水を加えて正確に 100 mL とする．この液 10 mL を正確に量り，水を加えて正確に 100 mL とし，標準溶液とする．試料溶液及び標準溶液 100 μL ずつを正確にとり，次の条件で液体クロマトグラフィー〈*2.01*〉により試験を行い，それぞれの液のアナストロゾールのピーク面積 A_T 及び A_S を測定する.

アナストロゾール（$C_{17}H_{19}N_5$）の表示量に対する溶出率（%）
$= M_S \times A_T / A_S \times V' / V \times 1 / C \times 2$

M_S：アナストロゾール標準品の秤取量（mg）
C：1錠中のアナストロゾール（$C_{17}H_{19}N_5$）の表示量（mg）

試験条件
検出器，カラム，カラム温度は「アナストロゾール」の定量法の試験条件を準用する．
移動相：水／液体クロマトグラフィー用アセトニトリル／トリフルオロ酢酸混液（700：300：1）
流量：アナストロゾールの保持時間が約7分になるように調整する．
システム適合性
システムの性能：パラオキシ安息香酸メチル15 mg及びアナストロゾール標準品50 mgを量り，液体クロマトグラフィー用アセトニトリル20 mLを加え，超音波処理して溶かし，水を加えて250 mLとする．この液5 mLを量り，水を加えて100 mLとする．この液10 mLを量り，水を加えて100 mLとし，システム適合性試験用溶液とする．システム適合性試験用溶液100 μLにつき，上記の条件で操作するとき，パラオキシ安息香酸メチル，アナストロゾールの順に溶出し，その分離度は4以上である．
システムの再現性：システム適合性試験用溶液100 μLにつき，上記の条件で試験を6回繰り返すとき，アナストロゾールのピーク面積の相対標準偏差は1.5%以下である．

定 量 法 本品20個以上をとり，その質量を精密に量り，粉末とする．アナストロゾール（$C_{17}H_{19}N_5$）約10 mgに対応する量を精密に量り，水／液体クロマトグラフィー用アセトニトリル／トリフルオロ酢酸混液（1000：1000：1）80 mLを加え，超音波処理して溶かし，水／液体クロマトグラフィー用アセトニトリル／トリフルオロ酢酸混液（1000：1000：1）を加えて正確に100 mLとする．この液を孔径0.45 μm以下のメンブランフィルターでろ過し，初めのろ液3 mLを除き，次のろ液を試料溶液とする．別にアナストロゾール標準品約50 mgを精密に量り，水／液体クロマトグラフィー用アセトニトリル／トリフルオロ酢酸混液（1000：1000：1）50 mLを加え，超音波処理して溶かし，水／液体クロマトグラフィー用アセトニトリル／トリフルオロ酢酸混液（1000：1000：1）を加えて正確に100 mLとする．この液10 mLを正確に量り，水／液体クロマトグラフィー用アセトニトリル／トリフルオロ酢酸混液（1000：1000：1）を加えて正確に50 mLとし，標準溶液とする．試料溶液及び標準溶液10 μLずつを正確にとり，次の条件で液体クロマトグラフィー〈*2.01*〉により試験を行い，それぞれの液のアナストロゾールのピーク

面積 A_T 及び A_S を測定する．

$$\text{アナストロゾール}\ (C_{17}H_{19}N_5)\ \text{の量}\ (\text{mg}) = M_S \times A_T / A_S \times 1/5$$

M_S：アナストロゾール標準品の秤取量（mg）

試験条件

検出器，カラム，カラム温度は「アナストロゾール」の定量法の試験条件を準用する．

移動相：水／液体クロマトグラフィー用メタノール／液体クロマトグラフィー用アセトニトリル／トリフルオロ酢酸混液（7000：2000：1000：7）

流量：アナストロゾールの保持時間が約 15 分になるように調整する．

システム適合性

システムの性能：パラオキシ安息香酸エチル 30 mg 及びアナストロゾール標準品 50 mg を量り，水／液体クロマトグラフィー用アセトニトリル／トリフルオロ酢酸混液（1000：1000：1）50 mL を加え，超音波処理して溶かし，水／液体クロマトグラフィー用アセトニトリル／トリフルオロ酢酸混液（1000：1000：1）を加えて 100 mL とする．この液 10 mL を量り，水／液体クロマトグラフィー用アセトニトリル／トリフルオロ酢酸混液（1000：1000：1）を加えて 50 mL とし，システム適合性試験用溶液とする．システム適合性試験用溶液 10 μL につき，上記の条件で操作するとき，パラオキシ安息香酸エチル，アナストロゾールの順に溶出し，その分離度は 4 以上である．

システムの再現性：システム適合性試験用溶液 10 μL につき，上記の条件で試験を 6 回繰り返すとき，アナストロゾールのピーク面積の相対標準偏差は 1.5% 以下である．

貯　法　容器　気密容器．

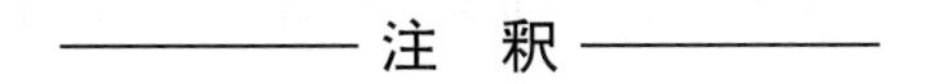

注　釈

(→ アナストロゾール)

(劇)(処)

医薬品各条の部　アムホテリシンB錠の条製剤均一性の項を次のように改める．

アムホテリシンB錠

製剤均一性〈*6.02*〉　質量偏差試験を行うとき，適合する（*T*：別に規定する）．

——注　釈——

(→ アムホテリシンB)
劇 処

医薬品各条の部　注射用アムホテリシンBの条製剤均一性の項を次のように改める．

注射用アムホテリシンB

製剤均一性〈*6.02*〉　質量偏差試験を行うとき，適合する（*T*：別に規定する）．

——注　釈——

(→ アムホテリシンB)
劇 処

医薬品各条の部　注射用アンピシリンナトリウム・スルバクタムナトリウムの条製剤均一性の項を次のように改める．

注射用アンピシリンナトリウム・スルバクタムナトリウム

製剤均一性〈*6.02*〉　次の方法により含量均一性試験を行うとき，適合する（*T*：別に規定する）．

本品1個をとり，1 mL中にアンピシリン（$C_{16}H_{19}N_3O_4S$）5 mg(力価)を含む液となるように移動相に溶かし，正確に*V* mLとする．この液5 mLを正確に量り，内標準溶液5 mLを正確に加えた後，移動相を加えて50 mLとし，試料溶液とする．以下定量法を準用する．

アンピシリン（$C_{16}H_{19}N_3O_4S$）の量［mg(力価)］

$= M_{S1} \times Q_{Ta}/Q_{Sa} \times V/10$

スルバクタム（$C_8H_{11}NO_5S$）の量［mg(力価)］
$= M_{S2} \times Q_{Tb} / Q_{Sb} \times V / 10$

M_{S1}：アンピシリン標準品の秤取量［mg(力価)］
M_{S2}：スルバクタム標準品の秤取量［mg(力価)］

内標準溶液　パラオキシ安息香酸の移動相溶液（1 → 1000）

——— 注　釈 ———

処

医薬品各条の部　注射用イミペネム・シラスタチンナトリウムの条製剤均一性の項を次のように改める．

注射用イミペネム・シラスタチンナトリウム

製剤均一性 〈*6.02*〉 次の方法により含量均一性試験を行うとき，適合する（T：別に規定する）．

本品1個をとり，その内容物の全量を生理食塩液に溶かし，正確に100 mLとする．「イミペネム水和物」約25 mg(力価)に対応する容量V mLを正確に量り，pH 7.0の0.1 mol/L 3-(*N*-モルホリノ)プロパンスルホン酸緩衝液を加えて正確に50 mLとし，試料溶液とする．以下定量法を準用する．

イミペネム（$C_{12}H_{17}N_3O_4S$）の量［mg(力価)］
$= M_{SI} \times A_{TI} / A_{SI} \times 100 / V$
シラスタチン（$C_{16}H_{26}N_2O_5S$）の量（mg）
$= M_{SC} \times A_{TC} / A_{SC} \times 100 / V \times 0.955$

M_{SI}：イミペネム標準品の秤取量［mg(力価)］
M_{SC}：脱水及び脱エタノール物に換算した定量用シラスタチンアンモニウムの秤取量（mg）

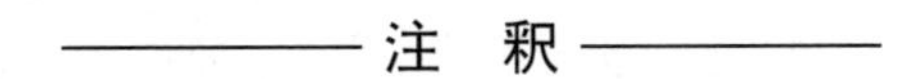

(→ イミペネム水和物)

医薬品各条の部　インスリン　ヒト（遺伝子組換え）の条確認試験の項及び定量法の項を次のように改める.

インスリン　ヒト（遺伝子組換え）

確認試験　本品適量を 1 mL 中に 2.0 mg を含む液となるように 0.01 mol/L 塩酸試液に溶かし，試料原液とする．別にインスリンヒト標準品を 1 mL 中に 2.0 mg を含む液となるように 0.01 mol/L 塩酸試液に溶かし，標準原液とする．これらの液 500 μL をそれぞれ清浄な試験管にとり，それらに pH 7.5 のヘペス緩衝液 2.0 mL 及び V8 プロテアーゼ酵素試液 400 μL を加え，25℃で 6 時間反応した後，硫酸アンモニウム緩衝液 2.9 mL を加えて反応を停止し，試料溶液及び標準溶液とする．試料溶液及び標準溶液 50 μL につき，次の条件で液体クロマトグラフィー〈*2.01*〉により試験を行い，両者のクロマトグラムを比較するとき，同一の保持時間のところに同様のピークを認める．

試験条件

検出器：紫外吸光光度計（測定波長：214 nm）

カラム：内径 4.6 mm，長さ 10 cm のステンレス管に 3 μm の液体クロマトグラフィー用オクタデシルシリル化シリカゲルを充填する.

カラム温度：40℃付近の一定温度

移動相：A 液－水 / 硫酸アンモニウム緩衝液 / アセトニトリル混液(7：2：1)
　　　　B 液－水 / アセトニトリル / 硫酸アンモニウム緩衝液混液(2：2：1)

試料注入後 60 分間に A 液 /B 液混液（9：1）から A 液 /B 液混液（3：7）となるように直線的勾配で移動相 B 液の割合を増加させながら送液し，次の 5 分間で B 液 100％となるように直線的勾配で B 液の割合を増加させ，更にその後 5 分間は B 液を送液する.

流量：毎分 1.0 mL

システム適合性

システムの性能：標準溶液 50 μL につき，上記の条件で操作するとき，溶媒ピーク直後に溶出するピークの後に溶出する，これより大きな最初の二つのピークのシンメトリー係数はそれぞれ 1.5 以下であり，その分離度は 3.4 以上である.

定 量 法　本操作は速やかに行う．本品約 7.5 mg を精密に量り，0.01 mol/L 塩酸試液に溶かし，正確に 5 mL とし，試料溶液とする．別にインスリンヒト標準品を表示単位に従い 1 mL 中にヒトインスリン約 40 インスリン単位を含む液となるように 0.01 mol/L 塩酸試液に正確に溶かし，標準溶液とする．試料溶液及び標準溶液 20 μL ずつを正確にとり，次の条件で液体クロマトグラフィー〈*2.01*〉により試験を行う．試料溶液のヒトインスリンのピーク面積 A_{TI} 及びヒトインスリンのピークに対する相対保持時間約 1.3 のデスアミド体のピーク面積 A_{TD}，並びに標準溶液のヒトインスリンのピーク面積 A_{SI} 及びデスアミド体のピーク面積 A_{SD} を測定する．

ヒトインスリン（$C_{257}H_{383}N_{65}O_{77}S_{6}$）の量（インスリン単位 /mg）
$$= M_S / M_T \times (A_{TI} + A_{TD}) / (A_{SI} + A_{SD}) \times 5$$

M_T：乾燥物に換算した本品の秤取量（mg）
M_S：標準溶液 1 mL 中のヒトインスリンの量（インスリン単位）

試験条件
検出器：紫外吸光光度計（測定波長：214 nm）
カラム：内径 4.6 mm，長さ 15 cm のステンレス管に 5 μm の液体クロマトグラフィー用オクタデシルシリル化シリカゲルを充塡する．
カラム温度：40℃付近の一定温度
移動相：pH 2.3 のリン酸・硫酸ナトリウム緩衝液 / 液体クロマトグラフィー用アセトニトリル混液（3：1）．なお，ヒトインスリンの保持時間が 10 ～ 17 分になるように移動相組成の混合比を調整する．
流量：毎分 1.0 mL
システム適合性
システムの性能：ヒトインスリンデスアミド体含有試液 20 μL につき，上記の条件で操作するとき，ヒトインスリン，デスアミド体の順に溶出し，その分離度は 2.0 以上で，ヒトインスリンのピークのシンメトリー係数は 1.8 以下である．
システムの再現性：標準溶液 20 μL につき，上記の条件で試験を 6 回繰り返すとき，ヒトインスリンのピーク面積の相対標準偏差は 1.6％以下である．

医薬品各条の部　インスリン　ヒト（遺伝子組換え）注射液の条定量法の項を次のように改める．

インスリン　ヒト（遺伝子組換え）注射液

定 量 法　本品 10 mL を正確に量り，6 mol/L 塩酸試液 40 μL を正確に加える．この液 2 mL を正確に量り，0.01 mol/L 塩酸試液を加えて正確に 5 mL とし，試料溶液とする．以下「インスリン　ヒト（遺伝子組換え）」を準用する．

本品1 mL中のヒトインスリン（$C_{257}H_{383}N_{65}O_{77}S_6$）の量（インスリン単位）
$= M_S \times (A_{TI} + A_{TD}) / (A_{SI} + A_{SD}) \times 1.004 \times 5/2$

M_S：標準溶液1 mL中のヒトインスリンの量（インスリン単位）

注　釈

劇 処

医薬品各条の部　イソフェンインスリン　ヒト（遺伝子組換え）水性懸濁注射液の条純度試験の項（2）の目及び定量法の項（1）の目を次のように改める．

イソフェンインスリン　ヒト（遺伝子組換え）水性懸濁注射液

純度試験

（2）　溶存インスリンヒト　本品を遠心分離し，上澄液を試料溶液とする．別にインスリンヒト標準品を1 mL中に約1.0インスリン単位を含む液となるように0.01 mol/L塩酸試液に正確に溶かし，標準溶液とする．試料溶液及び標準溶液20 μLずつを正確にとり，次の条件で液体クロマトグラフィー〈*2.01*〉により試験を行う．それぞれの液のインスリンヒトのピーク面積A_T及びA_Sを自動積分法により測定し，次式により溶存するインスリンヒトの量を求めるとき，1 mL当たり0.5インスリン単位以下である．

溶存するインスリンヒトの量（インスリン単位/mL）
$= M_S \times A_T / A_S$

M_S：標準溶液1 mL中のインスリンヒトの量（インスリン単位）

試験条件

定量法（1）の試験条件を準用する．

システム適合性

システムの性能：インスリンヒトデスアミド体含有試液20 μLにつき，上記の条件で操作するとき，インスリンヒト，デスアミド体の順に溶出し，その分離度は2.0以上であり，インスリンヒトのピークのシンメトリー係数は1.6以下である．

システムの再現性：標準溶液 20 μL につき，上記の条件で試験を 4 回繰り返すとき，インスリンヒトのピーク面積の相対標準偏差は 6.0％以下である．

定 量 法

(1)　インスリンヒト　本品を穏やかに振り混ぜ，10 mL を正確に量り，6 mol/L 塩酸試液 40 μL を正確に加える．この液 2 mL を正確に量り，0.01 mol/L 塩酸試液を加えて正確に 5 mL とし，試料溶液とする．以下「インスリンヒト（遺伝子組換え)」の定量法を準用する．

本品 1 mL 中のインスリンヒト（$C_{257}H_{383}N_{65}O_{77}S_6$）の量（インスリン単位）
$$= M_S \times (A_{TI} + A_{TD}) / (A_{SI} + A_{SD}) \times 1.004 \times 5/2$$

M_S：標準溶液 1 mL 中のインスリンヒトの量（インスリン単位）

——————　注　釈　——————

劇処

医薬品各条の部　二相性イソフェンインスリン ヒト（遺伝子組換え）水性懸濁注射液の条定量法の項（1）の目を次のように改める．

二相性イソフェンインスリン　ヒト（遺伝子組換え）水性懸濁注射液

定 量 法

(1)　インスリンヒト　本品を穏やかに振り混ぜ，10 mL を正確に量り，6 mol/L 塩酸試液 40 μL を正確に加える．この液 2 mL を正確に量り，0.01 mol/L 塩酸試液を加えて正確に 5 mL とし，試料溶液とする．以下「インスリンヒト（遺伝子組換え)」の定量法を準用する．

本品 1 mL 中のインスリンヒト（$C_{257}H_{383}N_{65}O_{77}S_6$）の量（インスリン単位）
$$= M_S \times (A_{TI} + A_{TD}) / (A_{SI} + A_{SD}) \times 1.004 \times 5/2$$

M_S：標準溶液 1 mL 中のインスリンヒトの量（インスリン単位）

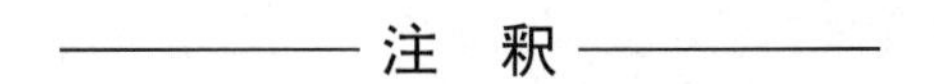

劇処

医薬品各条の部　エタノールの条冒頭の国際調和に関する記載，貯法の項及び有効期間の項を次のように改める．

エ タ ノ ー ル

本医薬品各条は，三薬局方での調和合意に基づき規定した医薬品各条である．

なお，三薬局方で調和されていない部分のうち，調和合意において，調和の対象とされた項中非調和となっている項の該当箇所は「◆　◆」で，調和の対象とされた項以外に日本薬局方が独自に規定することとした項は「◇　◇」で囲むことにより示す．

三薬局方の調和合意に関する情報については，独立行政法人医薬品医療機器総合機構のウェブサイトに掲載している．

貯　法

保存条件　遮光して保存する．

◇容器　気密容器．◇

◇**有効期間**　ガラス製の容器以外を用いる場合，別に規定するもののほか，製造後24箇月．◇

医薬品各条の部　無水エタノールの条冒頭の国際調和に関する記載，貯法の項及び有効期間の項を次のように改める．

無 水 エ タ ノ ー ル

本医薬品各条は，三薬局方での調和合意に基づき規定した医薬品各条である．

なお，三薬局方で調和されていない部分のうち，調和合意において，調和の対象とされた項中非調和となっている項の該当箇所は「◆　◆」で，調和の対象とされた項以外に日本薬局方が独自に規定することとした項は「◇　◇」で囲むことにより示す．

三薬局方の調和合意に関する情報については，独立行政法人医薬品医療機器総合機構のウェブサイトに掲載している．

貯　法

保存条件　遮光して保存する．

◇容器　気密容器．◇

◇**有効期間**　ガラス製の容器以外を用いる場合，別に規定するもののほか，製造後24

箇月．◇

医薬品各条の部　エポエチン　ベータ（遺伝子組換え）の条確認試験の項（1）の目を次のように改める．

エポエチン　ベータ（遺伝子組換え）

確認試験

（1）　本品及びエポエチンベータ標準品の適量をとり，それぞれ適切な方法で脱塩を行い，必要ならば水を加えてタンパク質の濃度が約 1 mg/mL になるように調製し，試料溶液及び標準溶液とする．試料溶液及び標準溶液につき，次の条件でキャピラリー電気泳動を行うとき，試料溶液及び標準溶液から得た各々のピークの電気浸透流のピークに対する相対移動時間は等しく，同様の泳動パターンを示す．

試験条件

検出器：紫外吸光光度計（測定波長：214 nm）

カラム：内径 50 μm，長さ約 110 cm のシリカキャピラリー（有効長約 100 cm，適切なアルカリ溶液で洗浄後，泳動液で前処理する）

泳動液：塩化ナトリウム 0.58 g，トリシン 1.79 g 及び無水酢酸ナトリウム 0.82 g を水に溶かし，100 mL とし，これを泳動原液とする．別に尿素 42 g を水 50 mL に溶かし，泳動原液 10 mL 及び 1 mol/L 1,4-ジアミノブタン溶液 250 μL を加え，更に水を加えて 100 mL とし，薄めた無水酢酸（1 → 20）を加えて pH 5.6 に調整し，0.45 μm メンブランフィルターでろ過する．

泳動温度：35℃付近の一定温度

泳動条件：泳動電圧（約 17kV の印加電圧），泳動時間（100 分）

試料溶液及び標準溶液の注入：15 秒間（加圧法：10.3 kPa）

ピーク検出範囲：試料注入後 100 分間

システム適合性

システムの性能：標準溶液につき，上記の条件で操作するとき，エポエチンベータの主要なピークを 4 本以上検出する．最初に検出する主要なピークと次に検出する主要なピークの分離度は 0.8 以上である．

システムの再現性：標準溶液につき，上記の条件で試験を 3 回繰り返すとき，エポエチンベータ由来のピークの前に検出される電気浸透流のピークに対して，最初に検出する主要なピークの相対移動時間の相対標準偏差は 2％以下である．

注　釈

(生物) (劇)

医薬品各条の部　塩化ナトリウムの条確認試験の項を次のように改める．

塩 化 ナ ト リ ウ ム

確認試験

(1)　本品の水溶液（1 → 20）はナトリウム塩の定性反応（2）〈*1.09*〉を呈する．

(2)　本品の水溶液（1 → 20）は塩化物の定性反応（2）〈*1.09*〉を呈する．

医薬品各条の部　エンビオマイシン硫酸塩の条成分含量比の項を次のように改める．

エンビオマイシン硫酸塩

成分含量比　本品約 50 mg を水に溶かし，100 mL とし，試料溶液とする．試料溶液 5 μL につき，次の条件で液体クロマトグラフィー〈*2.01*〉により試験を行い，自動積分法によりツベラクチノマイシン N 及びツベラクチノマイシン O（ツベラクチノマイシン N に対する相対保持時間約 1.2）のピーク面積 A_{T1} 及び A_{T2} を測定するとき，A_{T2} ／(A_{T1} +A_{T2}) は 0.090 ～ 0.150 である．

試験条件

検出器：紫外吸光光度計（測定波長：254 nm）

カラム：内径 4.6 mm，長さ 25 cm のステンレス管に 3 μm の液体クロマトグラフィー用オクタデシルシリル化シリカゲルを充塡する．

カラム温度：40℃付近の一定温度

移動相：水／トリフルオロ酢酸混液（1000：1）

流量：ツベラクチノマイシン N の保持時間が約 15 分になるように調整する．

システム適合性

システムの性能：試料溶液 5 μL につき，上記の条件で操作するとき，ツベラクチノマイシン N，ツベラクチノマイシン O の順に溶出し，その分離度は 3 以上である．

システムの再現性：試料溶液 5 μL につき，上記の条件で試験を 6 回繰り返すとき，ツベラクチノマイシンＮのピーク面積の相対標準偏差は2.0％以下である．

医薬品各条の部　オキシドールの条の次に次の一条を加える．

オキシブチニン塩酸塩

Oxybutynin Hydrochloride

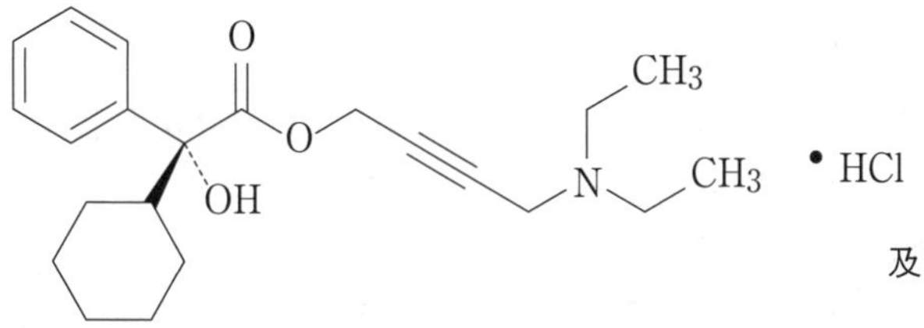

及び鏡像異性体

$C_{22}H_{31}NO_3$・HCl：393.95
4-(Diethylamino)but-2-yn-1-yl (2*RS*)-2-cyclohexyl-2-hydroxy-2-phenylacetate monohydrochloride
[*1508-65-2*]

本品を乾燥したものは定量するとき，オキシブチニン塩酸塩（$C_{22}H_{31}NO_3$・HCl）98.0～101.0％を含む．

性　状　本品は白色の結晶性の粉末である．
本品は水又はエタノール（99.5）に溶けやすい．
本品の水溶液（1→50）は旋光性を示さない．

確認試験

(1)　本品の水溶液（3→100000）につき，紫外可視吸光度測定法〈*2.24*〉により吸収スペクトルを測定し，本品のスペクトルと本品の参照スペクトルを比較するとき，両者のスペクトルは同一波長のところに同様の強度の吸収を認める．

(2)　本品を乾燥し，赤外吸収スペクトル測定法〈*2.25*〉の塩化カリウム錠剤法により試験を行い，本品のスペクトルと本品の参照スペクトルを比較するとき，両者のスペクトルは同一波数のところに同様の強度の吸収を認める．

(3)　本品の水溶液（1→50）は塩化物の定性反応〈*1.09*〉を呈する．

融　点〈*2.60*〉　124～129℃

純度試験　類縁物質　本品50 mgを移動相10 mLに溶かし，試料溶液とする．この液 1 mL を正確に量り，移動相を加えて正確に 200 mL とし，標準溶液とする．試料溶液及び標準溶液 10 μL ずつを正確にとり，次の条件で液体クロマトグラフィー〈*2.01*〉により試験を行う．それぞれの液の各々のピーク面積を自動積分法により測定するとき，試料溶液のオキシブチニンに対する相対保持時間約 1.6 の類縁物質 A のピーク面積は，標準溶液のオキシブチニンのピーク面積の 3 倍より大きくなく，試料溶液のオキシブチニン及び上記以外のピークの面積は，標準溶液のオキシブチニンのピーク面積の 1/5 より大きくない．また，試料溶液のオキシブチニン及び類縁物質 A 以外のピークの合計面積は，標準溶液のオキシブチニンのピーク面積より大きくない．ただし，類縁物質 A のピーク面積は自動積分法で求めた面積に感度係数 2.3 を乗じた値とする．

試験条件

検出器：紫外吸光光度計（測定波長：210 nm）

カラム：内径 3.9 mm，長さ 15 cm のステンレス管に 5 μm の液体クロマトグラフィー用オクチルシリル化シリカゲルを充塡する．

カラム温度：25℃付近の一定温度

移動相：リン酸二水素カリウム 3.4 g 及びリン酸水素二カリウム 4.36 g を水に溶かし，1000 mL とする．この液 490 mL に液体クロマトグラフィー用アセトニトリル 510 mL を加える．

流量：オキシブチニンの保持時間が約 15 分になるように調整する．

面積測定範囲：オキシブチニンの保持時間の約 2 倍の範囲

システム適合性

検出の確認：標準溶液 2 mL を正確に量り，移動相を加えて正確に 20 mL とする．この液 10 μL から得たオキシブチニンのピーク面積が，標準溶液のオキシブチニンのピーク面積の 7 ～ 13％になることを確認する．

システムの性能：標準溶液 10 μL につき，上記の条件で操作するとき，オキシブチニンのピークの理論段数及びシンメトリー係数は，それぞれ 5000 段以上，1.5 以下である．

システムの再現性：標準溶液 10 μL につき，上記の条件で試験を 6 回繰り返すとき，オキシブチニンのピーク面積の相対標準偏差は 2.0％以下である．

乾燥減量〈*2.41*〉　3.0％以下（0.5 g，105℃，4 時間）．

強熱残分〈*2.44*〉　0.1％以下（1 g）．

定 量 法　本品を乾燥し，その約 0.5 g を精密に量り，無水酢酸 / 酢酸（100）混液（7：3）70 mL に溶かし，0.1 mol/L 過塩素酸で滴定〈*2.50*〉する（電位差滴定法）．同様の方法で空試験を行い，補正する．

0.1 mol/L 過塩素酸 1 mL ＝ 39.40 mg $C_{22}H_{31}NO_3$•HCl

貯　法

保存条件　遮光して保存する．

容器　気密容器．

その他

類縁物質 A：

4-(Diethylamino)but-2-yn-1-yl (2*R*)-2-(cyclohex-3-en-1-yl)-2-cyclohexyl-2-hydroxyacetate

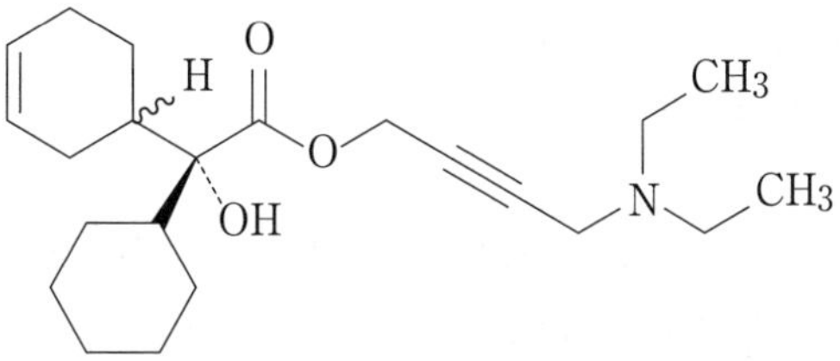

4-(Diethylamino)but-2-yn-1-yl (2*S*)-2-(cyclohex-3-en-1-yl)-2-cyclohexyl-2-hydroxyacetate

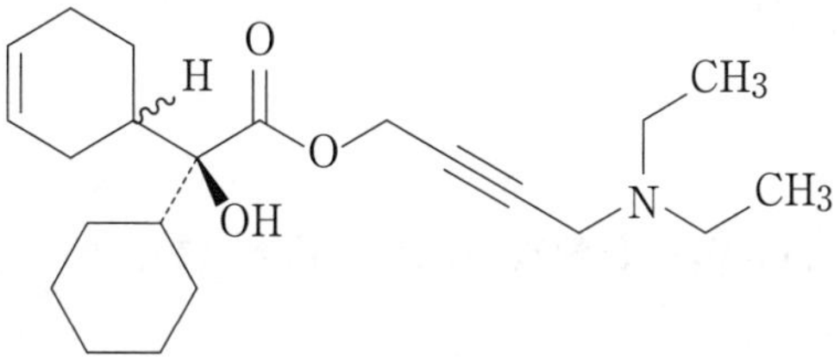

注　釈

本質　251 泌尿器官用剤

適用　神経因性膀胱，不安定膀胱（無抑制収縮を伴う過緊張性膀胱状態）による頻尿，尿意切迫感，尿失禁に対して，1 回 2 ～ 3 mg を 1 日 3 回，経口投与する．なお，過活動膀胱における尿意切迫感，頻尿および切迫性尿失禁に対しては別途用法用量が設定されている．

服薬指導　(1) 視調節障害，眠気があらわれることがあるので，自動車の運転など危険を伴う機械を操作する際には注意するよう指導する．(2) 授乳中の婦人には授乳を避けるように指導する．

製剤　錠

医薬品各条の部　クロスカルメロースナトリウムの条確認試験の項を次のように改める.

クロスカルメロースナトリウム

確認試験

(1)　本品につき，赤外吸収スペクトル測定法〈*2.25*〉の臭化カリウム錠剤法により試験を行い，本品のスペクトルと本品の参照スペクトルを比較するとき，両者のスペクトルは同一波数のところに同様の強度の吸収を認める．ただし，本品のスペクトルにおいて，波数 1750 cm^{-1} 付近の吸収は本品の参照スペクトルとの比較に用いない.

(2)　本品 1 g にメチレンブルー溶液（1 → 250000）100 mL を加え，よくかき混ぜて放置するとき，青色綿状の沈殿を生じる.

(3)　強熱残分の残留物 0.1 g を水 2 mL に溶かし，炭酸カリウム溶液（3 → 20）2 mL を加え，沸騰するまで加熱するとき，沈殿は生じない．この液にヘキサヒドロキソアンチモン(Ⅴ)酸カリウム試液 4 mL を加え，沸騰するまで加熱する．次に必要ならばガラス棒で試験管の内壁をこすりながら，氷水中で冷却するとき，白色の結晶性の沈殿を生じる.

同条純度試験の項（1）の目を削り，（2）の目を（1），（3）の目を（2）とし，次のように改める.

純度試験

◆(1)　塩化ナトリウム及びグリコール酸ナトリウム　本品中の塩化ナトリウム及びグリコール酸ナトリウムの量の和は換算した乾燥物に対し 0.5％以下である.

（ i ）　塩化ナトリウム　本品約 5 g を精密に量り，水 50 mL 及び過酸化水素（30）5 mL を加え，時々かき混ぜながら水浴上で 20 分間加熱する．冷後，水 100 mL 及び硝酸 10 mL を加え，0.1 mol/L 硝酸銀液で滴定〈*2.50*〉する（電位差滴定法).同様の方法で空試験を行い，補正する.

0.1 mol/L 硝酸銀液 1 mL ＝ 5.844 mg NaCl

（ ii ）　グリコール酸ナトリウム　本品約 0.5 g を精密に量り，酢酸（100）2 mL 及び水 5 mL を加え，15 分間かき混ぜる．アセトン 50 mL をかき混ぜながら徐々に加えた後，塩化ナトリウム 1 g を加えて 3 分間かき混ぜ，あらかじめ少量のアセトンで湿らせたろ紙を用いてろ過する．残留物をアセトン 30 mL でよく洗い，洗液はろ液に合わせ，更にアセトンを加えて正確に100 mLとし，試料原液とする．別にグリコール酸0.100 gを正確に量り，水に溶かし，正確に200 mLとする．この液0.5 mL，1 mL，2 mL，3 mL及び4 mLずつを正確に量り，水を加えてそれぞれ正確に5 mLとし，更に酢酸（100）5 mL及びアセトンを加えて正確に100 mLとし，標準原液（1），標準原液（2），標準原液（3），標準原液（4）及び標準原液（5）とする．試料原液，標準原液（1），標準原液（2），標準原液（3），標準原液（4）及び標準原液（5）2 mLずつを正確に量り，それぞれ水浴中で20分間加熱し，アセトンを蒸発する．冷後，2,7-ジヒドロキシナフタレン試液5 mLを正確に加えて混和した後，更に2,7-ジヒドロキシナフタレン試液15 mLを加えて混和し，容器の口をアルミホイルで覆い，水浴中で20分間加熱する．冷後，硫酸を加えて正確に25 mLとし，混和し，試料溶液，標準溶液（1），標準溶液（2），標準溶液（3），標準溶液（4）及び標準溶液（5）とする．別に水／酢酸（100）混液（1：1）10 mLにアセトンを加えて正確に100 mLとする．この液2 mLを正確に量り，以下試料原液と同様に操作し，空試験液とする．試料溶液，標準溶液（1），標準溶液（2），標準溶液（3），標準溶液（4）及び標準溶液（5）につき，空試験液を対照として，紫外可視吸光度測定法〈*2.24*〉により試験を行い，波長540 nmにおける吸光度A_T，A_{S1}，A_{S2}，A_{S3}，A_{S4}及びA_{S5}を測定する．標準溶液から得た検量線を用いて試料原液100 mL中のグリコール酸の量X（g）を求め，次式によりグリコール酸ナトリウムの量を求める．

グリコール酸ナトリウムの量（%）＝$X / M \times 100 \times 1.289$

M：乾燥物に換算した本品の秤取量（g）◆

◆(2)　水可溶物　本品約10 gを精密に量り，水800 mLに分散させ，最初の30分間は10分ごとに1分間かき混ぜる．沈降が遅ければ，更に1時間放置する．この液を吸引ろ過又は遠心分離する．ろ液又は上澄液約150 mLの質量を精密に量る．この液を乾固しない程度に加熱濃縮し，更に105℃で4時間乾燥し，残留物の質量を精密に量る．次式により水可溶物の量を求めるとき，1.0～10.0%である．

水可溶物の量（%）＝$100M_3 (800 + M_1) / M_1M_2$

M_1：乾燥物に換算した本品の秤取量（g）
M_2：ろ液又は上澄液約150 mLの量（g）
M_3：残留物の量（g）◆

同条強熱残分の項及び貯法の項を次のように改める．

強熱残分〈*2.44*〉　14.0～28.0%（1g，乾燥物換算）．
◆**貯　法**　容器　気密容器．◆

医薬品各条の部　サルポグレラート塩酸塩細粒の条製剤均一性の項及び定量法の項を次のように改める．

サルポグレラート塩酸塩細粒

製剤均一性〈*6.02*〉　分包品は，次の方法により含量均一性試験を行うとき，適合する．

本品1包をとり，内容物の全量を取り出し，移動相4*V*/5mLを加え，超音波処理により粒子を小さく分散させた後，1mL中にサルポグレラート塩酸塩（$C_{24}H_{31}NO_6 \cdot HCl$）約1mgを含む液となるように移動相を加えて正確に*V*mLとし，遠心分離する．上澄液5mLを正確に量り，移動相を加えて正確に50mLとし，試料溶液とする．以下定量法を準用する．

サルポグレラート塩酸塩（$C_{24}H_{31}NO_6 \cdot HCl$）の量（mg）
$= M_S \times A_T / A_S \times V / 50$

M_S：脱水物に換算したサルポグレラート塩酸塩標準品の秤取量（mg）

定量法　本品を粉末とし，サルポグレラート塩酸塩（$C_{24}H_{31}NO_6 \cdot HCl$）約0.25gに対応する量を精密に量り，移動相200mLを加え，超音波処理により粒子を小さく分散させる．この液に移動相を加えて正確に250mLとし，遠心分離する．上澄液5mLを正確に量り，移動相を加えて正確に50mLとし，試料溶液とする．別にサルポグレラート塩酸塩標準品（別途「サルポグレラート塩酸塩」と同様の方法で水分〈*2.48*〉を測定しておく）約50mgを精密に量り，移動相を加えて正確に50mLとする．この液5mLを正確に量り，移動相を加えて正確に50mLとし，標準溶液とする．試料溶液及び標準溶液10μLずつを正確にとり，次の条件で液体クロマトグラフィー〈*2.01*〉により試験を行い，それぞれの液のサルポグレラートのピーク面積A_T及びA_Sを測定する．

サルポグレラート塩酸塩（$C_{24}H_{31}NO_6 \cdot HCl$）の量（mg）
$= M_S \times A_T / A_S \times 5$

M_S：脱水物に換算したサルポグレラート塩酸塩標準品の秤取量（mg）

試験条件
「サルポグレラート塩酸塩」の定量法の試験条件を準用する．
システム適合性
システムの性能：標準溶液 10 μL につき，上記の条件で操作するとき，サルポグレラートのピークの理論段数及びシンメトリー係数は，それぞれ 5000 段以上，1.8 以下である．
システムの再現性：標準溶液 10 μL につき，上記の条件で試験を 6 回繰り返すとき，サルポグレラートのピーク面積の相対標準偏差は 1.0％以下である．

医薬品各条の部　ステアリン酸の条凝固点の項を次のように改める．

ステアリン酸

凝固点　装置は内径約 25 mm，長さ約 150 mm の試験管を，内径約 40 mm，長さ約 160 mm の試験管の内側に取り付けた構造を持つものからなる．内側試験管は栓をし，その栓には最小目盛りが 0.2℃，全長約 175 mm の温度計を水銀球◆の上端◆が試験管の底から約 15 mm の位置にくるように固定する．内側試験管の栓は，更に下端に外径約 18 mm の輪が直角に取り付けられたガラス製又は他の適切な材料からなるかき混ぜ棒を通す穴を開けたものとする．1 L のビーカーの中央に上記のようにジャケットを取り付けた構造を持つ内側試験管を取り付け，そのビーカーには，適切な冷却液を上部から 20 mm 以内まで満たす．試料をあらかじめ加温して溶かし，内側試験管に温度計の水銀球が十分にかくれるまで入れ，急速に冷却し，おおよその凝固点を求める．内側試験管をおおよその凝固点よりも約 5℃高い温度の浴に入れ，最後の少量の結晶のほかは全て溶けるまで放置する．ビーカーに予想した凝固点よりも 5℃低い温度の水又は飽和食塩水を満たし，内側試験管を外側試験管に取り付ける．幾らかの種結晶が存在することを確認し，結晶が析出し始めるまで十分にかき混ぜる．結晶が析出する際の最高温度を読み取り，凝固点とする．

また，凝固点測定法〈*2.42*〉に規定する装置も使用できる．試料をあらかじめ加温して溶かし，試料容器 B の標線 C まで入れ，浸線付温度計 F の浸線 H を試料のメニスカスに合わせた後，急速に冷却し，おおよその凝固点を求める．試料容器 B をおおよその凝固点よりも約 5℃高い温度の浴に入れ，最後の少量の結晶のほかは全て溶けるまで放置する．D に予想した凝固点よりも 5℃低い温度の水又は飽和食塩水を満たし，BをAに取り付ける．幾らかの種結晶が存在することを確認し，結晶が析出し始めるまで十分にかき混ぜる．結晶が析出する際の最高温度を読み取り，凝固点とする．

凝固点は，ステアリン酸50は53～59℃，ステアリン酸70は57～64℃及びステアリン酸95は64～69℃である．

医薬品各条の部　ステアリン酸マグネシウムの条を次のように改める．

ステアリン酸マグネシウム

Magnesium Stearate

本医薬品各条は，三薬局方での調和合意に基づき規定した医薬品各条である．

なお，三薬局方で調和されていない部分のうち，調和合意において，調和の対象とされた項中非調和となっている項の該当箇所は「◆　◆」で，調和の対象とされた項以外に日本薬局方が独自に規定することとした項は「◇　◇」で囲むことにより示す．

三薬局方の調和合意に関する情報については，独立行政法人医薬品医療機器総合機構のウェブサイトに掲載している．

本品は植物又は動物由来の固体混合脂肪酸のマグネシウム塩で，主としてステアリン酸マグネシウム及びパルミチン酸マグネシウムからなる．

本品は定量するとき，換算した乾燥物に対し，マグネシウム（Mg：24.31）4.0～5.0％を含む．

◆**性　状**　本品は白色の軽くてかさ高い粉末で，なめらかな感触があり，皮膚につきやすく，においはないか，又は僅かに特異なにおいがある．

本品は水又はエタノール（99.5）にほとんど溶けない．◆

確認試験　本品5.0 gを丸底フラスコにとり，過酸化物を含まないジエチルエーテル50 mL，希硝酸20 mL及び水20 mLを加え，振り混ぜた後，還流冷却器を付けて完全に溶けるまで加熱する．冷後，フラスコの内容物を分液漏斗に移し，振り混ぜた後，放置して水層を分取する．ジエチルエーテル層は水4 mLずつで2回抽出し，抽出液を先の水層に合わせる．この抽出液を過酸化物を含まないジエチルエーテル15 mLで洗った後，50 mLのメスフラスコに移し，水を加えて50 mLとし，試料溶液とする．試料溶液1 mLにアンモニア試液1 mLを加えるとき，白色の沈殿を生じ，塩化アンモニウム試液1 mLを追加するとき，沈殿は溶ける．さらにリン酸水素二ナトリウム十二水和物溶液（3 → 25）1 mLを追加するとき，白色の結晶性の沈殿を生じる．

純度試験

(1)　酸又はアルカリ　本品1.0 gに新たに煮沸して冷却した水20 mLを加え，振り混ぜながら水浴上で1分間加熱し，冷後，ろ過する．このろ液10 mLにブロモチモールブルー試液0.05 mLを加える．この液に液の色が変わるまで0.1 mol/L塩酸又は0.1 mol/L水酸化ナトリウム液を滴加するとき，その量は0.05 mL以下である．

(2)　塩化物〈*1.03*〉　確認試験で得た試料溶液10.0 mLに希硝酸1 mL及び水を加えて50 mLとする．これを検液とし，試験を行う．比較液には0.02 mol/L塩酸1.4 mLを加える（0.1％以下）．

(3)　硫酸塩〈*1.14*〉　確認試験で得た試料溶液6.0 mLにつき試験を行う．比較液には0.02 mol/L硫酸3.0 mLを加える．ただし，検液及び比較液には塩化バリウム試液3 mLずつを加える（1.0％以下）．

乾燥減量〈*2.41*〉　6.0％以下（2 g，105℃，恒量）．

◆**微生物限度**〈*4.05*〉　本品1 g当たり，総好気性微生物数の許容基準は10^3 CFU，総真菌数の許容基準は5×10^2 CFUである．また，サルモネラ及び大腸菌を認めない．◆

ステアリン酸・パルミチン酸含量比　本品0.10 gを還流冷却器を付けた小さなコニカルフラスコにとる．三フッ化ホウ素・メタノール試液5.0 mLを加えて振り混ぜ，溶けるまで約10分間加熱する．冷却器からヘプタン4 mLを加え，10分間加熱する．冷後，塩化ナトリウム飽和溶液20 mLを加えて振り混ぜ，放置して液を二層に分離させる．分離したヘプタン層を，あらかじめヘプタンで洗った約0.1 gの無水硫酸ナトリウムを通して別のフラスコにとる．この液1.0 mLを10 mLのメスフラスコにとり，ヘプタンを加えて10 mLとし，試料溶液とする．試料溶液1 μLにつき，次の条件でガスクロマトグラフィー〈*2.02*〉により試験を行う．試料溶液のステアリン酸メチルのピーク面積A及び全ての脂肪酸エステルのピークの合計面積Bを測定し，本品の脂肪酸分画中のステアリン酸の比率（％）を次式により計算する．

$$\text{ステアリン酸の比率（\%）} = A / B \times 100$$

同様に，本品中に含まれるパルミチン酸の比率（％）を計算する．ステアリン酸メチルのピーク面積及びステアリン酸メチルとパルミチン酸メチルのピークの合計面積は，全ての脂肪酸エステルのピークの合計面積の，それぞれ40％以上及び90％以上である．

試験条件

検出器：水素炎イオン化検出器

カラム：内径 0.32 mm，長さ 30 m のフューズドシリカ管の内面に厚さ 0.5 μm でガスクロマトグラフィー用ポリエチレングリコール 15000-ジエポキシドを被覆したもの．

カラム温度：注入後 2 分間 70℃に保ち，その後，毎分 5℃で 240℃まで昇温し，240℃を 5 分間保持する．

注入口温度：220℃付近の一定温度

検出器温度：260℃付近の一定温度

キャリヤーガス：ヘリウム

流量：毎分 2.4 mL

スプリットレス

◇面積測定範囲：溶媒のピークの後から 41 分まで◇

システム適合性

◇検出の確認：◇ガスクロマトグラフィー用ステアリン酸及びガスクロマトグラフィー用パルミチン酸それぞれ約 50 mg を，還流冷却器を付けた小さなコニカルフラスコにとる．三フッ化ホウ素・メタノール試液 5.0 mL を加えて振り混ぜ，以下試料溶液と同様に操作し，システム適合性試験用溶液とする．◇システム適合性試験用溶液 1 mL を正確に量り，ヘプタンを加えて正確に 10 mL とする．この液 1 mL を正確に量り，ヘプタンを加えて正確に 10 mL とする．さらに，この液 1 mL を正確に量り，ヘプタンを加えて正確に 10 mL とする．この液 1 μL から得たステアリン酸メチルのピーク面積が，システム適合性試験用溶液のステアリン酸メチルのピーク面積の 0.05 ～ 0.15％になることを確認する．◇

システムの性能：システム適合性試験用溶液 1 μL につき，上記の条件で操作するとき，ステアリン酸メチルに対するパルミチン酸メチルの相対保持時間は約 0.9 であり，その分離度は 5.0 以上である．

システムの再現性：システム適合性試験用溶液につき，上記の条件で試験を 6 回繰り返すとき，パルミチン酸メチル及びステアリン酸メチルのピーク面積の相対標準偏差は 3.0％以下である．また，ステアリン酸メチルのピーク面積に対するパルミチン酸メチルのピーク面積の比の相対標準偏差は 1.0％以下である．

定 量 法　本品約 0.5 g を精密に量り，250 mL のフラスコにとり，これにエタノール（99.5）/1-ブタノール混液（1：1）50 mL，アンモニア水（28）5 mL，pH 10 の塩化アンモニウム緩衝液 3 mL，0.1 mol/L エチレンジアミン四酢酸二水素二ナトリウム液 30.0 mL 及びエリオクロムブラック T 試液 1 ～ 2 滴を加え，振り混ぜる．この液が澄明になるまで 45 ～ 50℃で加熱し，冷後，過量のエチレンジアミン四酢酸二水素二ナトリウムを 0.1 mol/L 硫酸亜鉛液で液の青色が紫色に変わるまで滴定〈*2.50*〉する．同様の方法で空試験を行う．

0.1 mol/L エチレンジアミン四酢酸二水素二ナトリウム液 1 mL
= 2.431 mg Mg

◆貯　法　容器　気密容器.◆

医薬品各条の部　注射用スペクチノマイシン塩酸塩の条製剤均一性の項を次のように改める.

注射用スペクチノマイシン塩酸塩

製剤均一性〈*6.02*〉 質量偏差試験を行うとき，適合する（*T*：別に規定する）.

——————注　釈——————

(→ スペクチノマイシン塩酸塩)
㊈

医薬品各条の部　注射用セフォペラゾンナトリウム・スルバクタムナトリウムの条製剤均一性の項を次のように改める.

注射用セフォペラゾンナトリウム・スルバクタムナトリウム

製剤均一性〈*6.02*〉 質量偏差試験を行うとき，適合する（*T*：別に規定する）.

——————注　釈——————

(→ セフォペラゾンナトリウム，スルバクタムナトリウム)
㊈

医薬品各条の部　粉末セルロースの条を次のように改める．

粉 末 セ ル ロ ー ス

Powdered Cellulose

[*9004-34-6*，セルロース]

本医薬品各条は，三薬局方での調和合意に基づき規定した医薬品各条である．

なお，三薬局方で調和されていない部分のうち，調和合意において，調和の対象とされた項中非調和となっている項の該当箇所は「◆　◆」で，調和の対象とされた項以外に日本薬局方が独自に規定することとした項は「◇　◇」で囲むことにより示す．

三薬局方の調和合意に関する情報については，独立行政法人医薬品医療機器総合機構のウェブサイトに掲載している．

本品は繊維性植物からパルプとして得たα-セルロースを，◇必要に応じて，部分的加水分解などの◇処理を行った後，精製し，機械的に粉砕したものである．

◆本品には平均重合度を範囲で表示する．◆

◆**性　状**　本品は白色の粉末である．

本品は水，エタノール（95）又はジエチルエーテルにほとんど溶けない．◆

確認試験

(1)　塩化亜鉛20 g及びヨウ化カリウム6.5 gを水10.5 mLに溶かし，ヨウ素0.5 gを加えて15分間振り混ぜる．この液2 mL中に本品約10 mgを時計皿上で分散するとき，分散物は青紫色を呈する．

◇(2)　本品30 gに水270 mLを加え，かき混ぜ機を用いて高速度（毎分18000回転以上）で5分間かき混ぜた後，その100 mLを100 mLのメスシリンダーに入れ，1時間放置するとき，液は分離し，上澄液と沈殿を生じる．◇

(3)　本品約0.25 gを精密に量り，125 mLの三角フラスコに入れ，水25 mL及び1 mol/L銅エチレンジアミン試液25 mLをそれぞれ正確に加える．以下「結晶セルロース」の確認試験（3）を準用して試験を行うとき，平均重合度Pは440より大きく，◆かつ表示範囲内である．◆

pH 〈*2.54*〉　本品10 gに水90 mLを加え，時々振り混ぜながら，1時間放置するとき，上澄液のpHは5.0～7.5である．

純度試験

(1)　水可溶物　本品6.0 gに新たに煮沸して冷却した水90 mLを加え，10分間時々振り混ぜた後，ろ紙を用いて吸引ろ過し，初めのろ液10 mLを除き，次のろ液を必要ならば再び同じろ紙を用いて吸引ろ過し，澄明なろ液15.0 mLを質量既知の蒸発皿にとる．内容物を焦がさないように蒸発乾固し，残留物を105℃で1時間乾燥し，デシケーター中で放冷した後，質量を量るとき，その量は15.0 mg以下である（1.5％）．同様の方法で空試験を行い，補正する．

(2) ジエチルエーテル可溶物　本品10.0 gを内径約20 mmのクロマトグラフィー管に入れ，過酸化物を含まないジエチルエーテル50 mLをこのカラムに流す．溶出液をあらかじめ乾燥した質量既知の蒸発皿中で蒸発乾固する．残留物を105℃で30分間乾燥し，デシケーター中で放冷した後，質量を量るとき，残留物は15.0 mg以下である（0.15％）．同様の方法で空試験を行い，補正する．

乾燥減量 〈*2.41*〉 6.5％以下（1 g，105℃，3時間）．

強熱残分 〈*2.44*〉 0.3％以下（1 g，乾燥物換算）．

◆**微生物限度** 〈*4.05*〉 本品1 g当たり，総好気性微生物数の許容基準は10^3 CFU，総真菌数の許容基準は10^2 CFUである．また，大腸菌，サルモネラ，緑膿菌及び黄色ブドウ球菌を認めない．◆

◆**貯　法**　容器　気密容器．◆

医薬品各条の部　テモカプリル塩酸塩錠の条の次に次の三条を加える．

テモゾロミド

Temozolomide

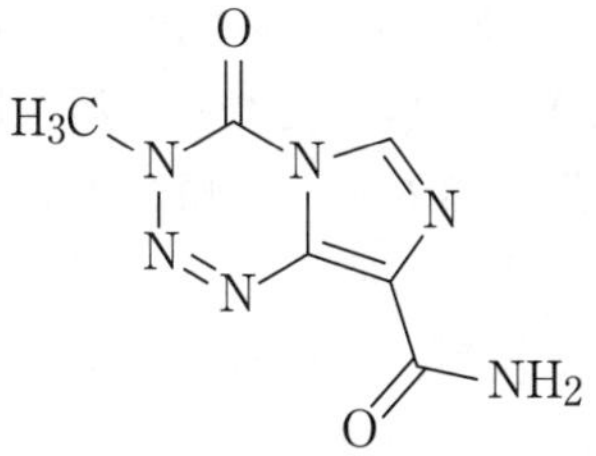

$C_6H_6N_6O_2$：194.15

3-Methyl-4-oxo-3,4-dihydroimidazo[5,1-*d*][1,2,3,5]tetrazine-8-carboxamide

[*85622-93-1*]

本品は定量するとき，テモゾロミド（$C_6H_6N_6O_2$）98.0～102.0％を含む．

性　状　本品は白色～微紅色又は淡黄褐色の結晶性の粉末又は粉末である．

ジメチルスルホキシドにやや溶けにくく，水又はアセトニトリルに溶けにくく，エタノール（99.5）に極めて溶けにくい．

融点：180℃（分解）．

本品は結晶多形が認められる．

確認試験

(1)　本品の水溶液（1 → 100000）につき，紫外可視吸光度測定法〈*2.24*〉により吸収スペクトルを測定し，本品のスペクトルと本品の参照スペクトル又はテモゾロミド標準品について同様に操作して得られたスペクトルを比較するとき，両者のスペクトルは同一波長のところに同様の強度の吸収を認める．

(2)　本品につき，赤外吸収スペクトル測定法〈*2.25*〉の臭化カリウム錠剤法により試験を行い，本品のスペクトルと本品の参照スペクトル又はテモゾロミド標準品のスペクトルを比較するとき，両者のスペクトルは同一波数のところに同様の強度の吸収を認める．もし，これらのスペクトルに差を認めるときは，本品をアセトニトリルに溶かした後，アセトニトリルを蒸発し，残留物を乾燥したものにつき，同様の試験を行う．

純度試験

(1)　類縁物質　定量法の試料溶液を試料溶液とする．この液 1 mL を正確に量り，ジメチルスルホキシドを加えて正確に 100 mL とし，標準溶液とする．試料溶液及び標準溶液 10 μL ずつを正確にとり，次の条件で液体クロマトグラフィー〈*2.01*〉により試験を行う．それぞれの液の各々のピーク面積を自動積分法により測定するとき，試料溶液のテモゾロミドに対する相対保持時間約 0.4 の類縁物質 E のピーク面積は，標準溶液のテモゾロミドのピーク面積の 1/5 より大きくなく，試料溶液の相対保持時間約 0.5 の類縁物質 D のピーク面積は，標準溶液のテモゾロミドのピーク面積の 1/2 より大きくなく，試料溶液のテモゾロミド及び上記以外のピークの面積は，標準溶液のテモゾロミドのピーク面積の 1/10 より大きくない．また，試料溶液のテモゾロミド以外のピークの合計面積は，標準溶液のテモゾロミドのピーク面積の 4/5 より大きくない．ただし，類縁物質 E のピーク面積は自動積分法で求めた面積に感度係数 0.63 を乗じた値とする．

試験条件

検出器，カラム，カラム温度，移動相及び流量は定量法の試験条件を準用する．

面積測定範囲：溶媒ピークの後からテモゾロミドの保持時間の約 3 倍の範囲

システム適合性

システムの性能は定量法のシステム適合性を準用する．

検出の確認：標準溶液 1 mL を正確に量り，ジメチルスルホキシドを加えて正確に 20 mL とする．この液 10 μL から得たテモゾロミドのピーク面積が，標準溶液のテモゾロミドのピーク面積の 3.5 ～ 6.5％になることを確認する．

システムの再現性：標準溶液 10 μL につき，上記の条件で試験を 6 回繰り返すとき，テモゾロミドのピーク面積の相対標準偏差は 2.0％以下である．

(2)　残留溶媒　別に規定する.

水　分〈*2.48*〉　0.4％以下（0.5 g，電量滴定法）.

強熱残分〈*2.44*〉　0.1％以下（1 g）.

定 量 法　本品及びテモゾロミド標準品約25 mgずつを精密に量り，それぞれにジメチルスルホキシド20 mLを加え，振り混ぜて溶かし，更にジメチルスルホキシドを加えて正確に25 mLとし，試料溶液及び標準溶液とする．試料溶液及び標準溶液10 μLずつを正確にとり，次の条件で液体クロマトグラフィー〈*2.01*〉により試験を行い，それぞれの液のテモゾロミドのピーク面積A_T及びA_Sを測定する.

$$テモゾロミド（C_6H_6N_6O_2）の量（mg）= M_S \times A_T / A_S$$

M_S：テモゾロミド標準品の秤取量（mg）

試験条件

検出器：紫外吸光光度計（測定波長：270 nm）

カラム：内径4.6 mm，長さ15 cmのステンレス管に5 μmの液体クロマトグラフィー用オクタデシルシリル化シリカゲルを充塡する.

カラム温度：25℃付近の一定温度

移動相：酢酸（100）5 mLに水1000 mLを加えた液24容量にメタノール1容量を加えた液1000 mLに1-ヘキサンスルホン酸ナトリウム0.94 gを溶かす.

流量：テモゾロミドの保持時間が約9.5分になるように調整する.

システム適合性

システムの性能：試料溶液5 mLをとり，0.1 mol/L塩酸試液5 mLを加え，水浴上で1時間加熱した後，4℃に冷却する．この液10 μLにつき，上記の条件で操作するとき，テモゾロミドとテモゾロミドに対する相対保持時間約1.4のピークの分離度は2.5以上であり，テモゾロミドのピークのシンメトリー係数は1.9以下である.

システムの再現性：標準溶液10 μLにつき，上記の条件で試験を6回繰り返すとき，テモゾロミドのピーク面積の相対標準偏差は1.0％以下である.

貯　法　容器　密閉容器（防湿包装）.

その他

類縁物質E：

3,7-Dihydro-4*H*-imidazo[4,5-*d*][1,2,3]triazin-4-one

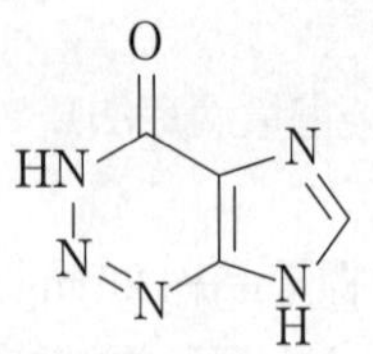

O
HN N
N N
N N
H

類縁物質 D：
4-Diazo-4*H*-imidazole-5-carboxamide

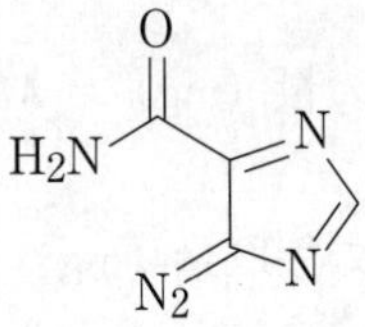

O
H_2N N
N
N_2

注　釈

毒

［本質］　421 アルキル化剤

［適用］　初発の悪性神経膠腫に対して，放射線療法との併用にて，1 日 1 回 75 mg/m^2（体表面積）を連日 42 日間経口投与し，4 週間休薬する．その後，単独にて，1 日 1 回 150 mg/m^2 を連日 5 日間経口投与し，23 日間休薬する．この 28 日を 1 クールとし，次クールでは 1 回 200 mg/m^2 に増量することができる．再発の悪性神経膠腫に対して，1 日 1 回 150 mg/m^2 を連日 5 日間経口投与し，23 日間休薬する．この 28 日を 1 クールとし，次クールでは 1 回 200 mg/m^2 に増量することができる．再発または難治性のユーイング肉腫に対して，イリノテカンとの併用にて，1 日 1 回 100 mg/m^2 を連日 5 日間経口投与し，16 日間以上休薬する．これを 1 クールとし，投与を反復する．また，点滴静注も行う．

［服薬指導］　(1) 妊婦または妊娠している可能性のある婦人には投与禁忌のため，妊娠の有無を確認する．(2) 授乳中の婦人には授乳を避けるように指導する．［カプセル剤］(1) 空腹時に服用するよう指導する．(2) カプセルは開けず，また，かみ砕かずに十分量の水とともに服用するよう指導する．(3) カプセルの内容物が身体に付着した場合は，速やかに洗浄するよう指導する．

［製剤］　カプセル 毒 処，注射 毒 処

［配合変化］　［注射剤］他の注射剤との配合または混注は行わないこと．生理食塩液とは同じ点滴ラインで投与できるが，ブドウ糖注射液とは投与しないこと．その他の注射剤との適合性試験は実施していないため，同じ点滴ラインを用いた同時投与は行わないこと．

テモゾロミドカプセル

Temozolomide Capsules

本品は定量するとき，表示量の95.0～105.0%に対応するテモゾロミド（$C_6H_6N_6O_2$：194.15）を含む．

製　法　本品は「テモゾロミド」をとり，カプセル剤の製法により製する．

確認試験　定量法で得た試料溶液及び標準溶液20 μLにつき，次の条件で液体クロマトグラフィー〈*2.01*〉により試験を行うとき，試料溶液及び標準溶液から得た主ピークの保持時間は等しい．また，それらのピークの吸収スペクトルは同一波長のところに同様の強度の吸収を認める．

試験条件

カラム，カラム温度，移動相及び流量は定量法の試験条件を準用する．

検出器：フォトダイオードアレイ検出器（測定波長：270 nm，スペクトル測定範囲：210～400 nm）

システム適合性

システムの性能は定量法のシステム適合性を準用する．

純度試験　類縁物質　定量法の試料溶液を試料溶液とする．この液1 mLを正確に量り，ジメチルスルホキシドを加えて正確に100 mLとし，標準溶液とする．試料溶液及び標準溶液20 μLずつを正確にとり，次の条件で液体クロマトグラフィー〈*2.01*〉により試験を行い，それぞれの液の各々のピーク面積を自動積分法により測定するとき，試料溶液のテモゾロミドに対する相対保持時間約0.4の類縁物質Eのピーク面積は，標準溶液のテモゾロミドのピーク面積の3/5より大きくなく，試料溶液の相対保持時間約1.4の類縁物質CAのピーク面積は，標準溶液のテモゾロミドのピーク面積より大きくなく，試料溶液のテモゾロミド及び上記以外のピークの面積は，標準溶液のテモゾロミドのピーク面積の1/5より大きくない．また，試料溶液のテモゾロミド以外のピークの合計面積は，標準溶液のテモゾロミドのピーク面積の1.2倍より大きくない．ただし，類縁物質E及び類縁物質CAのピーク面積は自動積分法で求めた面積にそれぞれ感度係数0.63及び0.30を乗じた値とする．

試験条件

検出器，カラム，カラム温度，移動相及び流量は「テモゾロミド」の定量法の試験条件を準用する．

面積測定範囲：溶媒ピークの後からテモゾロミドの保持時間の約3倍の範囲

システム適合性

システムの性能は定量法のシステム適合性を準用する．

検出の確認：標準溶液 2 mL を正確に量り，移動相を加えて正確に 20 mL とする．この液 20 μL から得たテモゾロミドのピーク面積が，標準溶液のテモゾロミドのピーク面積の 7 ～ 13％になることを確認する．

システムの再現性：標準溶液 20 μL につき，上記の条件で試験を 6 回繰り返すとき，テモゾロミドのピーク面積の相対標準偏差は 2.0％以下である．

製剤均一性〈*6.02*〉 質量偏差試験又は次の方法による含量均一性試験のいずれかを行うとき，これに適合する．

本品 1 個をとり，1 mL 中にテモゾロミド（$C_6H_6N_6O_2$）約 1 mg を含む液となるように移動相 V mL を正確に加え，カプセルが完全に崩壊するまで振り混ぜる．さらに内容物が分散するまで振り混ぜた後，10 分間遠心分離し，上澄液を孔径 0.45 μm のメンブランフィルターでろ過する．初めのろ液 3 mL を除き，次のろ液 10 mL を正確に量り，移動相を加えて正確に 100 mL とし，試料溶液とする．以下定量法を準用する．

テモゾロミド（$C_6H_6N_6O_2$）の量（mg）
$= M_S \times A_T / A_S \times V / 25$

M_S：テモゾロミド標準品の秤取量（mg）

溶 出 性〈*6.10*〉 試験液に水 900 mL を用い，回転バスケット法により，毎分 100 回転で試験を行うとき，本品の 30 分間の Q 値は 80％である．

本品 1 個をとり，試験を開始し，規定された時間に，溶出液 10 mL 以上をとり，孔径 0.8 μm 以下のメンブランフィルターでろ過する．初めのろ液 3 mL 以上を除き，次のろ液 V mL を正確に量り，1 mL 中にテモゾロミド（$C_6H_6N_6O_2$）約 22 μg を含む液となるように水を加えて V'mL とし，試料溶液とする．別にテモゾロミド標準品約 22 mg を精密に量り，水に溶かし，正確に 100 mL とする．この液 10 mL を正確に量り，水を加えて正確に 100 mL とし，標準溶液とする．試料溶液及び標準溶液につき，紫外可視吸光度測定法〈*2.24*〉により試験を行い，波長 328 nm における吸光度 A_T 及び A_S を測定する．

テモゾロミド（$C_6H_6N_6O_2$）の表示量に対する溶出率（％）
$= M_S \times A_T / A_S \times V' / V \times 1 / C \times 90$

M_S：テモゾロミド標準品の秤取量（mg）
C：1 カプセル中のテモゾロミド（$C_6H_6N_6O_2$）の表示量（mg）

定 量 法 本品 10 個をとり，移動相を加え，カプセルが完全に崩壊するまで振り混ぜる．さらに内容物が分散するまで振り混ぜた後，1 mL 中にテモゾロミド（$C_6H_6N_6O_2$）約 1 mg を含む液となるように移動相を加えて正確に V mL とする．この液を 10 分間遠心分離し，上澄液を孔径 0.45 µm のメンブランフィルターでろ過する．初めのろ液 3 mL を除き，次のろ液 10 mL を正確に量り，移動相を加えて正確に 100 mL とし，試料溶液とする．別にテモゾロミド標準品約 25 mg を精密に量り，移動相 200 mL を加え，超音波処理して溶かした後，移動相を加えて正確に 250 mL とし，標準溶液とする．試料溶液及び標準溶液 20 µL ずつを正確にとり，次の条件で液体クロマトグラフィー〈*2.01*〉により試験を行い，それぞれの液のテモゾロミドのピーク面積 A_T 及び A_S を測定する．

本品 1 個中のテモゾロミド（$C_6H_6N_6O_2$）の量（mg）
$= M_S \times A_T / A_S \times V / 250$

M_S：テモゾロミド標準品の秤取量（mg）

試験条件

「テモゾロミド」の定量法の試験条件を準用する．

システム適合性

システムの性能：テモゾロミド 10 mg を移動相 25 mL に溶かす．この液に 0.1 mol/L 塩酸試液 25 mL を加え，80℃で 4 時間放置した後，4℃に冷却後保存する．この液 20 µL につき，上記の条件で操作するとき，テモゾロミドと類縁物質 CA の分離度は 2.5 以上であり，テモゾロミドのピークのシンメトリー係数は 1.9 以下である．

システムの再現性：標準溶液 20 µL につき，上記の条件で試験を 6 回繰り返すとき，テモゾロミドのピーク面積の相対標準偏差は 1.0％以下である．

貯　法　容器　気密容器．

その他

類縁物質 E は「テモゾロミド」のその他を準用する．

類縁物質 CA：

5-Amino-1*H*-imidazole-4-carboxamide

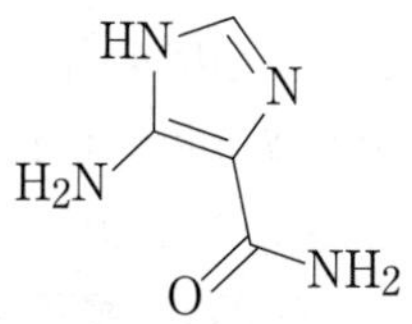

――――注　釈――――

(→ テモゾロミド)

毒 処

注射用テモゾロミド

Temozolomide for Injection

本品は用時溶解して用いる注射剤である．

本品は定量するとき，表示量の95.0～105.0％に対応するテモゾロミド($C_6H_6N_6O_2$：194.15)を含む．

製　法　本品は「テモゾロミド」をとり，注射剤の製法により製する．

性　状　本品は白色～微紅色又は淡黄褐色の粉末である．

確認試験　定量法の試料溶液及び標準溶液75 μLにつき，次の条件で液体クロマトグラフィー〈*2.01*〉により試験を行うとき，試料溶液及び標準溶液から得た主ピークの保持時間は等しい．また，それらのピークの吸収スペクトルは同一波長のところに同様の強度の吸収を認める．

試験条件

カラム，カラム温度，移動相及び流量は「テモゾロミド」の定量法の試験条件を準用する．

検出器：フォトダイオードアレイ検出器（測定波長：270 nm，スペクトル測定範囲：210～400 nm）

システム適合性

システムの性能は定量法のシステム適合性を準用する．

pH　別に規定する．

純度試験　類縁物質　定量法の試料溶液を試料溶液とする．この液1 mLを正確に量り，移動相を加えて正確に100 mLとし，標準溶液とする．試料溶液及び標準溶液75 μLずつを正確にとり，次の条件で液体クロマトグラフィー〈*2.01*〉により試験を行う．それぞれの液の各々のピーク面積を自動積分法により測定するとき，試料溶液のテモゾロミドに対する相対保持時間約0.4の類縁物質Eのピーク面積は，標準溶液のテモゾロミドのピーク面積の2/5より大きくなく，試料溶液の相対保持時間約1.4の類縁物質IAのピーク面積は，標準溶液のテモゾロミドのピーク面積より大きくなく，試料溶液のテモゾロミド及び上記以外のピークの面積は，標準溶液のテモゾロミドのピーク面積の1/5より大きくない．また，試料溶液のテモゾロミド以外のピークの合計面積は，標準溶液のテモゾロミドのピーク面積より大きくない．ただし，類縁物質E及び類縁物質IAのピークの面積は自動積分法で求めた面積にそれぞれ感度係数0.63及び0.29を乗じた値とする．

試験条件

検出器，カラム，カラム温度，移動相及び流量は「テモゾロミド」の定量法の試験条件を準用する．

面積測定範囲：溶媒ピークの後からテモゾロミドの保持時間の約3倍の範囲

システム適合性

システムの性能：定量法のシステム適合性を準用する．

検出の確認：定量法で得た標準溶液5 mLを正確に量り，移動相を加えて正確に200 mLとする．この液2 mLを正確に量り，移動相を加えて正確に100 mLとする．この液75 μLにつき，上記の条件で操作するとき，テモゾロミドのピークのSN比は10以上である．

システムの再現性：標準溶液75 μLにつき，上記の条件で試験を6回繰り返すとき，テモゾロミドのピーク面積の相対標準偏差は2.0％以下である．

水　分〈*2.48*〉　本品の「テモゾロミド」100 mgに対応する量をとり，メタノール40 mLを正確に加え，内容物を溶かした後，その2 mLを正確に量り，電量滴定法により試験を行うとき，1.0％以下である．同様の方法で空試験を行い，補正する．

エンドトキシン〈*4.01*〉　0.75 EU/mg未満．

製剤均一性〈*6.02*〉　質量偏差試験を行うとき，適合する．（T値：別に規定する）

不溶性異物〈*6.06*〉　第2法により試験を行うとき，適合する．

不溶性微粒子〈*6.07*〉　試験を行うとき，適合する．

無　菌〈*4.06*〉　メンブランフィルター法により試験を行うとき，適合する．

定 量 法　本品につき，テモゾロミド（$C_6H_6N_6O_2$）500 mgに対応する個数をとり，それぞれの内容物を水に溶かし，各々の容器は水で洗い，洗液は先の液に合わせた後，水を加えて正確に200 mLとする．この液5 mLを正確に量り，移動相を加えて正確に100 mLとし，試料溶液とする．別にテモゾロミド標準品約31 mgを精密に量り，移動相を加えて正確に50 mLとする．この液10 mLを正確に量り，移動相を加えて正確に50 mLとし，標準溶液とする．試料溶液及び標準溶液75 μLずつを正確にとり，次の条件で液体クロマトグラフィー〈*2.01*〉により試験を行い，それぞれの液のテモゾロミドのピーク面積A_T及びA_Sを測定する．

テモゾロミド（$C_6H_6N_6O_2$）の量（mg）
$= M_S \times A_T / A_S \times 16$

M_S：テモゾロミド標準品の秤取量（mg）

試験条件

「テモゾロミド」の定量法の試験条件を準用する．

システム適合性

システムの性能：テモゾロミド 1 mg に移動相 /0.1 mol/L 塩酸試液混液（1：1）を加えて 10 mL とし，80℃で約 4 時間加熱した後，約 4℃に冷却する．この液に移動相を加えて 25 mL とする．この液 75 µL につき，上記の条件で操作するとき，テモゾロミドと類縁物質 IA の分離度は 2.5 以上であり，テモゾロミドのピークのシンメトリー係数は 1.9 以下である．

システムの再現性：標準溶液 75 µL につき，上記の条件で試験を 6 回繰り返すとき，テモゾロミドのピーク面積の相対標準偏差は 1.0％以下である．

貯　法　保存条件 2 ～ 8℃で保存する．

容器　密封容器．

その他

類縁物質 E は「テモゾロミド」のその他を準用する．

類縁物質 IA：

5-Amino-1*H*-imidazole-4-carboxamide

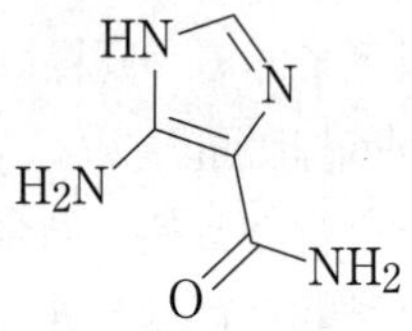

HN　N
H_2N
O　NH_2

——— 注　釈 ———

(→ テモゾロミド)

毒 処

医薬品各条の部　コムギデンプンの条純度試験の項（5）の目を次のように改める．

コ ム ギ デ ン プ ン

純度試験

(5)　総タンパク質　本品約 3 g を精密に量り，ケルダールフラスコに入れ，分解促進剤（硫酸カリウム 100 g，硫酸銅(Ⅱ)五水和物 3 g 及び酸化チタン(Ⅳ) 3 g の混合物を粉末としたもの）4 g を加え，フラスコの首に付着した試料を少量の水で洗い込み，更にフラスコの内壁に沿って硫酸 25 mL を加え，振り混ぜる．フラスコを初め徐々に加熱し，次にフラスコの首で硫酸が液化する程度にフラスコの上部が過熱しないよう注意しながら昇温する．このとき硫酸の過剰な消失を防ぐため，例えば，フラスコの口を1本の短い枝が付いたガラス球などを用いて緩く蓋をする．液が澄明となり，フラスコの内壁に炭化物を認めなくなったとき，加熱をやめる．冷後，水25 mLを注意しながら加えて固形物を溶かし，再び冷却する．フラスコを，あらかじめ水蒸気を通じて洗った蒸留装置に連結する．受器には0.01 mol/L塩酸25 mLを正確に量り，適量の水を加え，冷却器の下端をこの液に浸す．漏斗から空試験と同量の水酸化ナトリウム溶液（21 → 50）を加え，直ちにピンチコック付きゴム管のピンチコックを閉じ，水蒸気を通じて留液約40 mLを得るまで蒸留する．冷却器の下端を液面から離し，更にしばらく蒸留を続けた後，少量の水でその部分を洗い込み，過量の塩酸を0.025 mol/L水酸化ナトリウム液で滴定〈*2.50*〉する（指示薬：メチルレッド・メチレンブルー試液3滴）．このとき，滴定の終点は液の赤紫色が灰青色を経て，緑色に変わるときとする．同様の方法で空試験を行う．ただし，漏斗から加える水酸化ナトリウム溶液（21 → 50）は，フラスコ内の液が帯青緑色から暗褐色又は黒色に変わるのに十分な量とする．

$$窒素の量（\%）= (a - b) \times 0.035／M$$

M：本品の秤取量（g）
a：空試験における0.025 mol/L水酸化ナトリウム液の消費量（mL）
b：本品の試験における0.025 mol/L水酸化ナトリウム液の消費量（mL）

総タンパク質は0.3％［窒素（N：14.01）として0.048％（窒素からタンパク質への換算係数は6.25を用いる)］以下である．

医薬品各条の部　ナルトグラスチム（遺伝子組換え）の条を削る．

医薬品各条の部　注射用ナルトグラスチム（遺伝子組換え）の条を削る．

医薬品各条の部　パラオキシ安息香酸エチルの条を次のように改める．

パラオキシ安息香酸エチル

Ethyl Parahydroxybenzoate

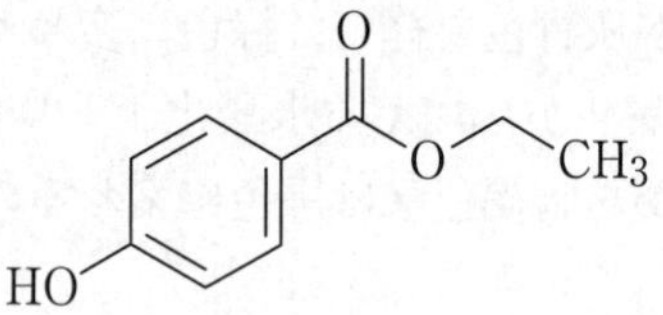

$C_9H_{10}O_3$：166.17
Ethyl 4-hydroxybenzoate
[*120-47-8*]

本医薬品各条は，三薬局方での調和合意に基づき規定した医薬品各条である．

なお，三薬局方で調和されていない部分のうち，調和合意において，調和の対象とされた項中非調和となっている項の該当箇所は「◆　◆」で，調和の対象とされた項以外に日本薬局方が独自に規定することとした項は「◇　◇」で囲むことにより示す．

三薬局方の調和合意に関する情報については，独立行政法人医薬品医療機器総合機構のウェブサイトに掲載している．

本品は定量するとき，パラオキシ安息香酸エチル（$C_9H_{10}O_3$）98.0 ～ 102.0％を含む．

◆**性　状**　本品は無色の結晶又は白色の結晶性の粉末である．

本品はメタノール，エタノール（95）又はアセトンに溶けやすく，水に極めて溶けにくい．◆

確認試験　本品につき，赤外吸収スペクトル測定法〈*2.25*〉の臭化カリウム錠剤法により試験を行い，本品のスペクトルと本品の参照スペクトル又はパラオキシ安息香酸エチル標準品のスペクトルを比較するとき，両者のスペクトルは同一波数のところに同様の強度の吸収を認める．

融　点〈*2.60*〉　115 ～ 118℃

純度試験

(1)　溶状　本品 1.0 g をエタノール（95）に溶かして 10 mL とするとき，液は澄明で，液の色はエタノール（95）又は次の比較液より濃くない．

比較液：塩化コバルト(Ⅱ)の色の比較原液 5.0 mL，塩化鉄(Ⅲ)の色の比較原液 12.0 mL 及び硫酸銅(Ⅱ)の色の比較原液 2.0 mL をとり，薄めた希塩酸（1 → 10）を加えて 1000 mL とする．

(2)　酸　(1)の液 2 mL にエタノール（95）3 mL を加えた後，新たに煮沸して冷却した水 5 mL 及びブロモクレゾールグリーン・水酸化ナトリウム・エタノール試液 0.1 mL を加える．この液に液の色が青色に変化するまで 0.1 mol/L 水酸化ナトリウム液を加えるとき，その量は 0.1 mL 以下である．

(3)　類縁物質　本品 50.0 mg をメタノール 2.5 mL に溶かした後，移動相を加えて正確に 50 mL とする．この液 10 mL を正確に量り，移動相を加えて正確に 100 mL とし，試料溶液とする．この液 1 mL を正確に量り，移動相を加えて正確に 20 mL とする．この液 1 mL を正確に量り，移動相を加えて正確に 10 mL とし，標準溶液とする．試料溶液及び標準溶液 10 μL ずつを正確にとり，次の条件で液体クロマトグラフィー〈*2.01*〉により試験を行う．それぞれの液の各々のピーク面積を自動積分法により測定するとき，試料溶液のパラオキシ安息香酸エチルに対する相対保持時間約 0.5 のパラオキシ安息香酸のピーク面積は，標準溶液のパラオキシ安息香酸エチルのピーク面積より大きくない（0.5％）．ただし，パラオキシ安息香酸のピーク面積は自動積分法により求めた面積に感度係数 1.4 を乗じた値とする．また，試料溶液のパラオキシ安息香酸エチル及びパラオキシ安息香酸以外のピークの面積は，標準溶液のパラオキシ安息香酸エチルのピーク面積より大きくない（0.5％）．また，試料溶液のパラオキシ安息香酸エチル以外のピークの合計面積は，標準溶液のパラオキシ安息香酸エチルのピーク面積の 2 倍より大きくない（1.0％）．ただし，標準溶液のパラオキシ安息香酸エチルのピーク面積の 1/5 以下のピークは計算しない（0.1％）．

試験条件

検出器，カラム，カラム温度，移動相及び流量は定量法の試験条件を準用する．

面積測定範囲：パラオキシ安息香酸エチルの保持時間の 4 倍の範囲

システム適合性

システムの性能は定量法のシステム適合性を準用する．

◇検出の確認：標準溶液 2 mL を正確に量り，移動相を加えて正確に 10 mL とする．この液 10 μL から得たパラオキシ安息香酸エチルのピーク面積が，標準溶液のパラオキシ安息香酸エチルのピーク面積の 14 ～ 26％になることを

確認する．◇

◇システムの再現性：標準溶液 10 μL につき，上記の条件で試験を 6 回繰り返すとき，パラオキシ安息香酸エチルのピーク面積の相対標準偏差は 2.0％以下である．◇

強熱残分 〈*2.44*〉　0.1％以下（1 g）．

定 量 法　本品及びパラオキシ安息香酸エチル標準品約 50 mg ずつを精密に量り，それぞれメタノール 2.5 mL に溶かし，移動相を加えて正確に 50 mL とする．それぞれの液 10 mL を正確に量り，それぞれに移動相を加えて正確に 100 mL とし，試料溶液及び標準溶液とする．試料溶液及び標準溶液 10 μL ずつを正確にとり，次の条件で液体クロマトグラフィー〈*2.01*〉により試験を行い，それぞれの液のパラオキシ安息香酸エチルのピーク面積 A_T 及び A_S を測定する．

パラオキシ安息香酸エチル（$C_9H_{10}O_3$）の量（mg）
$= M_S \times A_T / A_S$

M_S：パラオキシ安息香酸エチル標準品の秤取量（mg）

試験条件

検出器：紫外吸光光度計（測定波長：272 nm）

カラム：内径 4.6 mm，長さ 15 cm のステンレス管に 5 μm の液体クロマトグラフィー用オクタデシルシリル化シリカゲルを充塡する．

◇カラム温度：35℃付近の一定温度◇

移動相：メタノール / リン酸二水素カリウム溶液（17 → 2500）混液（13：7）

流量：毎分 1.3 mL

システム適合性

システムの性能：本品，パラオキシ安息香酸メチル及びパラオキシ安息香酸それぞれ 5 mg を移動相に溶かし，正確に 100 mL とする．この液 1 mL を正確に量り，移動相を加えて正確に 10 mL とした液 10 μL につき，上記の条件で操作するとき，パラオキシ安息香酸，パラオキシ安息香酸メチル，パラオキシ安息香酸エチルの順に溶出し，パラオキシ安息香酸エチルに対するパラオキシ安息香酸及びパラオキシ安息香酸メチルの相対保持時間は約 0.5 及び約 0.8 であり，パラオキシ安息香酸メチルとパラオキシ安息香酸エチルの分離度は 2.0 以上である．

システムの再現性：標準溶液 10 μL につき，上記の条件で試験を 6 回繰り返すとき，パラオキシ安息香酸エチルのピーク面積の相対標準偏差は 0.85％以下である．

◆**貯　法**　容器　密閉容器．◆

医薬品各条の部　パラオキシ安息香酸ブチルの条を次のように改める．

パラオキシ安息香酸ブチル

Butyl Parahydroxybenzoate

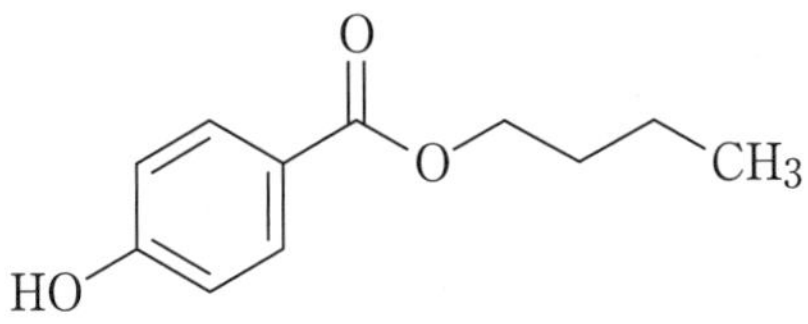

$C_{11}H_{14}O_3$：194.23
Butyl 4-hydroxybenzoate
[*94-26-8*]

本医薬品各条は，三薬局方での調和合意に基づき規定した医薬品各条である．

なお，三薬局方で調和されていない部分のうち，調和合意において，調和の対象とされた項中非調和となっている項の該当箇所は「◆　◆」で，調和の対象とされた項以外に日本薬局方が独自に規定することとした項は「◇　◇」で囲むことにより示す．

三薬局方の調和合意に関する情報については，独立行政法人医薬品医療機器総合機構のウェブサイトに掲載している．

本品は定量するとき，パラオキシ安息香酸ブチル（$C_{11}H_{14}O_3$）98.0 ～ 102.0％を含む．

◆**性　状**　本品は無色の結晶又は白色の結晶性の粉末である．

本品はメタノールに極めて溶けやすく，エタノール（95）又はアセトンに溶けやすく，水にほとんど溶けない．◆

確認試験　本品につき，赤外吸収スペクトル測定法〈*2.25*〉の臭化カリウム錠剤法により試験を行い，本品のスペクトルと本品の参照スペクトル又はパラオキシ安息香酸ブチル標準品のスペクトルを比較するとき，両者のスペクトルは同一波数のところに同様の強度の吸収を認める．

融　点〈*2.60*〉　68 ～ 71℃

純度試験

(1)　溶状　本品 1.0 g をエタノール（95）に溶かして 10 mL とするとき，液は澄明で，液の色はエタノール（95）又は次の比較液より濃くない．

比較液：塩化コバルト(Ⅱ)の色の比較原液 5.0 mL，塩化鉄(Ⅲ)の色の比較原液

12.0 mL 及び硫酸銅(Ⅱ)の色の比較原液 2.0 mL をとり，薄めた希塩酸 (1 → 10) を加えて 1000 mL とする．

(2)　酸　(1)の液 2 mL にエタノール (95) 3 mL を加えた後，新たに煮沸して冷却した水 5 mL 及びブロモクレゾールグリーン・水酸化ナトリウム・エタノール試液 0.1 mL を加える．この液に液の色が青色に変化するまで 0.1 mol/L 水酸化ナトリウム液を加えるとき，その量は 0.1 mL 以下である．

(3)　類縁物質　本品 50.0 mg をメタノール 2.5 mL に溶かした後，移動相を加えて正確に 50 mL とする．この液 10 mL を正確に量り，移動相を加えて正確に 100 mL とし，試料溶液とする．この液 1 mL を正確に量り，移動相を加えて正確に 20 mL とする．この液 1 mL を正確に量り，移動相を加えて正確に 10 mL とし，標準溶液とする．試料溶液及び標準溶液 10 μL ずつを正確にとり，次の条件で液体クロマトグラフィー〈*2.01*〉により試験を行う．それぞれの液の各々のピーク面積を自動積分法により測定するとき，試料溶液のパラオキシ安息香酸ブチルに対する相対保持時間約 0.1 のパラオキシ安息香酸のピーク面積は，標準溶液のパラオキシ安息香酸ブチルのピーク面積より大きくない (0.5％)．ただし，パラオキシ安息香酸のピーク面積は自動積分法により求めた面積に感度係数 1.4 を乗じた値とする．また，試料溶液のパラオキシ安息香酸ブチル及びパラオキシ安息香酸以外のピークの面積は，標準溶液のパラオキシ安息香酸ブチルのピーク面積より大きくない (0.5％)．また，試料溶液のパラオキシ安息香酸ブチル以外のピークの合計面積は，標準溶液のパラオキシ安息香酸ブチルのピーク面積の 2 倍より大きくない (1.0％)．ただし，標準溶液のパラオキシ安息香酸ブチルのピーク面積の 1/5 以下のピークは計算しない (0.1％)．

試験条件

検出器，カラム，カラム温度，移動相及び流量は定量法の試験条件を準用する．

面積測定範囲：パラオキシ安息香酸ブチルの保持時間の 1.5 倍の範囲

システム適合性

システムの性能は定量法のシステム適合性を準用する．

◇検出の確認：標準溶液 2 mL を正確に量り，移動相を加えて正確に 10 mL とする．この液 10 μL から得たパラオキシ安息香酸ブチルのピーク面積が，標準溶液のパラオキシ安息香酸ブチルのピーク面積の 14 〜 26％になることを確認する．◇

◇システムの再現性：標準溶液 10 μL につき，上記の条件で試験を 6 回繰り返すとき，パラオキシ安息香酸ブチルのピーク面積の相対標準偏差は 2.0％以下である．◇

強熱残分〈*2.44*〉　0.1％以下 (1 g)．

定 量 法　本品及びパラオキシ安息香酸ブチル標準品約 50 mg ずつを精密に量り，

それぞれメタノール 2.5 mL に溶かし，移動相を加えて正確に 50 mL とする．それぞれの液 10 mL を正確に量り，それぞれに移動相を加えて正確に 100 mL とし，試料溶液及び標準溶液とする．試料溶液及び標準溶液 10 μL ずつを正確にとり，次の条件で液体クロマトグラフィー〈*2.01*〉により試験を行い，それぞれの液のパラオキシ安息香酸ブチルのピーク面積 A_T 及び A_S を測定する．

パラオキシ安息香酸ブチル（$C_{11}H_{14}O_3$）の量（mg）
$= M_S \times A_T / A_S$

M_S：パラオキシ安息香酸ブチル標準品の秤取量（mg）

試験条件

検出器：紫外吸光光度計（測定波長：272 nm）

カラム：内径 4.6 mm，長さ 15 cm のステンレス管に 5 μm の液体クロマトグラフィー用オクタデシルシリル化シリカゲルを充塡する．

カラム温度：35℃付近の一定温度

移動相：リン酸二水素カリウム溶液（17 → 2500）／メタノール混液（1：1）

流量：毎分 1.3 mL

システム適合性

システムの性能：本品，パラオキシ安息香酸プロピル及びパラオキシ安息香酸それぞれ 5 mg を移動相に溶かし，正確に 100 mL とする．この液 1 mL を正確に量り，移動相を加えて正確に 10 mL とし，システム適合性試験用溶液（1）とする．別にパラオキシ安息香酸イソブチル 5 mg を移動相に溶かし，正確に 100 mL とする．この液 0.5 mL を正確に量り，標準溶液を加えて正確に 50 mL とし，システム適合性試験用溶液（2）とする．システム適合性試験用溶液（1）及びシステム適合性試験用溶液（2）それぞれ 10 μL につき，上記の条件で操作するとき，パラオキシ安息香酸，パラオキシ安息香酸プロピル，パラオキシ安息香酸イソブチル，パラオキシ安息香酸ブチルの順に溶出し，パラオキシ安息香酸ブチルに対するパラオキシ安息香酸，パラオキシ安息香酸プロピル及びパラオキシ安息香酸イソブチルの保持時間の比は約 0.1，約 0.5 及び約 0.9 であり，パラオキシ安息香酸プロピルとパラオキシ安息香酸ブチルの分離度は 5.0 以上であり，パラオキシ安息香酸イソブチルとパラオキシ安息香酸ブチルの分離度は 1.5 以上である．

システムの再現性：標準溶液 10 μL につき，上記の条件で試験を 6 回繰り返すとき，パラオキシ安息香酸ブチルのピーク面積の相対標準偏差は 0.85％以下である．

◆**貯　法**　容器　密閉容器．◆

医薬品各条の部　パラオキシ安息香酸プロピルの条を次のように改める．

パラオキシ安息香酸プロピル

Propyl Parahydroxybenzoate

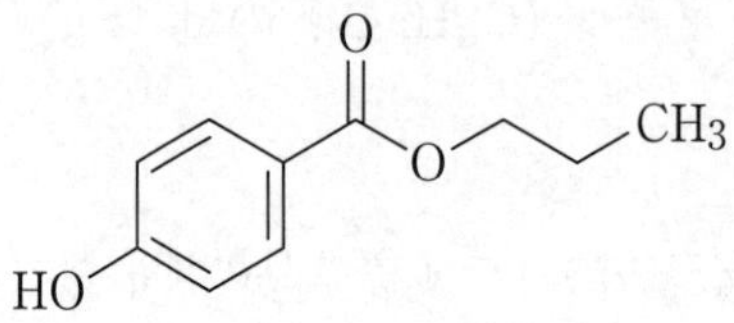

$C_{10}H_{12}O_3$：180.20
Propyl 4-hydroxybenzoate
[*94-13-3*]

本医薬品各条は，三薬局方での調和合意に基づき規定した医薬品各条である．

なお，三薬局方で調和されていない部分のうち，調和合意において，調和の対象とされた項中非調和となっている項の該当箇所は「◆　◆」で，調和の対象とされた項以外に日本薬局方が独自に規定することとした項は「◇　◇」で囲むことにより示す．

三薬局方の調和合意に関する情報については，独立行政法人医薬品医療機器総合機構のウェブサイトに掲載している．

本品は定量するとき，パラオキシ安息香酸プロピル（$C_{10}H_{12}O_3$）98.0～102.0％を含む．

◆**性　状**　本品は無色の結晶又は白色の結晶性の粉末である．

本品はメタノール，エタノール（95）又はアセトンに溶けやすく，水に極めて溶けにくい．◆

確認試験　本品につき，赤外吸収スペクトル測定法〈*2.25*〉の臭化カリウム錠剤法により試験を行い，本品のスペクトルと本品の参照スペクトル又はパラオキシ安息香酸プロピル標準品のスペクトルを比較するとき，両者のスペクトルは同一波数のところに同様の強度の吸収を認める．

融　点〈*2.60*〉　96～99℃

純度試験

(1)　溶状　本品1.0gをエタノール（95）に溶かして10mLとするとき，液は澄明で，液の色はエタノール（95）又は次の比較液より濃くない．

比較液：塩化コバルト(Ⅱ)の色の比較原液5.0mL，塩化鉄(Ⅲ)の色の比較原液

12.0 mL 及び硫酸銅(Ⅱ)の色の比較原液 2.0 mL をとり，薄めた希塩酸 (1 → 10) を加えて 1000 mL とする．

(2)　酸　(1)の液 2 mL にエタノール (95) 3 mL を加えた後，新たに煮沸して冷却した水 5 mL 及びブロモクレゾールグリーン・水酸化ナトリウム・エタノール試液 0.1 mL を加える．この液に液の色が青色に変化するまで 0.1 mol/L 水酸化ナトリウム液を加えるとき，その量は 0.1 mL 以下である．

(3)　類縁物質　本品 50.0 mg をメタノール 2.5 mL に溶かした後，移動相を加えて正確に 50 mL とする．この液 10 mL を正確に量り，移動相を加えて正確に 100 mL とし，試料溶液とする．この液 1 mL を正確に量り，移動相を加えて正確に 20 mL とする．この液 1 mL を正確に量り，移動相を加えて正確に 10 mL とし，標準溶液とする．試料溶液及び標準溶液 10 μL ずつを正確にとり，次の条件で液体クロマトグラフィー〈*2.01*〉により試験を行う．それぞれの液の各々のピーク面積を自動積分法により測定するとき，試料溶液のパラオキシ安息香酸プロピルに対する相対保持時間約 0.3 のパラオキシ安息香酸のピーク面積は，標準溶液のパラオキシ安息香酸プロピルのピーク面積より大きくない (0.5%)．ただし，パラオキシ安息香酸のピーク面積は自動積分法により求めた面積に感度係数 1.4 を乗じた値とする．また，試料溶液のパラオキシ安息香酸プロピル及びパラオキシ安息香酸以外のピークの面積は，標準溶液のパラオキシ安息香酸プロピルのピーク面積より大きくない (0.5%)．また，試料溶液のパラオキシ安息香酸プロピル以外のピークの合計面積は，標準溶液のパラオキシ安息香酸プロピルのピーク面積の 2 倍より大きくない (1.0%)．ただし，標準溶液のパラオキシ安息香酸プロピルのピーク面積の 1/5 以下のピークは計算しない (0.1%)．

試験条件

検出器，カラム，カラム温度，移動相及び流量は定量法の試験条件を準用する．

面積測定範囲：パラオキシ安息香酸プロピルの保持時間の 2.5 倍の範囲

システム適合性

システムの性能は定量法のシステム適合性を準用する．

◇検出の確認：標準溶液 2 mL を正確に量り，移動相を加えて正確に 10 mL とする．この液 10 μL から得たパラオキシ安息香酸プロピルのピーク面積が，標準溶液のパラオキシ安息香酸プロピルのピーク面積の 14 ～ 26%になることを確認する．◇

◇システムの再現性：標準溶液 10 μL につき，上記の条件で試験を 6 回繰り返すとき，パラオキシ安息香酸プロピルのピーク面積の相対標準偏差は 2.0% 以下である．◇

強熱残分〈*2.44*〉　0.1%以下 (1 g)．

定 量 法　本品及びパラオキシ安息香酸プロピル標準品約 50 mg ずつを精密に量り，

それぞれメタノール 2.5 mL に溶かし，移動相を加えて正確に 50 mL とする．それぞれの液 10 mL を正確に量り，それぞれに移動相を加えて正確に 100 mL とし，試料溶液及び標準溶液とする．試料溶液及び標準溶液 10 μL ずつを正確にとり，次の条件で液体クロマトグラフィー〈*2.01*〉により試験を行い，それぞれの液のパラオキシ安息香酸プロピルのピーク面積 A_T 及び A_S を測定する．

パラオキシ安息香酸プロピル（$C_{10}H_{12}O_3$）の量（mg）
$= M_S \times A_T / A_S$

M_S：パラオキシ安息香酸プロピル標準品の秤取量（mg）

試験条件
検出器：紫外吸光光度計（測定波長：272 nm）
カラム：内径 4.6 mm，長さ 15 cm のステンレス管に 5 μm の液体クロマトグラフィー用オクタデシルシリル化シリカゲルを充塡する．
◇カラム温度：35℃付近の一定温度．◇
移動相：メタノール／リン酸二水素カリウム溶液（17 → 2500）混液（13：7）
流量：毎分 1.3 mL
システム適合性
システムの性能：本品，パラオキシ安息香酸エチル及びパラオキシ安息香酸それぞれ 5 mg を移動相に溶かし，正確に 100 mL とする．この液 1 mL を正確に量り，移動相を加えて正確に 10 mL とした液 10 μL につき，上記の条件で操作するとき，パラオキシ安息香酸，パラオキシ安息香酸エチル，パラオキシ安息香酸プロピルの順に溶出し，パラオキシ安息香酸プロピルに対するパラオキシ安息香酸及びパラオキシ安息香酸エチルの相対保持時間は約 0.3 及び約 0.7 であり，パラオキシ安息香酸エチルとパラオキシ安息香酸プロピルの分離度は 3.0 以上である．
システムの再現性：標準溶液 10 μL につき，上記の条件で試験を 6 回繰り返すとき，パラオキシ安息香酸プロピルのピーク面積の相対標準偏差は 0.85 %以下である．

◆**貯　法**　容器　密閉容器．◆

医薬品各条の部　パラオキシ安息香酸メチルの条を次のように改める.

パラオキシ安息香酸メチル

Methyl Parahydroxybenzoate

$C_8H_8O_3$：152.15
Methyl 4-hydroxybenzoate
[*99-76-3*]

本医薬品各条は，三薬局方での調和合意に基づき規定した医薬品各条である.
なお，三薬局方で調和されていない部分のうち，調和合意において，調和の対象とされた項中非調和となっている項の該当箇所は「◆　◆」で，調和の対象とされた項以外に日本薬局方が独自に規定することとした項は「◇　◇」で囲むことにより示す.
三薬局方の調和合意に関する情報については，独立行政法人医薬品医療機器総合機構のウェブサイトに掲載している.

本品は定量するとき，パラオキシ安息香酸メチル（$C_8H_8O_3$）98.0～102.0％を含む.

◆**性　状**　本品は無色の結晶又は白色の結晶性の粉末である.
本品はメタノール，エタノール（95）又はアセトンに溶けやすく，水に溶けにくい.◆

確認試験　本品につき，赤外吸収スペクトル測定法〈*2.25*〉の臭化カリウム錠剤法により試験を行い，本品のスペクトルと本品の参照スペクトル又はパラオキシ安息香酸メチル標準品のスペクトルを比較するとき，両者のスペクトルは同一波数のところに同様の強度の吸収を認める.

融　点〈*2.60*〉　125～128℃

純度試験

(1)　溶状　本品1.0gをエタノール（95）に溶かして10mLとするとき，液は澄明で，液の色はエタノール（95）又は次の比較液より濃くない.
比較液：塩化コバルト(Ⅱ)の色の比較原液5.0mL，塩化鉄(Ⅲ)の色の比較原液

12.0 mL 及び硫酸銅(Ⅱ)の色の比較原液 2.0 mL をとり，薄めた希塩酸 (1 → 10) を加えて 1000 mL とする．

(2)　酸　(1)の液 2 mL にエタノール (95) 3 mL を加えた後，新たに煮沸して冷却した水 5 mL 及びブロモクレゾールグリーン・水酸化ナトリウム・エタノール試液 0.1 mL を加える．この液に液の色が青色に変化するまで 0.1 mol/L 水酸化ナトリウム液を加えるとき，その量は 0.1 mL 以下である．

(3)　類縁物質　本品 50.0 mg をメタノール 2.5 mL に溶かした後，移動相を加えて正確に 50 mL とする．この液 10 mL を正確に量り，移動相を加えて正確に 100 mL とし，試料溶液とする．この液 1 mL を正確に量り，移動相を加えて正確に 20 mL とする．この液 1 mL を正確に量り，移動相を加えて正確に 10 mL とし，標準溶液とする．試料溶液及び標準溶液 10 μL ずつを正確にとり，次の条件で液体クロマトグラフィー〈*2.01*〉により試験を行う．それぞれの液の各々のピーク面積を自動積分法により測定するとき，試料溶液のパラオキシ安息香酸メチルに対する相対保持時間約 0.6 のパラオキシ安息香酸のピーク面積は，標準溶液のパラオキシ安息香酸メチルのピーク面積より大きくない (0.5%)．ただし，パラオキシ安息香酸のピーク面積は自動積分法により求めた面積に感度係数 1.4 を乗じた値とする．また，試料溶液のパラオキシ安息香酸メチル及びパラオキシ安息香酸以外のピークの面積は，標準溶液のパラオキシ安息香酸メチルのピーク面積より大きくない (0.5%)．また，試料溶液のパラオキシ安息香酸メチル以外のピークの合計面積は，標準溶液のパラオキシ安息香酸メチルのピーク面積の 2 倍より大きくない (1.0%)．ただし，標準溶液のパラオキシ安息香酸メチルのピーク面積の 1/5 以下のピークは計算しない (0.1%)．

試験条件

検出器，カラム，カラム温度，移動相及び流量は定量法の試験条件を準用する．

面積測定範囲：パラオキシ安息香酸メチルの保持時間の 5 倍の範囲

システム適合性

システムの性能は定量法のシステム適合性を準用する．

◇検出の確認：標準溶液 2 mL を正確に量り，移動相を加えて正確に 10 mL とする．この液 10 μL から得たパラオキシ安息香酸メチルのピーク面積が，標準溶液のパラオキシ安息香酸メチルのピーク面積の 14 ～ 26% になることを確認する．◇

◇システムの再現性：標準溶液 10 μL につき，上記の条件で試験を 6 回繰り返すとき，パラオキシ安息香酸メチルのピーク面積の相対標準偏差は 2.0% 以下である．◇

強熱残分〈*2.44*〉　0.1% 以下 (1 g)．

定 量 法　本品及びパラオキシ安息香酸メチル標準品約 50 mg ずつを精密に量り，

それぞれメタノール 2.5 mL に溶かし，移動相を加えて正確に 50 mL とする．それぞれの液 10 mL を正確に量り，それぞれに移動相を加えて正確に 100 mL とし，試料溶液及び標準溶液とする．試料溶液及び標準溶液 10 μL ずつを正確にとり，次の条件で液体クロマトグラフィー〈*2.01*〉により試験を行い，それぞれの液のパラオキシ安息香酸メチルのピーク面積 A_T 及び A_S を測定する．

パラオキシ安息香酸メチル（$C_8H_8O_3$）の量（mg）
$= M_S \times A_T / A_S$

M_S：パラオキシ安息香酸メチル標準品の秤取量（mg）

試験条件
検出器：紫外吸光光度計（測定波長：272 nm）
カラム：内径 4.6 mm，長さ 15 cm のステンレス管に 5 μm の液体クロマトグラフィー用オクタデシルシリル化シリカゲルを充塡する．
◇カラム温度：35℃付近の一定温度◇
移動相：メタノール / リン酸二水素カリウム溶液（17 → 2500）混液（13：7）
流量：毎分 1.3 mL
システム適合性
システムの性能：本品及びパラオキシ安息香酸それぞれ 5 mg を移動相に溶かし，正確に 100 mL とする．この液 1 mL を正確に量り，移動相を加えて正確に 10 mL とした液 10 μL につき，上記の条件で操作するとき，パラオキシ安息香酸，パラオキシ安息香酸メチルの順に溶出し，パラオキシ安息香酸メチルに対するパラオキシ安息香酸の相対保持時間は約 0.6 であり，その分離度は 2.0 以上である．
システムの再現性：標準溶液 10 μL につき，上記の条件で試験を 6 回繰り返すとき，パラオキシ安息香酸メチルのピーク面積の相対標準偏差は 0.85％以下である．

◆**貯　法**　容器　密閉容器．◆

医薬品各条の部　ビカルタミドの条の次に次の一条を加える．

ビカルタミド錠

Bicalutamide Tablets

本品は定量するとき，表示量の95.0～105.0％に対応するビカルタミド($C_{18}H_{14}F_4N_2O_4S$：430.37）を含む．

製　法　本品は「ビカルタミド」をとり，錠剤の製法により製する．

確認試験　本品を粉末とし，「ビカルタミド」5 mgに対応する量をとり，メタノール250 mLを加え，よく振り混ぜた後，孔径0.45 µm以下のメンブランフィルターでろ過する．ろ液10 mLにメタノールを加えて20 mLとした液につき，紫外可視吸光度測定法〈*2.24*〉により吸収スペクトルを測定するとき，波長269～273 nmに吸収の極大を示す．

製剤均一性〈*6.02*〉　質量偏差試験又は次の方法による含量均一性試験のいずれかを行うとき，適合する．

本品1個をとり，水10 mLを加えて錠剤が崩壊するまで振り混ぜる．次に，テトラヒドロフラン80 mLを加えて超音波処理した後，テトラヒドロフランを加えて正確に100 mLとし，孔径0.45 µmのメンブランフィルターでろ過する．初めのろ液1 mLを除き，次のろ液V mLを正確に量り，1 mL中にビカルタミド($C_{18}H_{14}F_4N_2O_4S$）約8 µgを含む液となるようにラウリル硫酸ナトリウム溶液（3→200）を加えて正確にV' mLとし，試料溶液とする．別にビカルタミド標準品（別途「ビカルタミド」と同様の条件で乾燥減量〈*2.41*〉を測定しておく）約16 mgを精密に量り，テトラヒドロフラン2 mLに溶かし，ラウリル硫酸ナトリウム溶液（3→200）を加えて正確に200 mLとする．この液5 mLを正確に量り，ラウリル硫酸ナトリウム溶液（3→200）を加えて正確に50 mLとし，標準溶液とする．試料溶液及び標準溶液につき，紫外可視吸光度測定法〈*2.24*〉により試験を行い，測定波長270 nmにおける吸光度A_T及びA_Sを測定する．

ビカルタミド($C_{18}H_{14}F_4N_2O_4S$）の量（mg）

$$= M_S \times A_T / A_S \times V' / V \times 1/20$$

M_S：乾燥物に換算したビカルタミド標準品の採取量（mg）

溶 出 性〈*6.10*〉　試験液にラウリル硫酸ナトリウム溶液（3→200）1000 mLを用い，パドル法により，毎分50回転で試験を行うとき，本品の45分間の溶出率は80％以上である．

本品1個をとり，試験を開始し，規定された時間に溶出液10 mL以上をとり，孔径0.45 μm以下のメンブランフィルターでろ過する．初めのろ液1 mL以上を除き，次のろ液 V mLを正確に量り，1 mL中にビカルタミド（$C_{18}H_{14}F_4N_2O_4S$）約8 μgを含む液となるように試験液を加えて正確に V' mLとし，試料溶液とする．別にビカルタミド標準品（別途「ビカルタミド」と同様の条件で乾燥減量〈*2.41*〉を測定しておく）約16 mgを精密に量り，テトラヒドロフラン2 mLに溶かし，試験液を加えて正確に200 mLとする．この液5 mLを正確に量り，試験液を加えて正確に50 mLとし，標準溶液とする．試料溶液及び標準溶液につき，紫外可視吸光度測定法〈*2.24*〉により試験を行い，測定波長270 nmにおける吸光度 A_T 及び A_S を測定する．

ビカルタミド（$C_{18}H_{14}F_4N_2O_4S$）の表示量に対する溶出率（%）
$= M_S \times A_T / A_S \times V' / V \times 1 / C \times 50$

M_S：乾燥物に換算したビカルタミド標準品の秤取量（mg）
C：1錠中のビカルタミド（$C_{18}H_{14}F_4N_2O_4S$）の表示量（mg）

定 量 法　本品20個以上をとり，その質量を精密に量り，粉末とする．ビカルタミド（$C_{18}H_{14}F_4N_2O_4S$）約50 mgに対応する量を精密に量り，テトラヒドロフラン50 mLを加え，超音波処理した後，テトラヒドロフランを加えて正確に100 mLとする．この液を孔径0.45 μm以下のメンブランフィルターでろ過し，初めのろ液1 mLを除き，次のろ液4 mLを正確に量り，内標準溶液5 mLを正確に加え，更に移動相を加えて50 mLとし，試料溶液とする．別にビカルタミド標準品（別途「ビカルタミド」と同様の条件で乾燥減量〈*2.41*〉を測定しておく）約25 mgを精密に量り，テトラヒドロフランに溶かし，正確に50 mLとする．この液4 mLを正確に量り，内標準溶液5 mLを正確に加え，更に移動相を加えて50 mLとし，標準溶液とする．試料溶液及び標準溶液10 μLにつき，次の条件で液体クロマトグラフィー〈*2.01*〉により試験を行い，内標準物質のピーク面積に対するビカルタミドのピーク面積の比 Q_T 及び Q_S を求める．

ビカルタミド（$C_{18}H_{14}F_4N_2O_4S$）の量（mg）
$= M_S \times Q_T / Q_S \times 2$

M_S：乾燥物に換算したビカルタミド標準品の秤取量（mg）

内標準溶液　パラオキシ安息香酸プロピルの移動相溶液（1 → 3500）
試験条件

検出器：紫外吸光光度計（測定波長：270 nm）

カラム：内径 4.6 mm，長さ 12.5 cm のステンレス管に 3 μm の液体クロマトグラフィー用オクタデシルシリル化シリカゲルを充塡する．

カラム温度：50℃付近の一定温度

移動相：水／テトラヒドロフラン／アセトニトリル混液（13：4：3）

流量：ビカルタミドの保持時間が約 7 分になるように調整する．

システム適合性

システムの性能：標準溶液 10 μL につき，上記の条件で操作するとき，内標準物質，ビカルタミドの順に溶出し，その分離度は 7 以上である．

システムの再現性：標準溶液 10 μL につき，上記の条件で試験を 6 回繰り返すとき，内標準物質のピーク面積に対するビカルタミドのピーク面積の比の相対標準偏差は 1.0％以下である．

貯　法　容器　密閉容器．

注　釈

（→ ビカルタミド）

㊜㉄

医薬品各条の部　ヒプロメロースフタル酸エステルの条冒頭の国際調和に関する記載，性状の項及び粘度の項を次のように改める．

ヒプロメロースフタル酸エステル

本医薬品各条は，三薬局方での調和合意に基づき規定した医薬品各条である．

なお，三薬局方で調和されていない部分のうち，調和合意において，調和の対象とされた項中非調和となっている項の該当箇所は「◆　◆」で，調和の対象とされた項以外に日本薬局方が独自に規定することとした項は「◇　◇」で囲むことにより示す．

三薬局方の調和合意に関する情報については，独立行政法人医薬品医療機器総合機構のウェブサイトに掲載している．

◆**性　状**　本品は白色の粉末又は粒である．

本品は水，アセトニトリル又はエタノール（99.5）にほとんど溶けない．

本品はメタノールとジクロロメタンの質量比で 1：1 の混液又はエタノール（99.5）／アセトン混液（1：1）を加えるとき，粘稠性のある液となる．

本品は水酸化ナトリウム試液に溶ける．◆

粘　度 *〈2.53〉*　本品を105℃で1時間乾燥し，その10 gをとり，メタノールとジクロロメタンの質量比で1：1の混液90 gを加え，かき混ぜた後，更に振り混ぜて溶かし，20 ± 0.1℃で第1法により試験を行うとき，表示粘度の80 ～ 120％である．

同条純度試験（2）の目を削り，（3）の目を（2）とし，次のように改める．

純度試験

（2）フタル酸　本品約0.2 gを精密に量り，アセトニトリル約50 mLを加え，超音波処理を行って部分的に溶かした後，水10 mLを加え，再び超音波処理を行って溶かし，冷後，アセトニトリルを加えて正確に100 mLとし，試料溶液とする．別にフタル酸約12.5 mgを精密に量り，アセトニトリル約125 mLを加え，かき混ぜて溶かした後，水25 mLを加え，次にアセトニトリルを加えて正確に250 mLとし，標準溶液とする．試料溶液及び標準溶液10 µLずつを正確にとり，次の条件で液体クロマトグラフィー *〈2.01〉* により試験を行う．それぞれの液のフタル酸のピーク面積 A_T 及び A_S を測定するとき，フタル酸（$C_8H_6O_4$：166.13）の量は1.0％以下である．

$$\text{フタル酸の量（％）} = M_S / M_T \times A_T / A_S \times 40$$

M_S：フタル酸の秤取量（mg）
M_T：脱水物に換算した本品の秤取量（mg）

試験条件
検出器：紫外吸光光度計（測定波長：235 nm）
カラム：内径4.6 mm，長さ25 cmのステンレス管に3 ～ 10 µmの液体クロマトグラフィー用オクタデシルシリル化シリカゲルを充塡する．
カラム温度：20℃付近の一定温度
移動相：0.1％トリフルオロ酢酸／アセトニトリル混液（9：1）
流量：毎分約2.0 mL
システム適合性
◇システムの性能：標準溶液10 µLにつき，上記の条件で操作するとき，フタル酸のピークの理論段数及びシンメトリー係数は，それぞれ2500段以上，1.5以下である．◇
システムの再現性：標準溶液10 µLにつき，上記の条件で試験を5回繰り返すとき，フタル酸のピーク面積の相対標準偏差は1.0％以下である．

医薬品各条の部　ブチルスコポラミン臭化物の条の次に次の一条を加える．

ブ　デ　ソ　ニ　ド

Budesonide

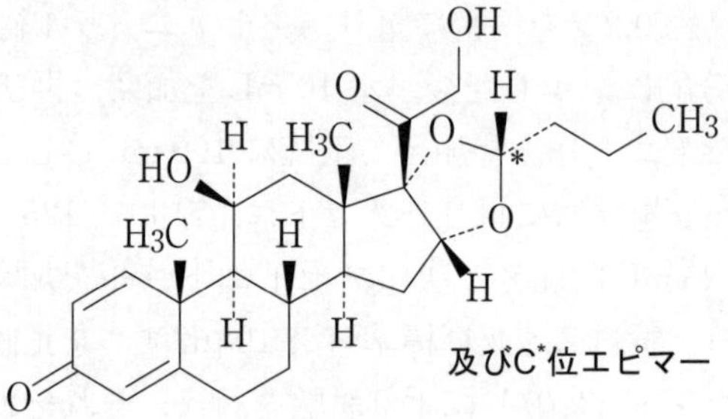

及びC^*位エピマー

$C_{25}H_{34}O_6$：430.53

16*α*,17-[(1*RS*)-Butylidenebis(oxy)]-11*β*,21-dihydroxypregna-1,4-diene-3,20-dione

[*51333-22-3*]

本品は定量するとき，換算した乾燥物に対し，ブデソニド（$C_{25}H_{34}O_6$）98.0～102.0％を含む．

性　状　本品は白色～微黄白色の結晶又は結晶性の粉末である．

本品はメタノールにやや溶けやすく，アセトニトリル又はエタノール（99.5）にやや溶けにくく，水にほとんど溶けない．

旋光度　$[\alpha]^{25}_{D}$：＋102～＋109°（0.25 g，メタノール，25 mL，100 mm）．

融点：約240℃（分解）．

確認試験

(1)　本品のメタノール溶液（1→40000）につき，紫外可視吸光度測定法〈*2.24*〉により吸収スペクトルを測定し，本品のスペクトルと本品の参照スペクトル又はブデソニド標準品について同様に操作して得られたスペクトルを比較するとき，両者のスペクトルは同一波長のところに同様の強度の吸収を認める．

(2)　本品につき，赤外吸収スペクトル測定法〈*2.25*〉の臭化カリウム錠剤法により試験を行い，本品のスペクトルと本品の参照スペクトル又はブデソニド標準品のスペクトルを比較するとき，両者のスペクトルは同一波数のところに同様の強度の吸収を認める．

純度試験　類縁物質　本操作は光を避け，遮光した容器を用いて行う．本品 50 mg

をアセトニトリル 15 mL に溶かし，pH 3.2 のリン酸塩緩衝液を加えて 50 mL とし，試料溶液とする．試料溶液 20 μL につき，次の条件で液体クロマトグラフィー〈*2.01*〉により試験を行う．試料溶液の各々のピーク面積を自動積分法により測定し，面積百分率法によりそれらの量を求めるとき，ブデソニドの二つのピークのうち，先に溶出するピーク（エピマー B）に対する相対保持時間約 0.1 及び約 0.95 の類縁物質 A 及び類縁物質 L のピークの量はそれぞれ 0.2％以下，相対保持時間約 0.63 及び約 0.67 の類縁物質 D のピークの量の和，並びに相対保持時間約 2.9 及び約 3.0 の類縁物質 K のピークの量の和は，それぞれ 0.2％以下であり，ブデソニド及び上記以外のピークの量は 0.1% 以下である．また，ブデソニド以外のピークの合計量は 0.5％以下である．ただし，類縁物質 D 及び類縁物質 K のピーク面積は自動積分法で求めた面積にそれぞれ感度係数 1.8 及び 1.3 を乗じた値とする．

試験条件

検出器，カラム，カラム温度及び流量は定量法の試験条件を準用する．

移動相 A：pH 3.2 のリン酸塩緩衝液 / 液体クロマトグラフィー用アセトニトリル / エタノール（99.5）混液（34：16：1）

移動相 B：pH 3.2 のリン酸塩緩衝液 / 液体クロマトグラフィー用アセトニトリル混液（1：1）

移動相の送液：移動相 A 及び移動相 B の混合比を次のように変えて濃度勾配制御する．

注入後の時間（分）	移動相 A（vol％）	移動相 B（vol％）
0 ～ 38	100	0
38 ～ 50	100 → 0	0 → 100
50 ～ 60	0	100

面積測定範囲：溶媒のピークの後から注入後 60 分まで

システム適合性

検出の確認：試料溶液 1 mL を正確に量り，pH 3.2 のリン酸塩緩衝液 / アセトニトリル混液（17：8）を加えて正確に 10 mL とする．この液 1 mL を正確に量り，pH 3.2 のリン酸塩緩衝液 / アセトニトリル混液（17：8）を加えて正確に 100 mL とし，システム適合性試験用溶液とする．システム適合性試験用溶液 20 μL につき，上記の条件で操作するとき，ブデソニドの二つのピークのうち後に溶出するピーク（エピマー A）の SN 比は 10 以上である．

システムの性能：システム適合性試験用溶液 20 μL につき，上記の条件で操作するとき，ブデソニドの二つのピークの分離度は 1.5 以上である．

乾燥減量 〈*2.41*〉　0.5％以下（1 g，105℃，3時間）．

異性体比　本操作は光を避け，遮光した容器を用いて行う．定量法の試料溶液 20 μL につき，次の条件で液体クロマトグラフィー〈*2.01*〉により試験を行う．ブデソニドの二つのピークのうち，先に溶出するピーク面積 A_b 及び後に溶出するピーク面積 A_a を測定するとき，$A_a/(A_a + A_b)$ は 0.40 〜 0.51 である．

試験条件

定量法の試験条件を準用する．

システム適合性

システムの性能は定量法のシステムの性能を準用する．

定 量 法　本操作は光を避け，遮光した容器を用いて行う．本品及びブデソニド標準品（別途本品と同様の条件で乾燥減量〈*2.41*〉を測定しておく）約 25 mg ずつを精密に量り，それぞれをアセトニトリル 15 mL に溶かし，pH 3.2 のリン酸塩緩衝液を加えて正確に 50 mL とし，試料溶液及び標準溶液とする．試料溶液及び標準溶液 20 μL ずつを正確にとり，次の条件で液体クロマトグラフィー〈*2.01*〉により試験を行い，それぞれの液のブデソニドの二つのピーク面積の和 A_T 及び A_S を測定する．

$$\text{ブデソニド}（C_{25}H_{34}O_6）\text{の量（mg）} = M_S \times A_T / A_S$$

M_S：乾燥物に換算したブデソニド標準品の秤取量（mg）

試験条件

検出器：紫外吸光光度計（測定波長：240 nm）

カラム：内径 4.6 mm，長さ 15 cm のステンレス管に 3 μm の液体クロマトグラフィー用オクタデシルシリル化シリカゲルを充塡する．

カラム温度：50℃付近の一定温度

移動相：pH 3.2 のリン酸塩緩衝液 / 液体クロマトグラフィー用アセトニトリル / エタノール（99.5）混液（34：16：1）

流量：毎分 1.0 mL（ブデソニドの二つのピークの保持時間約 17 分及び約 19 分）

システム適合性

システムの性能：標準溶液 20 μL につき，上記の条件で操作するとき，ブデソニドの二つのピークの分離度は 1.5 以上である．

システムの再現性：標準溶液 20 μL につき，上記の条件で試験を 6 回繰り返すとき，ブデソニドの二つのピーク面積の和の相対標準偏差は 1.0％以下である．

貯　法

保存条件　遮光して保存する.

容器　気密容器.

その他

類縁物質 A：

11β,16α,17,21-Tetrahydroxypregna-1,4-diene-3,20-dione

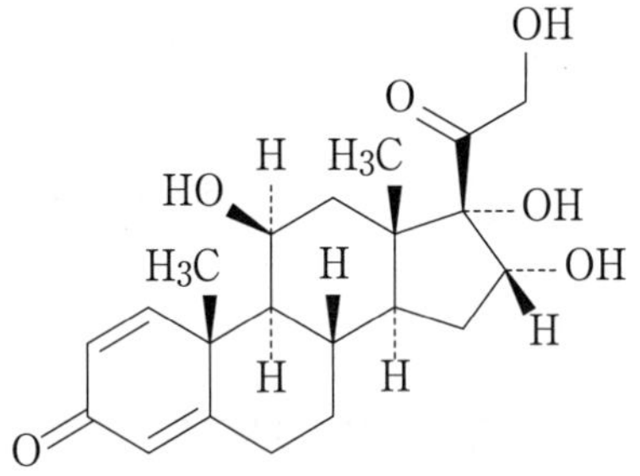

類縁物質 D：

16α,17-[(1*RS*)-Butylidenebis(oxy)]-11β-hydroxy-3,20-dioxopregna-1,4-dien-21-al

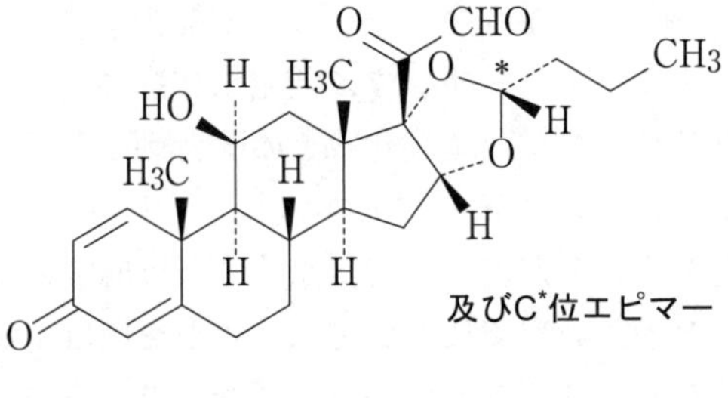

及びC*位エピマー

類縁物質 K：

16α,17-[(1*RS*)-Butylidenebis(oxy)]-11β,21-dihydroxypregna-1,4-diene-3,20-dione 21-acetate

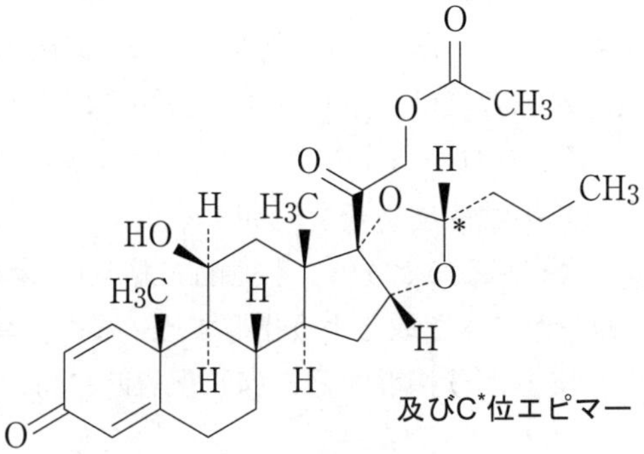

及びC*位エピマー

類縁物質 L：
16*α*,17-[(1*RS*)-Butylidenebis(oxy)]-21-hydroxypregna-1,4-diene-3,11,20-trione

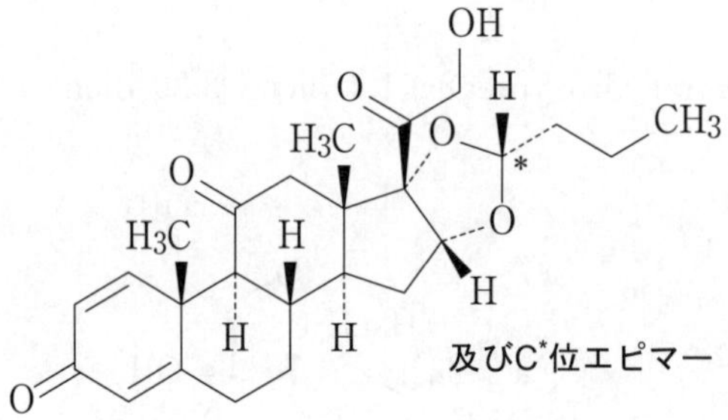

及びC*位エピマー

注　釈

(劇)：ただし，1 個中ブデソニドとして 31.88 mg 以下を含有する吸入剤，1 カプセル中ブデソニドとして 3 mg 以下を含有するもの及び 1 個中ブデソニドとして 48 mg 以下を含有する注腸剤を除く．

本質　229 その他の呼吸器官用薬

適用　軽症から中等症の活動期クローン病に対して，1 日 1 回 9 mg を経口投与する．なお，潰瘍性大腸炎（重症を除く），気管支喘息に対しては別途用法用量が設定されている．また，ホルモテロールフマル酸塩水和物との配合剤，ホルモテロールフマル酸塩水和物，グリコピロニウム臭化物との配合剤としても用いる．

服薬指導　[カプセル剤，注腸剤] (1) 本剤投与中に水痘または麻疹に感染すると，致命的な経過をたどることがあるので，水痘または麻疹の既往のない患者もしくは予防接種を受けたことがない患者においては，水痘または麻疹への感染を極力防ぐよう指導する．感染が疑われる場合や感染した場合には，直ちに受診するよう指導する．[カプセル剤] (1) 連用後，投与を急に中止すると，ときに発熱，頭痛，食欲不振，脱力感，筋肉痛，関節痛，ショック等の離脱症状があらわれることがあるので，医師の指示通りに使用するよう指導する．(2) 薬の働きが強まるおそれがあるため，グレープフルーツジュースやグレープフルーツの摂取は控えるよう指導する．[注腸剤] (1) 併用禁忌薬があるため，服用中の薬剤を医師・薬剤師に申し出るよう指導する．(2) 免疫抑制状態の患者では，生ワクチンの接種により，ワクチン由来の感染を増強または持続させるおそれがあるので，生ワクチンを接種する場合，医師に相談するよう指導する．(3) 接触性皮膚炎を誘発する可能性のあるセタノール並びにプロピレングリコールを含有することから，接触性皮膚炎の誘発を防ぐため，腸管外へ漏出した場合には，速やかにふき取るよう指導する．また，異常が認められた場合は，医師・薬剤師に申し出るよう指導する．(4) 保管時には，立てた状態で保管するよう説明する．(5) 高圧ガスを使用した可燃性の製品であり危険であるため，炎や火気の近くで使用しないこと，高温にすると破裂する危険があるため，直射日光の当たる所や火気等の近くなどには置かないこと，アルミ容器を火中に投入しないことを説明する．(6) 廃棄する場合は，地方自治体により定められたアルミ容器の廃棄方法に従うよう説明する．(7) 手指や目などに付着した場合は，速やかに水で洗い流すよう指導する．［吸入粉末剤・吸入液剤］(1) 本剤は気管支拡張剤，ステロイド剤などと異なり，すでに起こっている喘息発作を速やかに軽減する薬剤ではないので，毎日規則正しく使用するよう指導する．(2) 本剤の使用中に発現する急性の発作に対しては，短時間作用性気管支拡張剤などの他の適切な薬剤を使用するよう指導する．(3) 短時間作用性気管支拡張剤などの使用量が増加したり，効果が十分でなくなってきたりした場合は，喘息の管理が十分でないことが考えられるため，できる限り速やかに医療機関を受診するよう指導する．(4) 投与を急に中止すると，喘息の急激な悪化を起こすことがあるため，医師の指示による用法・用量を守り，患者自らの判断で吸入量を増減したり，吸入を中止したりしないよう指導する．(5) 口腔カンジダ症または嗄声の予防のため，吸入後にうがいを実施するよう指導する．うがいが困難な患者の場合は，口腔内をすすぐよう指導する．なお，うがい，すすぎが困難な場合は，水分を取るよう指導する．［吸入粉末剤］(1) 使用後は，必ずキャップ（カバー）を閉めて保管するよう指導する．(2) マウスピースの外側を週に１～２回乾燥した布で清拭するよう指導する．［吸入液剤］(1) 泡立てない程度に揺り動かして粒子をよく再懸濁させて使用するよう説明する．(2) 吸入時は新しいアンプルを使用し，既に開管したアンプルの残液を使用しないよう指導する．また，ネブライザー内の残液は使用しないよう指導する．(3) アルミ袋の開封後，未使用のアンプルは光を避けるために必ずアルミ袋に入れ，凍結を避けて保管し，2 か月以内に使用するよう説明する．また，小児の手の届かないところに保管するよう説明する．(4) 投与に際しては必ずネブライザーを用いて吸入し，直接飲まないように指導する．(5) フェイスマスクを使用する場合は，口の周りに薬剤が付着して残る可能性があるので，吸入後は水で顔を洗うよう指導する．(6) 本剤は，注射用，点眼用として使用しないよう説明する．

製剤 カプセル ㊫，注腸剤 ㊫，吸入粉末剤 ㊫，吸入液 ㊫

配合変化 ［吸入液剤］他剤との配合使用については，有効性・安全性が確認されていないことから，配合せず個別に吸入させる．

医薬品各条の部　ブトロピウム臭化物の条定量法の項を次のように改める．

ブトロピウム臭化物

定 量 法　本品を乾燥し，その約0.8 gを精密に量り，ギ酸5 mLに溶かし，無水酢酸100 mLを加え，0.1 mol/L過塩素酸で滴定〈*2.50*〉する（電位差滴定法）．同様の方法で空試験を行い，補正する．

0.1 mol/L過塩素酸1 mL ＝ 53.25 mg $C_{28}H_{38}BrNO_4$

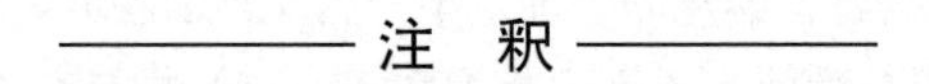

毒

医薬品各条の部　ブロムヘキシン塩酸塩の条純度試験の項を次のように改める．

ブロムヘキシン塩酸塩

純度試験　類縁物質　本操作は光を避け，遮光した容器を用いて行う．本品50 mgをメタノール10 mLに溶かし，試料溶液とする．この液1 mLを正確に量り，移動相を加えて正確に20 mLとする．この液1 mLを正確に量り，移動相を加えて正確に25 mLとし，標準溶液とする．試料溶液及び標準溶液5 μLずつを正確にとり，次の条件で液体クロマトグラフィー〈*2.01*〉により試験を行う．それぞれの液の各々のピーク面積を自動積分法により測定するとき，試料溶液のブロムヘキシン以外のピークの面積は，それぞれ標準溶液のブロムヘキシンのピーク面積より大きくない．

試験条件

検出器：紫外吸光光度計（測定波長：245 nm）

カラム：内径4.6 mm，長さ15 cmのステンレス管に5 μmの液体クロマトグラフィー用オクタデシルシリル化シリカゲルを充填する．

カラム温度：40℃付近の一定温度

移動相：リン酸二水素カリウム1.0 gを900 mLの水に溶かし，0.5 mol/L水酸化ナトリウム試液を加えてpH 7.0に調整し，水を加えて1000 mLとする．この液200 mLにアセトニトリル800 mLを加える．

流量：ブロムヘキシンの保持時間が約6分になるように調整する．

面積測定範囲：溶媒のピークの後からブロムヘキシンの保持時間の約2倍の

範囲

システム適合性

検出の確認：標準溶液5 mLを正確に量り，移動相を加えて正確に20 mLとする．この液5 μLから得たブロムヘキシンのピーク面積が，標準溶液のブロムヘキシンのピーク面積の17.5～32.5%になることを確認する．

システムの性能：標準溶液5 μLにつき，上記の条件で操作するとき，ブロムヘキシンのピークの理論段数及びシンメトリー係数は，それぞれ2800段以上，1.5以下である．

システム再現性：標準溶液5 μLにつき，上記の条件で試験を6回繰り返すとき，ブロムヘキシンのピーク面積の相対標準偏差は2.0%以下である．

医薬品各条の部　ベンジルアルコールの条確認試験の項を次のように改める．

ベンジルアルコール

確認試験　本品につき，赤外吸収スペクトル測定法〈*2.25*〉の液膜法により試験を行い，本品のスペクトルと本品の参照スペクトルを比較するとき，両者のスペクトルは同一波数のところに同様の強度の吸収を認める．

医薬品各条の部　ボグリボース錠の条確認試験の項を次のように改める．

ボグリボース錠

確認試験　本品を粉末とし，「ボグリボース」5 mgに対応する量をとり，水40 mLを加えて激しく振り混ぜた後，遠心分離する．上澄液をカラム（70～200 μmのカラムクロマトグラフィー用強酸性イオン交換樹脂（H型）1.0 mLを内径8 mm，高さ130 mmのクロマトグラフィー管に注入して調製したもの）に入れ，1分間約5 mLの速度で流出する．次に水200 mLを用いてカラムを洗った後，薄めたアンモニア試液（1→4）10 mLを用いて1分間約5 mLの速度で流出する．この流出液を孔径0.22 μm以下のメンブランフィルターで2回ろ過する．ろ液を減圧下，50℃で蒸発乾固し，残留物を水/メタノール混液（1：1）0.5 mLに溶かし，試料溶液とする．別に定量用ボグリボース20 mgを水/メタノール混液（1：1）2 mLに溶かし，標準溶液とする．これらの液につき，薄層クロマトグラフィー〈*2.03*〉

により試験を行う．試料溶液及び標準溶液 20 μL ずつを薄層クロマトグラフィー用シリカゲルを用いて調製した薄層板にスポットする．次にアセトン／アンモニア水(28)／水混液（5：3：1）を展開溶媒として約 12 cm 展開した後，薄層板を風乾する．これをヨウ素蒸気中に放置するとき，試料溶液から得た主スポット及び標準溶液から得たスポットは黄褐色を呈し，それらの R_f 値は等しい．

注　釈

㊈

医薬品各条の部　ボグリボース錠の条の次に次の一条を加える．

ボグリボース口腔内崩壊錠

Voglibose Orally Disintegrating Tablets

本品は定量するとき，表示量の 95.0 ～ 105.0 % に対応するボグリボース($C_{10}H_{21}NO_7$：267.28) を含む．

製　法　本品は「ボグリボース」をとり，錠剤の製法により製する．

確認試験　本品 10 個をとり，必要ならば粉砕し，1 mL 中にボグリボース($C_{10}H_{21}NO_7$) 約 0.2 mg を含む液となるようにメタノールを加え，振り混ぜながら超音波処理により崩壊させる．この液を孔径 0.45 μm 以下のメンブランフィルターでろ過し，初めのろ液 3 mL を除き，次のろ液を試料溶液とする．別に定量用ボグリボース 10 mg を水 2 mL に溶かし，更にメタノールを加えて 50 mL とし，標準溶液とする．これらの液につき，薄層クロマトグラフィー〈*2.03*〉により試験を行う．試料溶液及び標準溶液 10 μL ずつを薄層クロマトグラフィー用シリカゲルを用いて調製した薄層板にスポットする．次にメタノール／アセトン／水／アンモニア水（28）混液（10：10：4：1）を展開溶媒として約 12 cm 展開した後，薄層板を風乾する．これを四酢酸鉛・フルオレセインナトリウム試液に浸した後，静かに引き上げて余分の液を流下させる．これを風乾後，紫外線（主波長：366 nm）を照射するとき，試料溶液及び標準溶液から得たスポットは，黄色の蛍光を発し，それらの R_f 値は等しい．

製剤均一性〈*6.02*〉　次の方法により含量均一性試験を行うとき，適合する．

本品 1 個をとり，1 mL 中にボグリボース（$C_{10}H_{21}NO_7$）約 20 μg を含む液となるように移動相 *V* mL を正確に加え，超音波処理により崩壊させる．この液を遠心分離し，上澄液を孔径 0.45 μm 以下のメンブランフィルターでろ過する．初めのろ液 5 mL を除き，次のろ液を試料溶液とする．以下定量法を準用する．

ボグリボース（$C_{10}H_{21}NO_7$）の量（mg）
$= M_S \times A_T / A_S \times V / 2500$

M_S：脱水物に換算した定量用ボグリボースの秤取量（mg）

崩壊性　別に規定する．

溶出性〈*6.10*〉　試験液に水 900 mL を用い，パドル法により，毎分 50 回転で試験を行うとき，本品の 15 分間の溶出率は 85％以上である．

本品 1 個をとり，試験を開始し，規定された時間に溶出液 10 mL 以上をとり，孔径 0.45 μm 以下のメンブランフィルターでろ過する．初めのろ液 5 mL 以上を除き，次のろ液 V mL を正確に量り，1 mL 中にボグリボース（$C_{10}H_{21}NO_7$）約 0.11 μg を含む液となるように移動相を加えて正確に V' mL とし，試料溶液とする．別に定量用ボグリボース（別途「ボグリボース」と同様の方法で水分〈*2.48*〉を測定しておく）約 50 mg を精密に量り，水に溶かし，正確に 50 mL とする．この液 1 mL を正確に量り，水を加えて正確に 100 mL とする．この液 2 mL を正確に量り，水を加えて正確に 100 mL とする．この液 10 mL を正確に量り，移動相を加えて正確に 20 mL とし，標準溶液とする．試料溶液及び標準溶液 100 μL ずつを正確にとり，次の条件で液体クロマトグラフィー〈*2.01*〉により試験を行い，試料溶液及び標準溶液のボグリボースのピーク面積 A_T 及び A_S を測定する．

ボグリボース（$C_{10}H_{21}NO_7$）の表示量に対する溶出率（％）
$= M_S \times A_T / A_S \times V' / V \times 1 / C \times 9 / 50$

M_S：脱水物に換算した定量用ボグリボースの秤取量（mg）
C：1 錠中のボグリボース（$C_{10}H_{21}NO_7$）の表示量（mg）

試験条件

装置，検出器，カラム温度，反応コイル，冷却コイル，移動相，反応液，反応温度，冷却温度及び反応液流量は定量法の試験条件を準用する．

カラム：内径 4.6 mm，長さ 7.5 cm のステンレス管に 5 μm の液体クロマトグラフィー用ポリアミンシリカゲルを充塡する．

移動相流量：ボグリボースの保持時間が約 5 分になるように調整する．

システム適合性

システムの性能：標準溶液 100 μL につき，上記の条件で操作するとき，ボグリボースのピークの理論段数及びシンメトリー係数は，それぞれ 900 段以上，1.5 以下である．

システムの再現性：標準溶液 100 μL につき，上記の条件で試験を 6 回繰り返すとき，ボグリボースのピーク面積の相対標準偏差は 3.0% 以下である．

定 量 法　本品 20 個をとり，移動相 4V/5 mL を加え，超音波処理により崩壊させる．さらに 1 mL 中にボグリボース（$C_{10}H_{21}NO_7$）約 20 μg を含む液となるように移動相を加えて正確に V mL とする．この液を遠心分離し，上澄液を孔径 0.45 μm 以下のメンブランフィルターでろ過する．初めのろ液 5 mL を除き，次のろ液を試料溶液とする．別に定量用ボグリボース（別途「ボグリボース」と同様の方法で水分〈*2.48*〉を測定しておく）約 50 mg を精密に量り，移動相に溶かし正確に 100 mL とする．この液 2 mL を正確に量り，移動相を加えて正確に 50 mL とし，標準溶液とする．試料溶液及び標準溶液 50 μL ずつを正確にとり，次の条件で液体クロマトグラフィー〈*2.01*〉により試験を行い，それぞれの液のボグリボースのピーク面積 A_T 及び A_S を測定する．

本品 1 個中のボグリボース（$C_{10}H_{21}NO_7$）の量（mg）
$$= M_S \times A_T / A_S \times V / 50000$$

M_S：脱水物に換算した定量用ボグリボースの秤取量（mg）

試験条件

装置：移動相及び反応試薬送液用の二つのポンプ，試料導入部，カラム，反応コイル，冷却コイル，検出器並びに記録装置よりなり，反応コイル及び冷却コイルは恒温に保たれるものを用いる．

検出器：蛍光光度計（励起波長：350 nm，蛍光波長：430 nm）

カラム：内径 4.6 mm，長さ 25 cm のステンレス管に 5 μm の液体クロマトグラフィー用ポリアミンシリカゲルを充塡する．

カラム温度：25℃付近の一定温度

反応コイル：内径 0.5 mm，長さ 20 m のポリテトラフルオロエチレンチューブ

冷却コイル：内径 0.3 mm，長さ 2 m のポリテトラフルオロエチレンチューブ

移動相：リン酸二水素ナトリウム二水和物 1.56 g を水 500 mL に溶かした液に，リン酸水素二ナトリウム十二水和物 3.58 g を水 500 mL に溶かした液を加えて pH 6.5 に調整する．この液 500 mL にアセトニトリル 500 mL を加える．

反応液：タウリン 6.25 g 及び過ヨウ素酸ナトリウム 2.56 g を水に溶かし，1000 mL とする．

反応温度：100℃付近の一定温度

冷却温度：25℃付近の一定温度

移動相流量：ボグリボースの保持時間が約 15 分になるように調整する．

反応液流量：移動相の流量に同じ
システム適合性
システムの性能：標準溶液 50 μL につき，上記の条件で操作するとき，ボグリボースのピークの理論段数及びシンメトリー係数は，それぞれ 3000 段以上，1.5 以下である．
システムの再現性：標準溶液 50 μL につき，上記の条件で試験を 6 回繰り返すとき，ボグリボースのピーク面積の相対標準偏差は 1.0％以下である．

貯　法　容器　気密容器．

注　釈

(→ ボグリボース)

(処)

[服薬指導]　(1) 口腔内崩壊錠の場合，舌の上にのせて唾液を浸潤させると崩壊するため，水なしで服用可能であるが，水で服用することもできることを指導する．なお，口腔内で崩壊するが，口腔粘膜からは吸収されないため，唾液または水で飲み込むよう指導する．(2) 開封後も湿気を避けて保存するよう説明する．

医薬品各条の部　ポリソルベート 80 の条を次のように改める．

ポリソルベート 80

Polysorbate 80

本医薬品各条は，三薬局方での調和合意に基づき規定した医薬品各条である．

なお，三薬局方で調和されていない部分のうち，調和合意において，調和の対象とされた項中非調和となっている項の該当箇所は「◆　◆」で，調和の対象とされた項以外に日本薬局方が独自に規定することとした項は「◇　◇」で囲むことにより示す．

三薬局方の調和合意に関する情報については，独立行政法人医薬品医療機器総合機構のウェブサイトに掲載している．

本品は，主としてオレイン酸からなる脂肪酸でソルビトール及び無水ソルビトールを部分エステル化した混合物にエチレンオキシドを付加重合したものである．ソルビトール及び無水ソルビトールそれぞれ 1 モル当たりのエチレンオキシドの平均付加モル数は約 20 である．

◆**性　状**　本品は無色～帯褐黄色の澄明又は僅かに乳濁した油状の液である．

本品は水，メタノール，エタノール（99.5）又は酢酸エチルと混和する．

本品は脂肪油又は流動パラフィンにほとんど溶けない．

粘度：約400 mPa・s（25℃）

比重　d^{20}_{20}：約1.10◆

確認試験　脂肪酸含量比に適合する．

脂肪酸含量比　本品0.10 gを25 mLのフラスコに入れ，水酸化ナトリウムのメタノール溶液（1→50）2 mLに溶かし，還流冷却器を付け，30分間加熱する．冷却器から三フッ化ホウ素・メタノール試液2.0 mLを加え，30分間加熱する．冷却器からヘプタン4 mLを加え，5分間加熱する．冷後，塩化ナトリウム飽和溶液10.0 mLを加えて約15秒間振り混ぜ，更に上層がフラスコの首部にくるまで塩化ナトリウム飽和溶液を加える．上層2 mLをとり，水2 mLずつで3回洗い，無水硫酸ナトリウムで乾燥し，試料溶液とする．試料溶液及び脂肪酸メチルエステル混合試液1 μLにつき，次の条件でガスクロマトグラフィー〈*2.02*〉により試験を行う．脂肪酸メチルエステル混合試液のクロマトグラムを用いて試料溶液のクロマトグラムの各々のピークを同定する．さらに試料溶液の各々のピーク面積を自動積分法により測定し，面積百分率法により脂肪酸含量比を求めるとき，ミリスチン酸は5.0％以下，パルミチン酸は16.0％以下，パルミトレイン酸は8.0％以下，ステアリン酸は6.0％以下，オレイン酸は58.0％以上，リノール酸は18.0％以下及びリノレン酸は4.0％以下である．

試験条件

検出器：水素炎イオン化検出器

カラム：内径0.32 mm，長さ30 mのフューズドシリカ管の内面にガスクロマトグラフィー用ポリエチレングリコール20Mを厚さ0.5 μmで被覆する．

カラム温度：80℃付近の一定温度で注入し，毎分10℃で220℃まで昇温し，220℃を40分間保持する．

注入口温度：250℃付近の一定温度

検出器温度：250℃付近の一定温度

キャリヤーガス：ヘリウム

流量：50 cm/秒

スプリット比：1：50

システム適合性

検出の確認：下記の表の組成の脂肪酸メチルエステル混合物0.50 gをヘプタンに溶かし正確に50 mLとし，システム適合性試験用溶液とする．この液1 mLを正確に量り，ヘプタンを加えて正確に10 mLとする．この液1 μLにつき，上記の条件で操作するとき，ミリスチン酸メチルのSN比は5以上である．

脂肪酸メチルエステル混合物	含量比（%）
ガスクロマトグラフィー用ミリスチン酸メチル	5
ガスクロマトグラフィー用パルミチン酸メチル	10
ガスクロマトグラフィー用ステアリン酸メチル	15
ガスクロマトグラフィー用アラキジン酸メチル	20
ガスクロマトグラフィー用オレイン酸メチル	20
ガスクロマトグラフィー用エイコセン酸メチル	10
ベヘン酸メチル	10
ガスクロマトグラフィー用リグノセリン酸メチル	10

システムの性能：システム適合性試験用溶液 1 μL につき，上記の条件で操作するとき，◇ステアリン酸メチル，オレイン酸メチルの順に流出し，◇その分離度は 1.8 以上であり，ステアリン酸メチルのピークの理論段数は 30000 段以上である．

酸　価 〈*1.13*〉 2.0 以下．ただし，溶媒として◆エタノール（95）◆を用いる．

けん化価　本品約 4 g を精密に量り，250 mL のホウケイ酸ガラス製フラスコに入れ，0.5 mol/L 水酸化カリウム・エタノール液 30 mL を正確に加え，更に 2 ～ 3 個のガラスビーズを入れる．これに還流冷却器を付け，60 分間加熱する．フェノールフタレイン試液 1 mL 及びエタノール（99.5）50 mL を加え，直ちに 0.5 mol/L 塩酸で滴定〈*2.50*〉する．同様の方法で空試験を行う．次式によりけん化価を求めるとき，その値は 45 ～ 55 である．

けん化価 ＝ $(a - b) \times 28.05 / M$

M：本品の秤取量（g）
a：空試験における 0.5 mol/L 塩酸の消費量（mL）
b：本品の試験における 0.5 mol/L 塩酸の消費量（mL）

水酸基価　本品約 2 g を精密に量り，150 mL の丸底フラスコに入れ，無水酢酸・ピリジン試液 5 mL を正確に加え，これに空気冷却器を付け，水浴中の水面が絶えずフラスコ中の液面より約 2.5 cm 上にくるように浸して 1 時間加熱する．フラスコを水浴から取り出し，冷後，冷却器から水 5 mL を加える．液に曇りが現れた場合には，その曇りが消えるまでピリジンを加え，その量を記録する．フラスコを振り動かし，水浴中で再び 10 分間加熱する．フラスコを水浴から取り出し，冷後，冷却器及びフラスコの壁面を中和エタノール 5 mL で洗い込み，0.5 mol/L 水酸化カリウム・エタノール液で滴定〈*2.50*〉する（指示薬：フェノールフタレイン試液

0.2 mL)．同様の方法で空試験を行う．次式により水酸基価を求めるとき，その値は 65 ～ 80 である．

水酸基価 ＝（a － b）× 28.05／M ＋ 酸価

M：本品の秤取量（g）
a：空試験における 0.5 mol/L 水酸化カリウム・エタノール液の消費量（mL）
b：本品の試験における 0.5 mol/L 水酸化カリウム・エタノール液の消費量（mL）

純度試験

(1) エチレンオキシド及び 1,4-ジオキサン　本品 1.00 g を正確に量り，10 mL のヘッドスペース用バイアルに入れ，水 2 mL を正確に加え，直ちにフッ素樹脂で被覆したシリコーンゴム製セプタムをアルミニウム製のキャップを用いてバイアルに固定して密栓する．バイアルを注意して振り混ぜた後，内容物を試料溶液とする．別にエチレンオキシドをジクロロメタンに溶かし，1 mL 中に 50 mg を含むように調製した液 0.5 mL を正確にとり，水を加えて正確に 50 mL とする．この液を室温になるまで放置した後，その 1 mL を正確にとり，水を加えて正確に 250 mL とし，エチレンオキシド原液とする．また，1,4-ジオキサン 1 mL を正確に量り，水を加えて正確に 200 mL とする．この液 1 mL を正確に量り，水を加えて正確に 100 mL とし，1,4-ジオキサン原液とする．エチレンオキシド原液 6 mL 及び 1,4-ジオキサン原液 2.5 mL をそれぞれ正確に量り，水を加えて正確に 25 mL とし，エチレンオキシド・1,4-ジオキサン標準原液とする．本品 1.00 g を正確に量り，10 mL のヘッドスペース用バイアルに入れ，エチレンオキシド・1,4-ジオキサン標準原液 2 mL を正確に加え，直ちにフッ素樹脂で被覆したシリコーンゴム製セプタムをアルミニウム製のキャップを用いてバイアルに固定して密栓する．バイアルを注意して振り混ぜた後，内容物を標準溶液とする．試料溶液及び標準溶液のそれぞれにつき，次の条件でガスクロマトグラフィー〈*2.02*〉のヘッドスペース法により試験を行う．次式によりエチレンオキシド及び 1,4-ジオキサンの量を求めるとき，それぞれ 1 ppm 以下及び 10 ppm 以下である．

エチレンオキシドの量（ppm）＝ $2 \times C_{EO} \times A_a / (A_b - A_a)$

C_{EO}：標準溶液に添加されたエチレンオキシド濃度（μg/mL）
A_a：試料溶液のエチレンオキシドのピーク面積
A_b：標準溶液のエチレンオキシドのピーク面積

1,4-ジオキサンの量（ppm）
＝ $2 \times 1.03 \times C_D \times A_a' \times 1000 / (A_b' - A_a')$

C_D：標準溶液に添加された1,4-ジオキサン濃度（μL/mL）
1.03：1,4-ジオキサンの密度（g/mL）
A_a'：試料溶液の1,4-ジオキサンのピーク面積
A_b'：標準溶液の1,4-ジオキサンのピーク面積

ヘッドスペース装置の操作条件
バイアル内平衡温度：80℃付近の一定温度
バイアル内平衡時間：30分間
キャリヤーガス：ヘリウム
試料注入量：1.0 mL
試験条件
検出器：水素炎イオン化検出器
カラム：内径0.53 mm，長さ50 mのフューズドシリカ管の内面にガスクロマトグラフィー用5％ジフェニル・95％ジメチルポリシロキサンを厚さ5 μmで被覆する．
カラム温度：70℃付近の一定温度で注入し，その後，毎分10℃で250℃まで昇温し，250℃を5分間保持する．
注入口温度：85℃付近の一定温度
検出器温度：250℃付近の一定温度
キャリヤーガス：ヘリウム
流量：毎分4.0 mL
スプリット比：1：3.5
システム適合性
システムの性能：アセトアルデヒド0.100 gを量り，100 mLのメスフラスコに入れ，水を加えて100 mLとする．この液1 mLを正確に量り，水を加えて正確に100 mLとする．この液2 mL及びエチレンオキシド原液2 mLをそれぞれ正確に量り，10 mLのヘッドスペース用バイアルに入れ，直ちにフッ素樹脂で被覆したシリコーンゴム製セプタムをアルミニウム製のキャップを用いてバイアルに固定して密栓する．バイアルを注意して振り混ぜた後，内容物をシステム適合性試験用溶液とする．標準溶液及びシステム適合性試験用溶液につき，上記の条件で操作するとき，アセトアルデヒド，エチレンオキシド，1,4-ジオキサンの順に流出し，アセトアルデヒドとエチレンオキシドの分離度は2.0以上である．

(2) 過酸化物価　本品約10 gを精密に量り，100 mLのビーカーに入れ，酢酸(100) 20 mLに溶かす．この液に飽和ヨウ化カリウム溶液1 mLを加え，1分間放置する．新たに煮沸して冷却した水50 mLを加え，マグネチックスターラーでか

き混ぜながら，0.01 mol/L チオ硫酸ナトリウム液で滴定〈*2.50*〉する（電位差滴定法）．同様の方法で空試験を行い，補正する．次式により過酸化物価を求めるとき，その値は10.0以下である．

過酸化物価 ＝（$a-b$）× 10／M

M：本品の秤取量（g）
a：本品の試験における0.01 mol/L チオ硫酸ナトリウム液の消費量（mL）
b：空試験における0.01 mol/L チオ硫酸ナトリウム液の消費量（mL）

水　分〈*2.48*〉 3.0％以下（1 g，容量滴定法，直接滴定）．
強熱残分　あらかじめ石英製又は白金製のるつぼを30分間赤熱し，デシケーター（シリカゲル又は他の適切な乾燥剤）中で放冷後，その質量を精密に量る．本品2.00 gをるつぼに入れ，表面が平らになるように広げた後，100 ～ 105℃で1時間乾燥し，◇更になるべく低温で徐々に加熱して，試料を完全に炭化させる．◇次いで電気炉に入れ，恒量になるまで600 ± 25℃で強熱した後，るつぼをデシケーター中で放冷し，その質量を精密に量る．操作中は，炎をあげて燃焼しないように注意する．強熱の後でも残留物中に黒色粒子が認められる場合には，残留物に熱湯を加え，定量分析用ろ紙を用いてろ過し，残留物をろ紙と共に強熱する．これにろ液を加えた後，注意深く蒸発乾固し，恒量になるまで強熱する．残分の量は0.25％以下である．
貯　法
保存条件　遮光して保存する．
容器　気密容器．

医薬品各条の部　ホルモテロールフマル酸塩水和物の条化学名の項及び純度試験の項を次のように改める．

ホルモテロールフマル酸塩水和物

$(C_{19}H_{24}N_2O_4)_2 \cdot C_4H_4O_4 \cdot 2H_2O$：840.91
N-(2-Hydroxy-5-{(1*RS*)-1-hydroxy-2-[(2*RS*)-1-(4-methoxyphenyl)propan-2-ylamino]ethyl}phenyl)formamide hemifumarate monohydrate

純度試験

(1)　類縁物質　本品20 mgを希釈液に溶かし，100 mLとし，試料溶液とする．試料溶液20 μLにつき，次の条件で液体クロマトグラフィー〈*2.01*〉により試験を行う．試料溶液の各々のピーク面積を自動積分法により測定し，面積百分率法によりそれらの量を求めるとき，ホルモテロールに対する相対保持時間約0.5の類縁物質Aのピークの量は0.3％以下，相対保持時間約0.7，約1.2，約1.3及び約2.0の類縁物質B，類縁物質C，類縁物質D及び類縁物質Fのピークの量はそれぞれ0.2％以下，相対保持時間約1.8の類縁物質Eのピークの量は0.1％以下であり，ホルモテロール及び上記以外のピークの量は0.1％以下である．また，ホルモテロール以外のピークの合計量は0.5％以下である．ただし，類縁物質Aのピーク面積は自動積分法で求めた面積に感度係数1.75を乗じた値とする．

希釈液：リン酸二水素ナトリウム二水和物6.9 g及び無水リン酸水素二ナトリウム0.8 gを水に溶かし，1000 mLとする．0.5 mol/Lリン酸水素二ナトリウム試液又は薄めたリン酸（27 → 400）を加えてpH 6.0に調整する．この液21容量にアセトニトリル4容量を加える．

試験条件

検出器：紫外吸光光度計（測定波長：214 nm）

カラム：内径4.6 mm，長さ15 cmのステンレス管に5 μmの液体クロマトグラフィー用オクチルシリル化シリカゲルを充塡する．

カラム温度：22℃付近の一定温度

移動相A：リン酸二水素ナトリウム二水和物4.2 g及びリン酸0.35 gを水に溶かし，1000 mLとする．リン酸二水素ナトリウム二水和物156 gを水に溶かして1000 mLとした液又は薄めたリン酸（27 → 400）を加えてpH 3.1に調整する．

移動相B：液体クロマトグラフィー用アセトニトリル

移動相の送液：移動相A及び移動相Bの混合比を次のように変えて濃度勾配制御する．

注入後の時間（分）	移動相A（vol％）	移動相B（vol％）
0 ～ 10	84	16
10 ～ 37	84 → 30	16 → 70

流量：毎分1.0 mL（ホルモテロールの保持時間約10分）

面積測定範囲：フマル酸のピークの後から注入後37分まで

システム適合性

検出の確認：試料溶液 1 mL を正確に量り，希釈液を加えて正確に 100 mL とする．この液 1 mL を正確に量り，希釈液を加えて正確に 20 mL とする．この液 20 μL につき，上記の条件で操作するとき，ホルモテロールのピークの SN 比は 10 以上である．

システムの性能：試料溶液 20 μL につき，上記の条件で操作するとき，ホルモテロールのピークの理論段数及びシンメトリー係数は，それぞれ 2000 段以上，3.0 以下である．

(2)　ジアステレオマー　本品 5 mg を水に溶かし，50 mL とし，試料溶液とする．試料溶液 20 μL につき，次の条件で液体クロマトグラフィー〈*2.01*〉により試験を行う．試料溶液のホルモテロールのピーク面積 A_f 及びホルモテロールに対する相対保持時間約 1.2 の類縁物質 I（ジアステレオマー）のピーク面積 A_d を自動積分法により測定し，次式によりジアステレオマーの量を求めるとき，0.3％以下である．

$$ジアステレオマーの量（\%）= A_d / (A_d + A_f) \times 100$$

試験条件

検出器：紫外吸光光度計（測定波長：225 nm）

カラム：内径 4.6 mm，長さ 15 cm のステンレス管に 5 μm の液体クロマトグラフィー用オクタデシルシリル化ポリビニルアルコールゲルポリマーを充塡する．

カラム温度：22℃付近の一定温度

移動相：リン酸カリウム三水和物 5.3 g を水に溶かし，1000 mL とする．水酸化カリウム溶液（281 → 1000）又はリン酸を加えて pH 12.0 に調整する．この液 22 容量に液体クロマトグラフィー用アセトニトリル 3 容量を加える．

流量：毎分 0.5 mL（ホルモテロールの保持時間約 22 分）

システム適合性

検出の確認：試料溶液 1 mL を正確に量り，水を加えて正確に 20 mL とする．この液 1 mL を正確に量り，水を加えて正確に 25 mL とする．この液 20 μL につき，上記の条件で操作するとき，ホルモテロールのピークの SN 比は 10 以上である．

システムの性能：試料溶液 20 μL につき，上記の条件で操作するとき，ホルモテロールのピークの理論段数及びシンメトリー係数は，それぞれ 4300 段以上，1.7 以下である．

同条貯法の項の次に次を加える．

その他

類縁物質 A：

2-Amino-4-{1-hydroxy-2-[1-(4-methoxyphenyl)propan-2-ylamino]ethyl}phenol

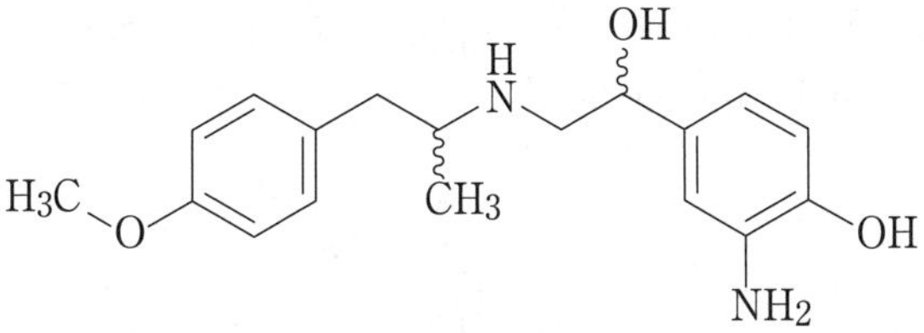

類縁物質 B：

N-(2-Hydroxy-5-{1-hydroxy-2-[2-(4-methoxyphenyl)ethylamino]ethyl}phenyl)-formamide

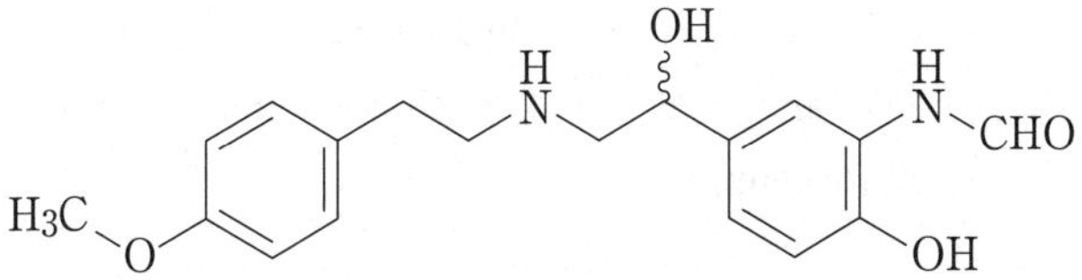

類縁物質 C：

N-(2-Hydroxy-5-{1-hydroxy-2-[1-(4-methoxyphenyl)propan-2-ylamino]ethyl}phenyl)acetamide

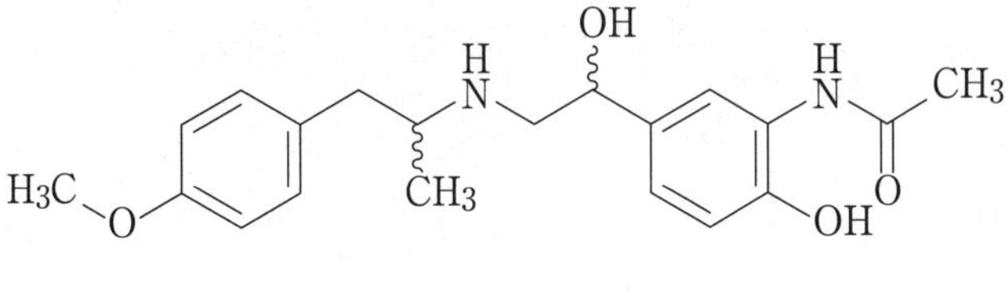

類縁物質 D：

N-(2-Hydroxy-5-{1-hydroxy-2-[1-(4-methoxyphenyl)propan-2-ylmethylamino]ethyl}phenyl)formamide

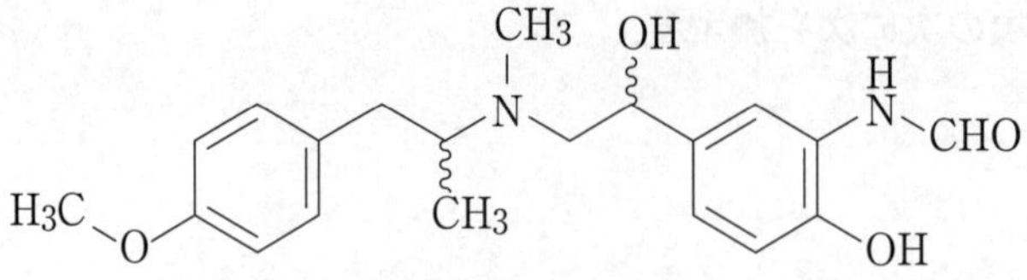

類縁物質 E：

N-(2-Hydroxy-5-{1-hydroxy-2-[1-(4-methoxy-3-methylphenyl)propan-2-ylamino]ethyl}phenyl)formamide

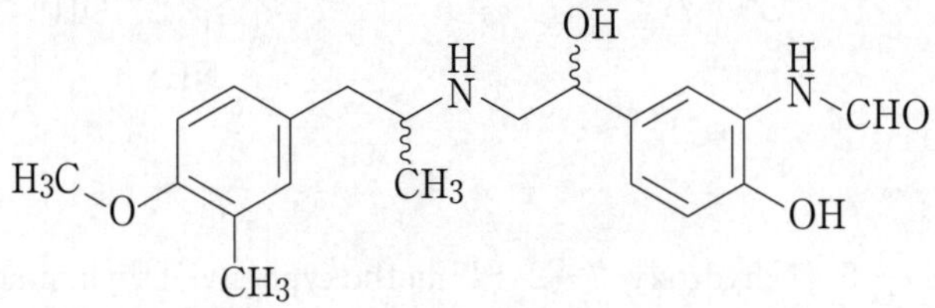

類縁物質 F：

N-(2-Hydroxy-5-{1-(2-hydroxy-5-{1-hydroxy-2-[1-(4-methoxyphenyl)propan-2-ylamino]ethyl}phenyl)amino-2-[1-(4-methoxyphenyl)propan-2-ylamino]ethyl}phenyl)formamide

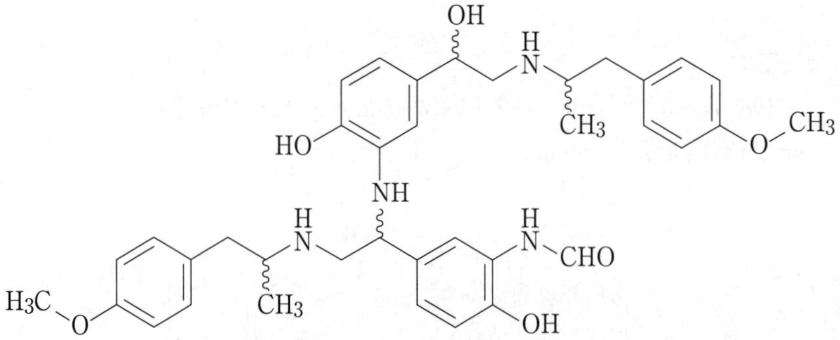

類縁物質 I（ジアステレオマー）：

N-(2-Hydroxy-5-{(1*RS*)-1-hydroxy-2-[(2*SR*)-1-(4-methoxyphenyl)propan-2-ylamino]ethyl}phenyl)formamide

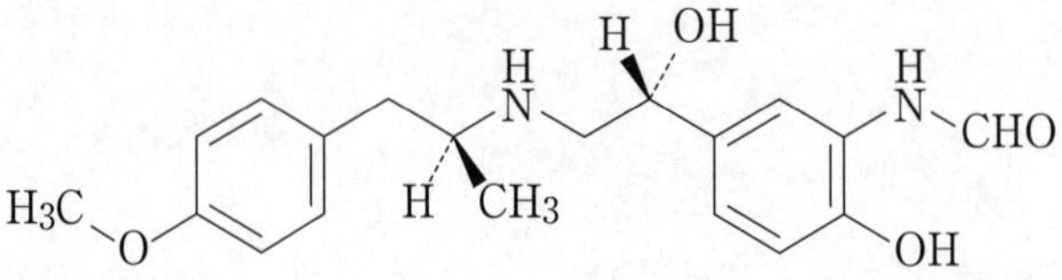

及び鏡像異性体

注　釈

㊫

医薬品各条の部　D-マンニトールの条を次のように改める．

D-マンニトール

D-Mannitol

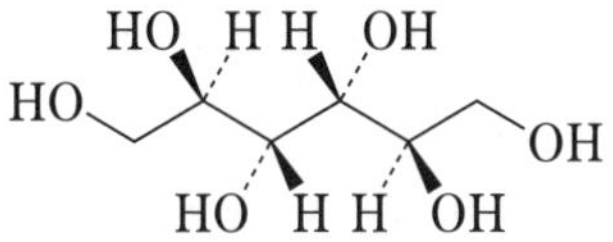

$C_6H_{14}O_6$：182.17
D-Mannitol
[*69-65-8*]

本医薬品各条は，三薬局方での調和合意に基づき規定した医薬品各条である．

なお，三薬局方で調和されていない部分のうち，調和合意において，調和の対象とされた項中非調和となっている項の該当箇所は「◆　◆」で，調和の対象とされた項以外に日本薬局方が独自に規定することとした項は「◇　◇」で囲むことにより示す．◇

三薬局方の調和合意に関する情報については，独立行政法人医薬品医療機器総合機構のウェブサイトに掲載している．

本品は定量するとき，換算した乾燥物に対し，D-マンニトール（$C_6H_{14}O_6$）97.0～102.0％を含む．

◆**性　状**　本品は白色の結晶，粉末又は粒で，味は甘く，冷感がある．

本品は水に溶けやすく，エタノール（99.5）にほとんど溶けない．

本品は水酸化ナトリウム試液に溶ける．

本品は結晶多形が認められる．◆

確認試験　本品につき，赤外吸収スペクトル測定法〈*2.25*〉の臭化カリウム錠剤法により試験を行い，本品のスペクトルと本品の参照スペクトル又はD-マンニトール標準品のスペクトルを比較するとき，両者のスペクトルは同一波数のところに同様の強度の吸収を認める．もし，これらのスペクトルに差を認めるときは，本品及びD-マンニトール標準品25 mgずつをそれぞれガラス容器にとり，水0.25 mLを加え，加熱せずに溶かした後，得られた澄明な溶液を出力600～700Wの電子レンジを用い，20分間乾燥するか，又は乾燥器に入れ，100℃で1時間加熱した後，引き続いて徐々に減圧して乾燥する．得られた粘着性のない，白色～微黄色の粉末につき，同様の試験を行うとき，両者のスペクトルは同一波数のところに同様の強度の吸収を認める．

融　点〈*2.60*〉 165～170℃

純度試験

(1)　溶状　本品5.0 gを水に溶かし，50 mLとする．これを検液として濁度試験法〈*2.61*〉により試験を行うとき，澄明であり，色の比較試験法〈*2.65*〉の第2法により試験を行うとき，その色は無色である．

(2)　ニッケル　本品10.0 gに2 mol/L酢酸試液30 mLを加えて振り混ぜた後，水を加えて溶かし，正確に100 mLとする．ピロリジンジチオカルバミン酸アンモニウム飽和溶液（約10 g/L）2.0 mL及び水飽和4-メチル-2-ペンタノン10.0 mLを加え，光を避け，30秒間振り混ぜる．これを静置して4-メチル-2-ペンタノン層を分取し，試料溶液とする．別に本品10.0 gずつを3個の容器に入れ，それぞれに2 mol/L酢酸試液30 mLを加えて振り混ぜた後，水を加えて溶かし，原子吸光光度用ニッケル標準液0.5 mL，1.0 mL及び1.5 mLをそれぞれ正確に加え，水を加えてそれぞれ正確に100 mLとする．以下試料溶液と同様に操作し，標準溶液とする．別に本品を用いず，試料溶液と同様に操作して得た4-メチル-2-ペンタノン層を空試験液とする．試料溶液及び標準溶液につき，次の条件で原子吸光光度法〈*2.23*〉の標準添加法により試験を行う．空試験液は装置のゼロ合わせに用い，また測定試料の切替え時，試料導入系を水で洗浄した後，吸光度の指示が0に戻っていることの確認に用いる．ニッケルの量は1 ppm以下である．

使用ガス：

可燃性ガス　アセチレン

支燃性ガス　空気

ランプ：ニッケル中空陰極ランプ

波長：232.0 nm

(3)　類縁物質　本品0.50 gを水に溶かし，10 mLとし，試料溶液とする．この液2 mLを正確に量り，水を加えて正確に100 mLとし，標準溶液（1）とする．この液0.5 mLを正確に量り，水を加えて正確に20 mLとし，標準溶液（2）とする．試料溶液，標準溶液（1）及び標準溶液（2）20 μLずつを正確にとり，次の条件で液体クロマトグラフィー〈*2.01*〉により試験を行う．それぞれの液の各々のピーク面積を自動積分法により測定するとき，試料溶液のD-マンニトールに対する相対保持時間約1.2のD-ソルビトールのピーク面積は，標準溶液（1）のD-マンニトールのピーク面積より大きくなく（2.0％以下），試料溶液の相対保持時間約0.69のマルチトール及び相対保持時間約0.6及び約0.73のイソマルトのピークの合計面積は，標準溶液（1）のD-マンニトールのピーク面積より大きくなく（2.0％以下），試料溶液のD-マンニトール及び上記以外のピークの面積は，標準溶液（2）のD-マンニトールのピーク面積の2倍より大きくない（0.1％以下）．また，試料溶液のD-マンニトール以外のピークの合計面積は，標準溶液（1）のD-マンニトールのピーク面積より大きくない（2.0％以下）．ただし，標準溶液（2）のD-マンニトールのピーク面積以下のピークは計算しない（0.05％以下）．

試験条件

検出器，カラム，カラム温度，移動相及び流量は定量法の試験条件を準用する．

面積測定範囲：D-マンニトールの保持時間の約1.5倍の範囲

システム適合性

システムの性能は定量法のシステム適合性を準用する．

◇検出の確認：標準溶液（2）20 μLから得たD-マンニトールのピーク面積が，標準溶液（1）のD-マンニトールのピーク面積の1.75～3.25％になることを確認する．

システムの再現性：標準溶液（1）20 μLにつき，上記の条件で試験を6回繰り返すとき，D-マンニトールのピーク面積の相対標準偏差は1.0％以下である．◇

(4)　ブドウ糖　本品7.0 gに水13 mLを加えた後，フェーリング試液40 mLを加え，3分間穏やかに煮沸する．2分間放置して酸化銅(Ⅰ)を沈殿させ，上澄液をろ材面上にケイソウ土の薄い層を形成させた酸化銅ろ過用ガラスろ過器又はガラスろ過器（G4）を用いてろ過し，更にフラスコ内の沈殿を50～60℃の温湯で洗液がアルカリ性を呈しなくなるまで洗い，洗液は先のガラスろ過器でろ過し，これまで得られたろ液は全て捨てる．直ちにフラスコ内の沈殿を硫酸鉄(Ⅲ)試液20 mLに溶かし，これを先のガラスろ過器を用いてろ過した後，水15～20 mLで洗い，ろ液及び洗液を合わせ，80℃で加熱し，0.02 mol/L過マンガン酸カリウム液で滴定〈*2.50*〉するとき，その消費量は3.2 mL以下である．ただし，滴定の終点は，緑色から淡赤色への色の変化が少なくとも10秒間持続するときとする（ブドウ糖として0.1％以下）．

導電率〈*2.51*〉　本品20.0 gに新たに煮沸して冷却した蒸留水を加え，40～50℃に加温して溶かし，水を加えて100 mLとし，試料溶液とする．冷後，試料溶液をマグネチックスターラーで緩やかにかき混ぜながら25 ± 0.1℃で試験を行い，導電率を求めるとき，20 μS·cm^{-1}以下である．

乾燥減量〈*2.41*〉　0.5％以下（1 g，105℃，4時間）．

定量法　本品及びD-マンニトール標準品（別途本品と同様の条件で乾燥減量

〈2.41〉を測定しておく）約0.5 gずつを精密に量り，それぞれを水に溶かし，正確に10 mLとし，試料溶液及び標準溶液とする．試料溶液及び標準溶液20 μLずつを正確にとり，次の条件で液体クロマトグラフィー〈2.01〉により試験を行い，それぞれの液のD-マンニトールのピーク面積A_T及びA_Sを測定する．

D-マンニトール（$C_6H_{14}O_6$）の量（g）$= M_S \times A_T / A_S$

M_S：乾燥物に換算したD-マンニトール標準品の秤取量（g）

試験条件

検出器：一定温度に維持した示差屈折計（例えば40℃）

カラム：内径7.8 mm，長さ30 cmのステンレス管にジビニルベンゼンで架橋させたポリスチレンにスルホン酸基を結合した9 μmの液体クロマトグラフィー用強酸性イオン交換樹脂（架橋度：8％）（Ca型）を充填する．

カラム温度：85 ± 2℃

移動相：水

流量：毎分0.5 mL（D-マンニトールの保持時間約20分）

システム適合性

システムの性能：本品0.25 g及びD-ソルビトール0.25 gを水に溶かし，10 mLとし，システム適合性試験用溶液（1）とする．マルチトール0.5 g及びイソマルト0.5 gを水に溶かし，100 mLとする．この液2 mLに水を加えて10 mLとし，システム適合性試験用溶液（2）とする．システム適合性試験用溶液（1）及びシステム適合性試験用溶液（2）それぞれ20 μLにつき，上記の条件で操作するとき，イソマルト（1番目のピーク），マルチトール，イソマルト（2番目のピーク），D-マンニトール，D-ソルビトールの順に溶出し，D-マンニトールに対するイソマルト（1番目のピーク），マルチトール，イソマルト（2番目のピーク）及びD-ソルビトールの相対保持時間は，約0.6，約0.69，約0.73及び約1.2であり，また，D-マンニトールとD-ソルビトールの分離度は2.0以上である．マルチトールとイソマルトの2番目のピークは重なることがある．

◇システムの再現性：標準溶液20 μLにつき，上記の条件で試験を6回繰り返すとき，D-マンニトールのピーク面積の相対標準偏差は1.0％以下である．◇

◆**貯　法**　容器　密閉容器．◆

医薬品各条の部　*dl*-メントールの条貯法の項を次のように改める.

dl-メ ン ト ー ル

貯　法　容器　気密容器.

医薬品各条の部　*l*-メントールの条貯法の項を次のように改める.

l-メ ン ト ー ル

貯　法　容器　気密容器.

医薬品各条の部　モノステアリン酸グリセリンの条確認試験の項（1）の目を削り,（2）の目を確認試験とする.

医薬品各条の部　黄色ワセリンの条を次のように改める.

黄 色 ワ セ リ ン

Yellow Petrolatum

本医薬品各条は，三薬局方での調和合意に基づき規定した医薬品各条である.

なお，三薬局方で調和されていない部分のうち，調和合意において，調和の対象とされた項中非調和となっている項の該当箇所は「◆　◆」で，調和の対象とされた項以外に日本薬局方が独自に規定することとした項は「◇　◇」で囲むことにより示す.

三薬局方の調和合意に関する情報については，独立行政法人医薬品医療機器総合機構のウェブサイトに掲載している.

本品は，石油から得られる炭化水素類の半固形混合物を精製したものである.

本品には抗酸化剤◇としてジブチルヒドロキシトルエン又は適切な型のトコフェロール◇を加えることができる. ◆抗酸化剤を加えた場合は，その名称と配合量を表示する.◆

◆**性　状**　本品は黄色の全質均等の軟膏様物質で，におい及び味はない．

本品はエタノール（95）に溶けにくく，水にほとんど溶けない．

本品は加温するとき，黄色の澄明な液となり，この液は僅かに蛍光を発する．◆

確認試験　本品約2 mgを窓板上にとり，別の窓板で挟んで試料を広げたものにつき，赤外吸収スペクトル測定法〈*2.25*〉の液膜法により試験を行い，本品のスペクトルと本品の参照スペクトルを比較するとき，両者のスペクトルは同一波数のところに同様の強度の吸収を認める．

◇**融　点**〈*2.60*〉　38～60℃（第3法）．◇

純度試験

(1)　色　本品約10 gを水浴上で融解させ，その5 mLを15×150 mmの透明なガラス試験管に移し，融解状態を保つとき，液の色は次の比較液（1）より濃くなく，比較液（2）と同じか又はこれより濃い．比色に際しては白色の背景を用い，反射光で側方から比色する．

比較液（1）：塩化鉄(Ⅲ)の色の比較原液3.8 mLに塩化コバルト(Ⅱ)の色の比較原液1.2 mLをそれぞれ正確に量り，15×150 mmの透明なガラス試験管で混和する．

比較液（2）：塩化鉄(Ⅲ)の色の比較原液0.5 mL及び薄めた希塩酸（1→10）4.5 mLをそれぞれ正確に量り，15×150 mmの透明なガラス試験管で混和する．

(2)　酸又はアルカリ　本品10 gに熱湯20 mLを加え，1分間激しく振り混ぜた後，放冷する．液相10 mLをとり，フェノールフタレイン試液0.1 mLを加えるとき，液は無色である．淡赤色又は赤色を呈するまで0.01 mol/L水酸化ナトリウム液を加えるとき，その量は0.5 mL以下である．

(3)　多環芳香族炭化水素　本品1.0 gを，あらかじめ吸収スペクトル用ジメチルスルホキシド10 mLずつで2回振り混ぜた吸収スペクトル用ヘキサン50 mLに溶かす．この液を潤滑仕上げされていないすりガラスパーツ（留め具，栓）が付いた分液漏斗に移す．この分液漏斗に吸収スペクトル用ジメチルスルホキシド20 mLを加え，1分間激しく振り混ぜた後，透明な二層が形成されるまで放置する．下層を別の分液漏斗に移し，更に吸収スペクトル用ジメチルスルホキシド20 mLを加えて抽出を繰り返す．各抽出操作で得られた下層を合わせ，吸収スペクトル用ヘキサン20 mLと1分間激しく振り混ぜる．透明な二層が形成されるまで放置した後，下層を分離し，吸収スペクトル用ジメチルスルホキシドを加えて正確に50 mLとし，試料溶液とする．この液につき，層長1 cmで波長265～420 nmの吸光度を測定する．対照液には，吸収スペクトル用ヘキサン25 mL及び吸収スペクトル用ジメチルスルホキシド10 mLを1分間激しく振り混ぜた後，透明な二層が形成されるまで放置して得られた下層を用いる．別にナフタレン約6 mgを精密に量り，吸収スペクトル用ジメチルスルホキシドに溶かし，正確に100 mLとする．この液

10 mLを正確に量り，吸収スペクトル用ジメチルスルホキシドを加え，正確に100 mLとし，標準溶液とする．紫外可視吸光度測定法〈2.24〉により標準溶液につき，層長1 cmで波長278 nmにおける吸光度を測定し，試料溶液につき波長265～420 nmにおける吸収スペクトルを測定するとき，試料溶液の最大吸光度は，標準溶液の波長278 nmにおける吸光度の1/4を超えない．

強熱残分〈2.44〉　0.05％以下（2 g）．

◆**貯　法**　容器　気密容器．◆

医薬品各条の部　白色ワセリンの条を次のように改める．

白　色　ワ　セ　リ　ン

White Petrolatum

本医薬品各条は，三薬局方での調和合意に基づき規定した医薬品各条である．

なお，三薬局方で調和されていない部分のうち，調和合意において，調和の対象とされた項中非調和となっている項の該当箇所は「◆　◆」で，調和の対象とされた項以外に日本薬局方が独自に規定することとした項は「◇　◇」で囲むことにより示す．

三薬局方の調和合意に関する情報については，独立行政法人医薬品医療機器総合機構のウェブサイトに掲載している．

本品は，石油から得られる炭化水素類の半固形混合物を精製し，完全に，又は大部分を脱色したものである．

本品には◇抗酸化剤としてジブチルヒドロキシトルエン又は適切な型のトコフェロール◇を加えることができる．◆抗酸化剤を加えた場合は，その名称と配合量を表示する．◆

◆**性　状**　本品は白色～微黄色の全質均等の軟膏様物質で，におい及び味はない．

本品は水又はエタノール（95）にほとんど溶けない．

本品は加温するとき，澄明な液となる．◆

確認試験　本品約2 mgを窓板上にとり，別の窓板で挟んで試料を広げたものにつき，赤外吸収スペクトル測定法〈2.25〉の液膜法により試験を行い，本品のスペクトルと本品の参照スペクトルを比較するとき，両者のスペクトルは同一波数のところに同様の強度の吸収を認める．

◇**融　点**〈2.60〉　38～60℃（第3法）．◇

純度試験

(1) 色　本品約10 gを水浴上で融解させ，その5 mLを15×150 mmの透明なガラス試験管に移し，融解状態を保つとき，液の色は次の比較液より濃くない．比色に際しては白色の背景を用い，反射光で側方から比色する．

比較液：塩化鉄(Ⅲ)の色の比較原液0.5 mL及び薄めた希塩酸（1 → 10）4.5 mLをそれぞれ正確に量り，15×150 mmの透明なガラス試験管で混和する．

(2) 酸又はアルカリ　本品10 gに熱湯20 mLを加え，1分間激しく振り混ぜた後，放冷する．液相10 mLをとり，フェノールフタレイン試液0.1 mLを加えるとき，液は無色である．淡赤色又は赤色を呈するまで0.01 mol/L水酸化ナトリウム液を加えるとき，その量は0.5 mL以下である．

(3) 多環芳香族炭化水素　本品1.0 gを，あらかじめ吸収スペクトル用ジメチルスルホキシド10 mLずつで2回振り混ぜた吸収スペクトル用ヘキサン50 mLに溶かす．この液を潤滑仕上げされていないすりガラスパーツ（留め具，栓）が付いた分液漏斗に移す．この分液漏斗に吸収スペクトル用ジメチルスルホキシド20 mLを加え，1分間激しく振り混ぜた後，透明な二層が形成されるまで放置する．下層を別の分液漏斗に移し，更に吸収スペクトル用ジメチルスルホキシド20 mLを加えて抽出を繰り返す．各抽出操作で得られた下層を合わせ，吸収スペクトル用ヘキサン20 mLと1分間激しく振り混ぜる．透明な二層が形成されるまで放置した後，下層を分離し，吸収スペクトル用ジメチルスルホキシドを加えて正確に50 mLとし，試料溶液とする．この液につき，層長1 cmで波長265 ～ 420 nmの吸光度を測定する．対照液には，吸収スペクトル用ヘキサン25 mL及び吸収スペクトル用ジメチルスルホキシド10 mLを1分間激しく振り混ぜた後，透明な二層が形成されるまで放置して得られた下層を用いる．別にナフタレン約6 mgを精密に量り，吸収スペクトル用ジメチルスルホキシドに溶かし，正確に100 mLとする．この液10 mLを正確に量り，吸収スペクトル用ジメチルスルホキシドを加え，正確に100 mLとし，標準溶液とする．紫外可視吸光度測定法〈*2.24*〉により標準溶液につき，層長1 cmで波長278 nmにおける吸光度を測定し，試料溶液につき波長265 ～ 420 nmにおける吸収スペクトルを測定するとき，試料溶液の最大吸光度は，標準溶液の波長278 nmにおける吸光度の1/4を超えない．

強熱残分〈*2.44*〉　0.05％以下（2 g）．

◆**貯　法**　容器　気密容器．◆

医薬品各条（生薬等）改正事項

医薬品各条の部　インチンコウの条生薬の性状の項を次のように改める.

イ ン チ ン コ ウ

生薬の性状　本品は卵形～球形の長さ 1.5 ～ 2 mm，径約 2 mm の頭花を主とし，糸状の葉と小花柄からなる．頭花の外面は淡緑色～淡黄褐色，葉の外面は緑色～緑褐色，小花柄の外面は緑褐色～暗褐色を呈する．頭花をルーペ視するとき，総苞片は 3 ～ 4 列に覆瓦状に並び，外片は卵形で，先端は鈍形，内片は楕円形で外片より長く，長さ 1.5 mm，内片の中央部は竜骨状となり，周辺部は広く薄膜質となる．小花は筒状花で，頭花の周辺部のものは雌性花，中央部は両性花である．そう果は倒卵形で，長さ 0.8 mm である．質は軽い.

本品は特異な弱いにおいがあり，味はやや辛く，僅かに麻痺性である.

医薬品各条の部　ウコンの条生薬の性状の項を次のように改める.

ウ コ ン

生薬の性状　本品は主根茎又は側根茎からなり，主根茎はほぼ卵形体で，径約 3 cm，長さ約 4 cm，側根茎は両端が鈍形の円柱形でやや湾曲し，径約 1 cm，長さ 2 ～ 6 cm でいずれも輪節がある．コルク層を付けたものは黄褐色で艶があり，コルク層を除いたものは暗黄赤色で，表面に黄赤色の粉を付けている．質は堅く折りにくい．横切面は黄褐色～赤褐色を呈し，ろう様の艶がある.

本品は特異なにおいがあり，味は僅かに苦く刺激性で，唾液を黄色に染める.

本品の横切片を鏡検〈*5.01*〉するとき，最外層には通例 4 ～ 10 細胞層のコルク層があるか又は部分的に残存する．皮層と中心柱は内皮で区分される．皮層及び中心柱は柔組織からなり，維管束が散在する．柔組織中には油細胞が散在し，柔細胞中には黄色物質，シュウ酸カルシウムの砂晶及び単晶，糊化したでんぷんを含む.

医薬品各条の部　ウワウルシの条生薬の性状の項及び定量法の項を次のように改める．

ウ　ワ　ウ　ル　シ

生薬の性状　本品は倒卵形〜へら形を呈し，長さ1〜3 cm，幅0.5〜1.5 cm，上面は黄緑色〜暗緑色，下面は淡黄緑色である．全縁で先端は鈍形又は円形でときにはくぼみ，基部はくさび形で，葉柄は極めて短い．葉身は厚く，上面に特異な網状脈がある．折りやすい．

本品は弱いにおいがあり，味は僅かに苦く，収れん性である．

本品の横切片を鏡検〈*5.01*〉するとき，クチクラは厚く，柵状組織と海綿状組織の柔細胞の形は類似する．維管束中には一細胞列からなる放射組織が扇骨状に2〜7条走り，維管束の上下面の細胞中には，まばらにシュウ酸カルシウムの多角形の単晶及び集晶を含む．他の葉肉組織中には結晶を認めない．

定　量　法　本品の粉末約0.5 gを精密に量り，共栓遠心沈殿管にとり，水40 mLを加えて30分間振り混ぜた後，遠心分離し，上澄液を分取する．残留物に水40 mLを加えて同様に操作する．全抽出液を合わせ，水を加えて正確に100 mLとし，試料溶液とする．別に定量用アルブチン約40 mgを精密に量り，水に溶かして正確に100 mLとし，標準溶液とする．試料溶液及び標準溶液10 μLずつを正確にとり，次の条件で液体クロマトグラフィー〈*2.01*〉により試験を行い，それぞれの液のアルブチンのピーク面積A_T及びA_Sを測定する．

アルブチンの量（mg）$= M_S \times A_T / A_S$

M_S：定量用アルブチンの秤取量（mg）

試験条件

検出器：紫外吸光光度計（測定波長：280 nm）

カラム：内径4〜6 mm，長さ15〜25 cmのステンレス管に5〜10 μmの液体クロマトグラフィー用オクタデシルシリル化シリカゲルを充塡する．

カラム温度：20℃付近の一定温度

移動相：水／メタノール／0.1 mol/L塩酸試液混液（94：5：1）

流量：アルブチンの保持時間が約6分になるように調整する．

システム適合性

システムの性能：定量用アルブチン，ヒドロキノン及び没食子酸0.05 gずつを水に溶かして100 mLとする．この液10 μLにつき，上記の条件で操作するとき，アルブチン，ヒドロキノン，没食子酸の順に溶出し，それぞれの分離度は 1.5 以上である．

システムの再現性：標準溶液 10 μL につき，上記の条件で試験を 5 回繰り返すとき，アルブチンのピーク面積の相対標準偏差は 1.5% 以下である．

医薬品各条の部　エンゴサクの条定量法の項を次のように改める．

エ　ン　ゴ　サ　ク

定 量 法　本品の粉末約 1 g を精密に量り，メタノール / 希塩酸混液（3：1）30 mL を加え，還流冷却器を付けて 30 分間加熱し，冷後，ろ過する．残留物にメタノール / 希塩酸混液（3：1）15 mL を加え，同様に操作する．全ろ液を合わせ，メタノール / 希塩酸混液（3：1）を加えて正確に 50 mL とし，試料溶液とする．別に定量用デヒドロコリダリン硝化物約 10 mg を精密に量り，メタノール / 希塩酸混液（3：1）に溶かして正確に 200 mL とし，標準溶液とする．試料溶液及び標準溶液 5 μL ずつを正確にとり，次の条件で液体クロマトグラフィー〈*2.01*〉により試験を行い，それぞれの液のデヒドロコリダリンのピーク面積 A_T 及び A_S を測定する．

デヒドロコリダリン［デヒドロコリダリン硝化物 ($C_{22}H_{24}N_2O_7$) として］の量 (mg)

$$= M_S \times A_T / A_S \times 1/4$$

M_S：定量用デヒドロコリダリン硝化物の秤取量 (mg)

試験条件

検出器：紫外吸光光度計（測定波長：340 nm）

カラム：内径 4.6 mm，長さ 15 cm のステンレス管に 5 μm の液体クロマトグラフィー用オクタデシルシリル化シリカゲルを充塡する．

カラム温度：40℃付近の一定温度

移動相：リン酸水素二ナトリウム十二水和物 17.91 g を水 970 mL に溶かし，リン酸を加えて pH 2.2 に調整する．この液に過塩素酸ナトリウム 14.05 g を加えて溶かし，水を加えて正確に 1000 mL とする．この液にアセトニトリル 450 mL 及びラウリル硫酸ナトリウム 0.20 g を加えて溶かす．

流量：デヒドロコリダリンの保持時間が約 24 分になるように調整する．

システム適合性

システムの性能：定量用デヒドロコリダリン硝化物1 mg及びベルベリン塩化物水和物1 mgを水／アセトニトリル混液（20：9）20 mLに溶かす．この液5 μLにつき，上記の条件で操作するとき，ベルベリン，デヒドロコリダリンの順に溶出し，その分離度は1.5以上である．

システムの再現性：標準溶液5 μLにつき，上記の条件で試験を6回繰り返すとき，デヒドロコリダリンのピーク面積の相対標準偏差は1.5％以下である．

医薬品各条の部　エンゴサク末の条定量法の項を次のように改める．

エ ン ゴ サ ク 末

定 量 法　本品約1 gを精密に量り，メタノール／希塩酸混液（3：1）30 mLを加え，還流冷却器を付けて30分間加熱し，冷後，ろ過する．残留物にメタノール／希塩酸混液（3：1）15 mLを加え，同様に操作する．全ろ液を合わせ，メタノール／希塩酸混液（3：1）を加えて正確に50 mLとし，試料溶液とする．別に定量用デヒドロコリダリン硝化物約10 mgを精密に量り，メタノール／希塩酸混液（3：1）に溶かして正確に200 mLとし，標準溶液とする．試料溶液及び標準溶液5 μLずつを正確にとり，次の条件で液体クロマトグラフィー〈*2.01*〉により試験を行い，それぞれの液のデヒドロコリダリンのピーク面積A_T及びA_Sを測定する．

デヒドロコリダリン［デヒドロコリダリン硝化物
($C_{22}H_{24}N_2O_7$) として］の量（mg）
$= M_S \times A_T / A_S \times 1/4$

M_S：定量用デヒドロコリダリン硝化物の秤取量（mg）

試験条件

検出器：紫外吸光光度計（測定波長：340 nm）

カラム：内径4.6 mm，長さ15 cmのステンレス管に5 μmの液体クロマトグラフィー用オクタデシルシリル化シリカゲルを充塡する．

カラム温度：40℃付近の一定温度

移動相：リン酸水素二ナトリウム十二水和物17.91 gを水970 mLに溶かし，リン酸を加えてpH 2.2に調整する．この液に過塩素酸ナトリウム14.05 gを加えて溶かし，水を加えて正確に1000 mLとする．この液にアセトニトリル450 mL及びラウリル硫酸ナトリウム0.20 gを加えて溶かす．

流量：デヒドロコリダリンの保持時間が約24分になるように調整する．
システム適合性
システムの性能：定量用デヒドロコリダリン硝化物1 mg及びベルベリン塩化物水和物1 mgを水／アセトニトリル混液（20：9）20 mLに溶かす．この液5 μLにつき，上記の条件で操作するとき，ベルベリン，デヒドロコリダリンの順に溶出し，その分離度は1.5以上である．
システムの再現性：標準溶液5 μLにつき，上記の条件で試験を6回繰り返すとき，デヒドロコリダリンのピーク面積の相対標準偏差は1.5％以下である．

医薬品各条の部　ガイヨウの条生薬の性状の項を次のように改める．

ガ　イ　ヨ　ウ

生薬の性状　本品は縮んだ葉及びその破片からなり，しばしば細い茎を含む．葉の上面は暗緑色を呈し，下面は灰白色の綿毛を密生する．水に浸して広げると，形の整った葉身は長さ4～15 cm，幅4～12 cm，1～2回羽状中裂又は羽状深裂する．裂片は2～4対で，長楕円状ひ針形又は長楕円形で，先端は鋭尖形，ときに鈍形，辺縁は不揃いに切れ込むか全縁である．小型の葉は3中裂又は全縁で，ひ針形を呈する．

本品は特異なにおいがあり，味はやや苦い．

本品の横切片を鏡検〈*5.01*〉するとき，主脈部の表皮の内側には数細胞層の厚角組織がある．主脈部の中央部には維管束があり，師部と木部に接して繊維束が認められることがある．葉肉部は上面表皮，柵状組織，海綿状組織，下面表皮からなり，葉肉部の表皮には長柔毛，T字状毛，腺毛が認められる．表皮細胞はタンニン様物質を含み，柔細胞は油状物質，タンニン様物質などを含む．

医薬品各条の部　カンキョウの条定量法の項を次のように改める．

カ　ン　キ　ョ　ウ

定 量 法　本品の粉末約1 gを精密に量り，共栓遠心沈殿管にとり，移動相30 mLを加えて20分間振り混ぜた後，遠心分離し，上澄液を分取する．残留物に移動相30 mLを加えて更にこの操作を2回繰り返す．全抽出液を合わせ，移動相を加えて正確に100 mLとし，試料溶液とする．別に定量用［6］-ショーガオール5 mgを精密に量り，移動相に溶かして正確に 100 mL とし，標準溶液とする．試料溶液及び標準溶液 10 μL ずつを正確にとり，次の条件で液体クロマトグラフィー〈*2.01*〉により試験を行い，それぞれの液の［6］-ショーガオールのピーク面積 A_T 及び A_S を測定する．

$$[6]\text{-ショーガオールの量 (mg)} = M_S \times A_T / A_S$$

M_S：qNMR で含量換算した定量用［6］-ショーガオールの秤取量（mg）

試験条件

検出器：紫外吸光光度計（測定波長：225 nm）

カラム：内径 6 mm，長さ 15 cm のステンレス管に 5 μm の液体クロマトグラフィー用オクタデシルシリル化シリカゲルを充塡する．

カラム温度：40℃付近の一定温度

移動相：アセトニトリル / 水（3：2）

流量：［6］-ショーガオールの保持時間が約 14 分になるように調整する．

システム適合性

システムの性能：標準溶液 10 μL につき，上記の条件で操作するとき，［6］-ショーガオールのピークの理論段数及びシンメトリー係数は，それぞれ 5000 段以上，1.5 以下である．

システムの再現性：標準溶液 10 μL につき，上記の条件で試験を 6 回繰り返すとき，［6］-ショーガオールのピーク面積の相対標準偏差は 1.5％以下である．

医薬品各条の部　キョウニンの条定量法の項を次のように改める．

キョウニン

定 量 法　本品をすりつぶし，その約 0.5 g を精密に量り，薄めたメタノール（9 → 10）40 mL を加え，直ちに還流冷却器を付けて 30 分間加熱し，冷後，ろ過し，薄めたメタノール（9 → 10）を加えて正確に 50 mL とする．この液 5 mL を正確に量り，水を加えて正確に 10 mL とした後，試料溶液とする．別に定量用アミグダリン約 10 mg を精密に量り，薄めたメタノール（1 → 2）に溶かして正確に 50 mL とし，標準溶液とする．試料溶液及び標準溶液 10 μL ずつを正確にとり，次の条件で液体クロマトグラフィー〈*2.01*〉により試験を行い，それぞれの液のアミグダリンのピーク面積 A_T 及び A_S を測定する．

アミグダリンの量（mg）＝$M_S \times A_T / A_S \times 2$

M_S：定量用アミグダリンの秤取量（mg）

試験条件

検出器：紫外吸光光度計（測定波長：210 nm）

カラム：内径4.6 mm，長さ15 cmのステンレス管に5 μmの液体クロマトグラフィー用オクタデシルシリル化シリカゲルを充塡する．

カラム温度：45℃付近の一定温度

移動相：0.05 mol/L リン酸二水素ナトリウム試液 / メタノール混液（5：1）

流量：毎分0.8 mL（アミグダリンの保持時間約12分）

システム適合性

システムの性能：標準溶液10 μLにつき，上記の条件で操作するとき，アミグダリンのピークの理論段数及びシンメトリー係数は，それぞれ5000段以上，1.5以下である．

システムの再現性：標準溶液10 μLにつき，上記の条件で試験を6回繰り返すとき，アミグダリンのピーク面積の相対標準偏差は1.5％以下である．

医薬品各条の部　桂枝茯苓丸エキスの条定量法の項（3）の目を次のように改める．

桂枝茯苓丸エキス

定量法

(3)　アミグダリン　乾燥エキス約0.5 g（軟エキスは乾燥物として約0.5 gに対応する量）を精密に量り，薄めたメタノール（1→2）50 mLを正確に加えて15分間振り混ぜた後，ろ過し，ろ液を試料溶液とする．別に定量用アミグダリン約10 mgを精密に量り，薄めたメタノール（1→2）に溶かして正確に50 mLとし，標準溶液とする．試料溶液及び標準溶液10 μLずつを正確にとり，次の条件で液体クロマトグラフィー〈*2.01*〉により試験を行い，それぞれの液のアミグダリンのピーク面積A_T及びA_Sを測定する．

アミグダリンの量（mg）＝$M_S \times A_T / A_S$

M_S：定量用アミグダリンの秤取量（mg）

試験条件

検出器：紫外吸光光度計（測定波長：210 nm）

カラム：内径4.6 mm，長さ15 cmのステンレス管に5 μmの液体クロマトグラフィー用オクタデシルシリル化シリカゲルを充塡する．

カラム温度：45℃付近の一定温度

移動相：0.05 mol/L リン酸二水素ナトリウム試液／メタノール混液（5：1）

流量：毎分0.8 mL（アミグダリンの保持時間約12分）

システム適合性

システムの性能：標準溶液10 μLにつき，上記の条件で操作するとき，アミグダリンのピークの理論段数及びシンメトリー係数は，それぞれ5000段以上，1.5以下である．

システムの再現性：標準溶液10 μLにつき，上記の条件で試験を6回繰り返すとき，アミグダリンのピーク面積の相対標準偏差は1.5%以下である．

医薬品各条の部　コウボクの条基原の項を次のように改める．

コ　ウ　ボ　ク

本品はホオノキ *Magnolia obovata* Thunberg（*Magnolia hypoleuca* Siebold et Zuccarini），*Magnolia officinalis* Rehder et E. H. Wilson 又は *Magnolia officinalis* Rehder et E. H. Wilson var. *biloba* Rehder et E. H. Wilson（*Magnoliaceae*）の樹皮である．

本品は定量するとき，マグノロール0.8%以上を含む．

医薬品各条の部　ゴシツの条確認試験の項を次のように改める．

ゴ　シ　ツ

確認試験

(1)　本品の粉末0.5 gに水10 mLを加えて激しく振り混ぜるとき，持続性の微細な泡を生じる．

(2)　本品の粉末1.0 gにメタノール10 mLを加えて10分間振り混ぜた後，遠心分離し，上澄液を試料溶液とする．この液につき，薄層クロマトグラフィー〈*2.03*〉により試験を行う．試料溶液10 μLを薄層クロマトグラフィー用シリカゲルを用いて調製した薄層板にスポットする．次に酢酸エチル／メタノール／水／酢酸

(100) 混液 (14：4：1：1) を展開溶媒として約7 cm展開した後，薄層板を風乾する．これに噴霧用4-ジメチルアミノベンズアルデヒド試液を均等に噴霧し，105℃で5分間加熱した後，放冷し，水を噴霧するとき，R_f値0.5付近に淡赤色～赤橙色のスポットを認める．

医薬品各条の部　牛車腎気丸エキスの条定量法の項 (1) の目を次のように改める．

牛車腎気丸エキス

定量法

(1)　ロガニン　乾燥エキス約0.5 g (軟エキスは乾燥物として約0.5 gに対応する量) を精密に量り，薄めたメタノール (1→2) 50 mLを正確に加えて15分間振り混ぜた後，ろ過し，ろ液を試料溶液とする．別に定量用ロガニン約10 mgを精密に量り，薄めたメタノール (1→2) に溶かして正確に100 mLとし，標準溶液とする．試料溶液及び標準溶液10 µLずつを正確にとり，次の条件で液体クロマトグラフィー〈*2.01*〉により試験を行い，それぞれの液のロガニンのピーク面積A_T及びA_Sを測定する．

ロガニンの量 (mg) $= M_S \times A_T / A_S \times 1/2$

M_S：qNMRで含量換算した定量用ロガニンの秤取量 (mg)

試験条件

検出器：紫外吸光光度計 (測定波長：238 nm)

カラム：内径4.6 mm，長さ15 cmのステンレス管に5 µmの液体クロマトグラフィー用オクタデシルシリル化シリカゲルを充塡する．

カラム温度：50℃付近の一定温度

移動相：水／アセトニトリル／メタノール混液 (55：4：1)

流量：毎分1.2 mL (ロガニンの保持時間約25分)

システム適合性

システムの性能：標準溶液10 µLにつき，上記の条件で操作するとき，ロガニンのピークの理論段数及びシンメトリー係数は，それぞれ5000段以上，1.5以下である．

システムの再現性：標準溶液10 µLにつき，上記の条件で試験を6回繰り返すとき，ロガニンのピーク面積の相対標準偏差は1.5%以下である．

医薬品各条の部　呉茱萸湯エキスの条定量法の項（2）の目を次のように改める．

呉茱萸湯エキス

定量法

（2）［6］-ギンゲロール　乾燥エキス約0.5 g（軟エキスは乾燥物として約0.5 gに対応する量）を精密に量り，薄めたメタノール（7 → 10）50 mLを正確に加えて30分間振り混ぜた後，ろ過し，ろ液を試料溶液とする．別に定量用［6］-ギンゲロール約10 mgを精密に量り，メタノールに溶かして正確に100 mLとする．この液5 mLを正確に量り，メタノールを加えて正確に50 mLとし，標準溶液とする．試料溶液及び標準溶液10 μLずつを正確にとり，次の条件で液体クロマトグラフィー〈*2.01*〉により試験を行い，それぞれの液の［6］-ギンゲロールのピーク面積A_T及びA_Sを測定する．

［6］-ギンゲロールの量（mg）$= M_S \times A_T / A_S \times 1/20$

M_S：qNMRで含量換算した定量用［6］-ギンゲロールの秤取量（mg）

試験条件

検出器，カラム，カラム温度及び移動相は（1）の試験条件を準用する．

流量：毎分1.0 mL（［6］-ギンゲロールの保持時間約14分）

システム適合性

システムの性能：標準溶液10 μLにつき，上記の条件で操作するとき，［6］-ギンゲロールのピークの理論段数及びシンメトリー係数は，それぞれ5000段以上，1.5以下である．

システムの再現性：標準溶液10 μLにつき，上記の条件で試験を6回繰り返すとき，［6］-ギンゲロールのピーク面積の相対標準偏差は1.5％以下である．

医薬品各条の部　ゴボウシの条生薬の性状の項を次のように改める．

ゴ　ボ　ウ　シ

生薬の性状　本品はやや湾曲した倒長卵形のそう果で，長さ5～7 mm，幅2.0～3.2 mm，厚さ0.8～1.5 mm，外面は灰褐色～褐色で，黒色の点がある．幅広い一端は径約1 mmのくぼみがあり，他端は細まり平たんで，不明瞭な縦の隆起線がある．本品100粒の質量は1.0～1.5gである．

本品はほとんどにおいがなく，味は苦く油様である．

本品の横切片を鏡検〈*5.01*〉するとき，外果皮は表皮からなり，中果皮はやや厚壁化した柔組織からなり，内果皮は1細胞層の石細胞層からなる．種皮は放射方向に長く厚壁化した表皮と数細胞層の柔組織からなる．種皮の内側には内乳，子葉が見られる．中果皮柔細胞中には褐色物質を，内果皮石細胞中にはシュウ酸カルシウムの単晶を，子葉には油滴，アリューロン粒及びシュウ酸カルシウムの微小な集晶を含む．

医薬品各条の部　柴胡桂枝湯エキスの条の次に次の一条を加える．

柴胡桂枝乾姜湯エキス

Saikokeishikankyoto Extract

本品は定量するとき，製法の項に規定した分量で製したエキス当たり，サイコサポニン b_2 1.4～5.6mg，バイカリン（$C_{21}H_{18}O_{11}$：446.36）78～234mg及びグリチルリチン酸（$C_{42}H_{62}O_{16}$：822.93）15～45mgを含む．

製　法

	1)	2)
サイコ	6g	6g
ケイヒ	3g	3g
オウゴン	3g	3g
ボレイ	3g	3g
カンキョウ	2g	3g
カンゾウ	2g	2g
カロコン	3g	4g

1）又は2）の処方に従い生薬をとり，エキス剤の製法により乾燥エキス又は軟エキスとする．

性　状　乾燥エキス　本品は淡黄褐色～褐色の粉末で，特異なにおいがあり，味は辛く，苦く，僅かに甘い．

軟エキス　本品は黒褐色の粘性のある液体で，特異なにおいがあり，味は苦く，辛く，僅かに甘く，後に渋い．

確認試験

(1) 乾燥エキス 1.0 g（軟エキスは 3.0 g）に水 10 mL を加えて振り混ぜた後，1-ブタノール 10 mL を加えて振り混ぜ，遠心分離し，1-ブタノール層を試料溶液とする．別に薄層クロマトグラフィー用サイコサポニン b_2 1 mg をメタノール 1 mL に溶かし，標準溶液とする．これらの液につき，薄層クロマトグラフィー〈*2.03*〉により試験を行う．試料溶液 5 μL 及び標準溶液 2 μL を薄層クロマトグラフィー用シリカゲルを用いて調製した薄層板にスポットする．次に酢酸エチル／エタノール(99.5)／水混液（8：2：1）を展開溶媒として約 7 cm 展開した後，薄層板を風乾する．これに噴霧用 4-ジメチルアミノベンズアルデヒド試液を均等に噴霧し，105℃で 5 分間加熱した後，紫外線（主波長 365 nm）を照射するとき，試料溶液から得た数個のスポットのうち 1 個のスポットは，標準溶液から得た黄色の蛍光を発するスポットと色調及び R_f 値が等しい（サイコ）.

(2) 次の i ）又は ii ）により試験を行う（ケイヒ）.

i ）乾燥エキス 10 g（軟エキスは 30 g）を 300 mL の硬質ガラスフラスコにとり，水 100 mL 及びシリコーン樹脂 1 mL を加えた後，精油定量器を装着し，定量器の上端に還流冷却器を付け，加熱し，沸騰させる．定量器の目盛り管には，あらかじめ水を基準線まで入れ，更にヘキサン 2 mL を加える．1 時間加熱還流した後，ヘキサン層をとり，試料溶液とする．別に薄層クロマトグラフィー用 (*E*)-シンナムアルデヒド 1 mg をメタノール 1 mL に溶かし，標準溶液とする．これらの液につき，薄層クロマトグラフィー〈*2.03*〉により試験を行う．試料溶液 20 μL 及び標準溶液 2 μL を薄層クロマトグラフィー用シリカゲルを用いて調製した薄層板にスポットする．次にヘキサン／ジエチルエーテル／メタノール混液（15：5：1）を展開溶媒として，約 7 cm 展開した後，薄層板を風乾する．これに 2,4-ジニトロフェニルヒドラジン試液を均等に噴霧するとき，試料溶液から得た数個のスポットのうち 1 個のスポットは，標準溶液から得た黄橙色～橙色のスポットと色調及び R_f 値が等しい.

ii ）乾燥エキス 2.0 g（軟エキスは 6.0 g）に水 10 mL を加えて振り混ぜた後，ヘキサン 5 mL を加えて振り混ぜ，遠心分離し，ヘキサン層を試料溶液とする．別に薄層クロマトグラフィー用 (*E*)-2-メトキシシンナムアルデヒド 1 mg をメタノール 1 mL に溶かし，標準溶液とする．これらの液につき，薄層クロマトグラフィー〈*2.03*〉により試験を行う．試料溶液 20 μL 及び標準溶液 2 μL を薄層クロマトグラフィー用シリカゲルを用いて調製した薄層板にスポットする．次にヘキサン／酢酸エチル混液（2：1）を展開溶媒として約 7 cm 展開した後，薄層板を風乾する．これに紫外線（主波長 365 nm）を照射するとき，試料溶液から得た数個のスポットのうち 1 個のスポットは，標準溶液から得た青白色の蛍光を発するスポットと色調及び R_f 値が等しい.

(3) 乾燥エキス 1.0 g（軟エキスは 3.0 g）に水 10 mL を加えて振り混ぜた後，ジエチルエーテル 25 mL を加えて振り混ぜる．ジエチルエーテル層を分取し，低圧（真空）で溶媒を留去した後，残留物にジエチルエーテル 2 mL を加えて試料溶液とする．別に薄層クロマトグラフィー用オウゴニン 1 mg をメタノール 1 mL に溶かし，標準溶液とする．これらの液につき，薄層クロマトグラフィー〈*2.03*〉により試験を行う．試料溶液 10 μL 及び標準溶液 2 μL を薄層クロマトグラフィー用シリカゲルを用いて調製した薄層板にスポットする．次にヘキサン／アセトン混液（7：5）を展開溶媒として約 7 cm 展開した後，薄層板を風乾する．これに塩化鉄（Ⅲ）・メタノール試液を均等に噴霧するとき，試料溶液から得た数個のスポットのうち 1 個のスポットは，標準溶液から得た黄褐色～灰褐色のスポットと色調及び R_f 値が等しい（オウゴン）．

(4)　乾燥エキス 1.0 g（軟エキスは 3.0 g）に水 10 mL を加えて振り混ぜた後，ジエチルエーテル 25 mL を加えて振り混ぜる．ジエチルエーテル層を分取し，低圧（真空）で溶媒を留去した後，残留物にジエチルエーテル 2 mL を加えて試料溶液とする．別に薄層クロマトグラフィー用［6］-ショーガオール 1 mg をメタノール 1 mL に溶かし，標準溶液とする．これらの液につき，薄層クロマトグラフィー〈*2.03*〉により試験を行う．試料溶液 20 μL 及び標準溶液 5 μL を薄層クロマトグラフィー用シリカゲルを用いて調製した薄層板にスポットする．次に酢酸エチル／ヘキサン混液（1：1）を展開溶媒として約 7 cm 展開した後，薄層板を風乾する．これに噴霧用 4-ジメチルアミノベンズアルデヒド試液を均等に噴霧し，105℃で 5 分間加熱した後，放冷し，水を噴霧するとき，試料溶液から得た数個のスポットのうち 1 個のスポットは，標準溶液から得た青緑色～灰緑色のスポットと色調及び R_f 値が等しい（カンキョウ）．

(5)　乾燥エキス 1.0 g（軟エキスは 3.0 g）に水 10 mL を加えて振り混ぜた後，1-ブタノール 10 mL を加えて振り混ぜ，遠心分離し，1-ブタノール層を試料溶液とする．別に薄層クロマトグラフィー用リクイリチン 1 mg をメタノール 1 mL に溶かし，標準溶液とする．これらの液につき，薄層クロマトグラフィー〈*2.03*〉により試験を行う．試料溶液及び標準溶液 1 μL ずつを薄層クロマトグラフィー用シリカゲルを用いて調製した薄層板にスポットする．次に酢酸エチル／メタノール／水混液（20：3：2）を展開溶媒として約 7 cm 展開した後，薄層板を風乾する．これに希硫酸を均等に噴霧し，105℃で 5 分間加熱した後，紫外線（主波長 365 nm）を照射するとき，試料溶液から得た数個のスポットのうち 1 個のスポットは，標準溶液から得た黄色～黄緑色の蛍光を発するスポットと色調及び R_f 値が等しい（カンゾウ）．

純度試験

(1) 重金属〈*1.07*〉　乾燥エキス 1.0 g（軟エキスは乾燥物として 1.0 g に対応する量）をとり，エキス剤（4）に従い検液を調製し，試験を行う（30 ppm 以下）．

(2) ヒ素〈*1.11*〉　乾燥エキス 0.67 g（軟エキスは乾燥物として 0.67 g に対応する

量）をとり，第3法により検液を調製し，試験を行う（3 ppm以下）．

乾燥減量〈*2.41*〉　乾燥エキス　9.5％以下（1 g，105℃，5時間）．

軟エキス　66.7％以下（1 g，105℃，5時間）．

灰　分〈*5.01*〉　換算した乾燥物に対し13.0％以下．

定 量 法

(1)　サイコサポニンb_2　乾燥エキス約0.5 g（軟エキスは乾燥物として約0.5 gに対応する量）を精密に量り，ジエチルエーテル20 mL及び水10 mLを加えて10分間振り混ぜる．これを遠心分離し，ジエチルエーテル層を除いた後，ジエチルエーテル20 mLを加えて同様に操作し，ジエチルエーテル層を除く．水層にメタノール10 mLを加えて30分間振り混ぜた後，遠心分離し，上澄液を分取する．残留物に薄めたメタノール（1→2）20 mLを加えて5分間振り混ぜた後，遠心分離し，上澄液を分取し，先の上澄液と合わせ，薄めたメタノール（1→2）を加えて正確に50 mLとし，試料溶液とする．別に定量用サイコサポニンb_2標準試液を標準溶液とする．試料溶液及び標準溶液10 μLずつを正確にとり，次の条件で液体クロマトグラフィー〈*2.01*〉により試験を行い，それぞれの液のサイコサポニンb_2のピーク面積A_T及びA_Sを測定する．

$$\text{サイコサポニン}\ b_2\ \text{の量（mg）} = C_S \times A_T / A_S \times 50$$

C_S：定量用サイコサポニンb_2標準試液中のサイコサポニンb_2の濃度（mg/mL）

試験条件

検出器：紫外吸光光度計（測定波長：254 nm）

カラム：内径4.6 mm，長さ15 cmのステンレス管に5 μmの液体クロマトグラフィー用オクタデシルシリル化シリカゲルを充塡する．

カラム温度：40℃付近の一定温度

移動相：0.05 mol/Lリン酸二水素ナトリウム試液/アセトニトリル混液（5：3）

流量：毎分1.0 mL

システム適合性

システムの性能：標準溶液10 μLにつき，上記の条件で操作するとき，サイコサポニンb_2のピークの理論段数及びシンメトリー係数は，それぞれ5000段以上，1.5以下である．

システムの再現性：標準溶液10 μLにつき，上記の条件で試験を6回繰り返すとき，サイコサポニンb_2のピーク面積の相対標準偏差は1.5％以下である．

(2)　バイカリン　乾燥エキス約0.1 g（軟エキスは乾燥物として約0.1 gに対応す

る量）を精密に量り，薄めたメタノール（7 → 10）50 mL を正確に加えて 15 分間振り混ぜた後，ろ過し，ろ液を試料溶液とする．別にバイカリン標準品（別途 10 mg につき，電量滴定法により水分〈*2.48*〉を測定しておく）約 10 mg を精密に量り，メタノールに溶かし，正確に 100 mL とする．この液 5 mL を正確に量り，薄めたメタノール（7 → 10）を加えて正確に 10 mL とし，標準溶液とする．試料溶液及び標準溶液 10 μL ずつを正確にとり，次の条件で液体クロマトグラフィー〈*2.01*〉により試験を行い，それぞれの液のバイカリンのピーク面積 A_T 及び A_S を測定する．

バイカリン（$C_{21}H_{18}O_{11}$）の量（mg）$= M_S \times A_T / A_S \times 1/4$

M_S：脱水物に換算したバイカリン標準品の秤取量（mg）

試験条件
検出器：紫外吸光光度計（測定波長：277 nm）
カラム：内径 4.6 mm，長さ 15 cm のステンレス管に 5 μm の液体クロマトグラフィー用オクタデシルシリル化シリカゲルを充填する．
カラム温度：40℃付近の一定温度
移動相：薄めたリン酸（1 → 200）/ アセトニトリル混液（19：6）
流量：毎分 1.0 mL
システム適合性
システムの性能：標準溶液 10 μL につき，上記の条件で操作するとき，バイカリンのピークの理論段数及びシンメトリー係数は，それぞれ 5000 段以上，1.5 以下である．
システムの再現性：標準溶液 10 μL につき，上記の条件で試験を 6 回繰り返すとき，バイカリンのピーク面積の相対標準偏差は 1.5％以下である．

(3)　グリチルリチン酸　次のⅰ）又はⅱ）により試験を行う．
ⅰ）乾燥エキス約 0.5 g（軟エキスは乾燥物として約 0.5 g に対応する量）を精密に量り，薄めたメタノール（1 → 2）50 mL を正確に加えて 15 分間振り混ぜた後，ろ過し，ろ液を試料溶液とする．別にグリチルリチン酸標準品（別途 10 mg につき，電量滴定法により水分〈*2.48*〉を測定しておく）約 10 mg を精密に量り，薄めたメタノール（1 → 2）に溶かして正確に 100 mL とし，標準溶液とする．試料溶液及び標準溶液 10 μL ずつを正確にとり，次の条件で液体クロマトグラフィー〈*2.01*〉により試験を行い，それぞれの液のグリチルリチン酸のピーク面積 A_T 及び A_S を測定する．

グリチルリチン酸（$C_{42}H_{62}O_{16}$）の量（mg）$= M_S \times A_T / A_S \times 1/2$

M_S：脱水物に換算したグリチルリチン酸標準品の秤取量（mg）

試験条件

検出器：紫外吸光光度計（測定波長：254 nm）

カラム：内径4.6 mm，長さ15 cmのステンレス管に5 μmの液体クロマトグラフィー用オクタデシルシリル化シリカゲルを充塡する．

カラム温度：40℃付近の一定温度

移動相：酢酸アンモニウム3.85 gを水720 mLに溶かし，酢酸（100）5 mL及びアセトニトリル280 mLを加える．

流量：毎分1.0 mL

システム適合性

システムの性能：分離確認用グリチルリチン酸一アンモニウム5 mgを希エタノール20 mLに溶かす．この液10 μLにつき，上記の条件で操作するとき，グリチルリチン酸に対する相対保持時間約0.9のピークとグリチルリチン酸の分離度は1.5以上である．また，薄層クロマトグラフィー用(*E*)-シンナムアルデヒド1 mg及び分離確認用バイカレイン1 mgをメタノール50 mLに溶かす．この液2 mLに標準溶液2 mLを加える．この液10 μLにつき，上記の条件で操作するとき，グリチルリチン酸のピーク以外に二つのピークを認め，グリチルリチン酸とそれぞれのピークの分離度は1.5以上である．

システムの再現性：標準溶液10 μLにつき，上記の条件で試験を6回繰り返すとき，グリチルリチン酸のピーク面積の相対標準偏差は1.5％以下である．

ii）乾燥エキス約0.5 g（軟エキスは乾燥物として約0.5 gに対応する量）を精密に量り，ジエチルエーテル20 mL及び水10 mLを加えて10分間振り混ぜる．これを遠心分離し，ジエチルエーテル層を除いた後，ジエチルエーテル20 mLを加えて同様に操作し，ジエチルエーテル層を除く．水層にメタノール10 mLを加えて30分間振り混ぜた後，遠心分離し，上澄液を分取する．残留物に薄めたメタノール（1→2）20 mLを加えて5分間振り混ぜた後，遠心分離し，上澄液を分取し，先の上澄液と合わせ，薄めたメタノール（1→2）を加えて正確に50 mLとし，試料溶液とする．別にグリチルリチン酸標準品（別途10 mgにつき，電量滴定法により水分〈*2.48*〉を測定しておく）約10 mgを精密に量り，薄めたメタノール（1→2）に溶かして正確に100 mLとし，標準溶液とする．試料溶液及び標準溶液10 μLずつを正確にとり，次の条件で液体クロマトグラフィー〈*2.01*〉により試験を行い，それぞれの液のグリチルリチン酸のピーク面積A_T及びA_Sを測定する．

グリチルリチン酸（$C_{42}H_{62}O_{16}$）の量（mg）$= M_S \times A_T / A_S \times 1/2$

M_S：脱水物に換算したグリチルリチン酸標準品の秤取量（mg）

試験条件
i）の試験条件を準用する．
システム適合性
システムの再現性はｉ）のシステム適合性を準用する．
システムの性能：分離確認用グリチルリチン酸一アンモニウム5 mgを希エタノール20 mLに溶かす．この液10 μLにつき，上記の条件で操作するとき，グリチルリチン酸に対する相対保持時間約0.9のピークとグリチルリチン酸の分離度は1.5以上である．

貯　法　容器　気密容器．

—————— 注　釈 ——————

本質　52　漢方製剤　更年期症候群改善薬，神経症改善薬
しばり　体力が弱く，冷え症，貧血気味で，動悸，息切れがあり，神経過敏な人心窩部より季肋下部にかけての軽度の苦満感（胸脇苦満）を訴える場合
適応症　更年期障害，神経症，不眠症の治療

医薬品各条の部　サンシシの条基原の項を次のように改める．

サ　ン　シ　シ

本品はクチナシ *Gardenia jasminoides* J. Ellis（*Rubiaceae*）の果実で，ときには湯通し又は蒸したものである．
本品は定量するとき，換算した生薬の乾燥物に対し，ゲニポシド2.7%以上を含む．

医薬品各条の部　サンシュユの条定量法の項を次のように改める．

サ　ン　シ　ュ　ユ

定 量 法　本品（別途乾燥減量〈*5.01*〉を測定しておく）を細切以下にし，その約1 gを精密に量り，共栓遠心沈殿管にとり，薄めたメタノール（1→2）30 mLを

加えて20分間振り混ぜた後，遠心分離し，上澄液を分取する．残留物に薄めたメタノール（1→2）30 mLを加えて同様に操作し，これを2回繰り返す．全抽出液を合わせ，薄めたメタノール（1→2）を加えて正確に100 mLとし，試料溶液とする．別に定量用ロガニン約10 mgを精密に量り，薄めたメタノール（1→2）に溶かして正確に100 mLとし，標準溶液とする．試料溶液及び標準溶液10 μLずつを正確にとり，次の条件で液体クロマトグラフィー〈*2.01*〉により試験を行い，それぞれの液のロガニンのピーク面積A_T及びA_Sを測定する．

ロガニンの量（mg）＝$M_S \times A_T / A_S$

M_S：qNMRで含量換算した定量用ロガニンの秤取量（mg）

試験条件

検出器：紫外吸光光度計（測定波長：238 nm）

カラム：内径4.6 mm，長さ15 cmのステンレス管に5 μmの液体クロマトグラフィー用オクタデシルシリル化シリカゲルを充塡する．

カラム温度：50℃付近の一定温度

移動相：水／アセトニトリル／メタノール混液（55：4：1）

流量：ロガニンの保持時間が約25分になるように調整する．

システム適合性

システムの性能：標準溶液10 μLにつき，上記の条件で操作するとき，ロガニンのピークの理論段数及びシンメトリー係数は，それぞれ5000段以上，1.5以下である．

システムの再現性：標準溶液10 μLにつき，上記の条件で試験を6回繰り返すとき，ロガニンのピーク面積の相対標準偏差は1.5％以下である．

医薬品各条の部　シャカンゾウの条生薬の性状の項を次のように改める．

シャカンゾウ

生薬の性状　本品は通例，切断したもので，外面は，周皮が残存するものでは暗褐色～暗赤褐色で縦じわがあり，周皮が脱落したものでは淡黄褐色～褐色で繊維性である．横切面は淡黄褐色～褐色で，皮部と木部の境界がほぼ明らかで，放射状の構造を呈し，しばしば放射状に裂け目がある．

本品は香ばしいにおいがあり，味は甘く，後にやや苦い．

医薬品各条の部　ジャショウシの条ラテン名の項を次のように改める．

ジ ャ シ ョ ウ シ

CNIDII MONNIERI FRUCTUS

医薬品各条の部　シャゼンソウの条生薬の性状の項を次のように改める．

シ ャ ゼ ン ソ ウ

生薬の性状　本品は，通例，縮んでしわのよった葉及び花茎からなり，灰緑色～暗黄緑色を呈する．水に浸してしわを伸ばすと，葉身は卵形～広卵形で，長さ 4 ～ 15 cm，幅 3 ～ 8 cm，先端は鋭形，基部は急に細まり，辺縁はやや波状を呈し，明らかな平行脈があり，無毛又はほとんど無毛である．葉柄は葉身よりやや長く，基部はやや膨らんで薄膜性の葉鞘を付ける．花茎は長さ 10 ～ 50 cm で，上部の 1/3 ～ 1/2 は穂状花序となり，小形の花を密に付け，しばしば花序の下部は結実してがい果を付ける．根は，通例，切除されているが，付けているものでは細いものが密生する．

本品は僅かににおいがあり，味はほとんどない．

医薬品各条の部　ショウキョウの条定量法の項を次のように改める．

シ ョ ウ キ ョ ウ

定 量 法　本品（別途 105℃，5 時間で乾燥減量〈*5.01*〉を測定しておく）の粉末約 1 g を精密に量り，共栓遠心沈殿管にとり，メタノール / 水混液（3：1）30 mL を加えて 20 分間振り混ぜた後，遠心分離し，上澄液を分取する．残留物にメタノール / 水混液（3：1）30 mL を加えて，更にこの操作を 2 回繰り返す．全抽出液を合わせ，メタノール / 水混液（3：1）を加えて正確に 100 mL とし，試料溶液とする．別に定量用 [6]-ギンゲロール 5 mg を精密に量り，メタノール / 水混液（3：1）に溶かして正確に 100 mL とし，標準溶液とする．試料溶液及び標準溶液 10 μL ずつを正確にとり，次の条件で液体クロマトグラフィー〈*2.01*〉により試験を行い，それぞれの液の [6]-ギンゲロールのピーク面積 A_T 及び A_S を測定する．

$$[6]\text{-ギンゲロールの量 (mg)} = M_S \times A_T / A_S$$

M_S：qNMR で含量換算した定量用［6]-ギンゲロールの秤取量（mg）

試験条件
検出器：紫外吸光光度計（測定波長：205 nm）
カラム：内径 4.6 mm，長さ 15 cm のステンレス管に 5 μm の液体クロマトグラフィー用オクタデシルシリル化シリカゲルを充塡する．
カラム温度：40℃付近の一定温度
移動相：水／アセトニトリル／リン酸混液（3800：2200：1）
流量：[6]-ギンゲロールの保持時間が約 19 分になるように調整する．
システム適合性
システムの性能：標準溶液 10 μL につき，上記の条件で操作するとき，[6]-ギンゲロールのピークの理論段数及びシンメトリー係数は，それぞれ 5000 段以上，1.5 以下である．
システムの再現性：標準溶液 10 μL につき，上記の条件で試験を 6 回繰り返すとき，[6]-ギンゲロールのピーク面積の相対標準偏差は 1.5％以下である．

医薬品各条の部　ショウキョウ末の条定量法の項を次のように改める．

ショウキョウ末

定 量 法　本品（別途 105℃，5 時間で乾燥減量〈*5.01*〉を測定しておく）約 1 g を精密に量り，共栓遠心沈殿管にとり，メタノール／水混液（3：1）30 mL を加えて 20 分間振り混ぜた後，遠心分離し，上澄液を分取する．残留物にメタノール／水混液（3：1）30 mL を加えて，更にこの操作を 2 回繰り返す．全抽出液を合わせ，メタノール／水混液（3：1）を加えて正確に 100 mL とし，試料溶液とする．別に定量用［6]-ギンゲロール 5 mg を精密に量り，メタノール／水混液（3：1）に溶かして正確に 100 mL とし，標準溶液とする．試料溶液及び標準溶液 10 μL ずつを正確にとり，次の条件で液体クロマトグラフィー〈*2.01*〉により試験を行い，それぞれの液の［6]-ギンゲロールのピーク面積 A_T 及び A_S を測定する．

$$[6]\text{-ギンゲロールの量 (mg)} = M_S \times A_T / A_S$$

M_S：qNMR で含量換算した定量用［6]-ギンゲロールの秤取量（mg）

試験条件

検出器：紫外吸光光度計（測定波長：205 nm）

カラム：内径 4.6 mm，長さ 15 cm のステンレス管に 5 μm の液体クロマトグラフィー用オクタデシルシリル化シリカゲルを充塡する．

カラム温度：40℃付近の一定温度

移動相：水／アセトニトリル／リン酸混液（3800：2200：1）

流量：[6]-ギンゲロールの保持時間が約 19 分になるように調整する．

システム適合性

システムの性能：標準溶液 10 μL につき，上記の条件で操作するとき，[6]-ギンゲロールのピークの理論段数及びシンメトリー係数は，それぞれ 5000 段以上，1.5 以下である．

システムの再現性：標準溶液 10 μL につき，上記の条件で試験を 6 回繰り返すとき，[6]-ギンゲロールのピーク面積の相対標準偏差は 1.5％以下である．

医薬品各条の部　ショウズクの条日本名別名の項を次のように改める．

シ　ョ　ウ　ズ　ク

小豆蔻

小豆蔻

小豆蔻

小豆蔻

医薬品各条の部　ショウマの条純度試験の項（3）の目を次のように改める．

シ　ョ　ウ　マ

純度試験

(3)　*Astilbe* 属植物及びその他の根茎　本品の粉末を鏡検〈*5.01*〉するとき，シュウ酸カルシウムの集晶を認めない．

医薬品各条の部　真武湯エキスの条定量法の項（2）の目を次のように改める.

真 武 湯 エ キ ス

定 量 法

(2)　[6]-ギンゲロール　本品約 0.5 g を精密に量り，薄めたメタノール（7 → 10）50 mL を正確に加えて 15 分間振り混ぜた後，ろ過し，ろ液を試料溶液とする．別に定量用［6］-ギンゲロール約 10 mg を精密に量り，メタノールに溶かし，正確に 100 mL とする．この液 5 mL を正確に量り，メタノールを加えて正確に 50 mL とし，標準溶液とする．試料溶液及び標準溶液 10 μL ずつを正確にとり，次の条件で液体クロマトグラフィー〈*2.01*〉により試験を行い，それぞれの液の［6］-ギンゲロールのピーク面積 A_T 及び A_S を測定する．

[6]-ギンゲロールの量（mg）$= M_S \times A_T / A_S \times 1/20$

M_S：qNMR で含量換算した定量用［6］-ギンゲロールの秤取量（mg）

試験条件

検出器：紫外吸光光度計（測定波長：282 nm）

カラム：内径 4.6 mm，長さ 15 cm のステンレス管に 5 μm の液体クロマトグラフィー用オクタデシルシリル化シリカゲルを充塡する．

カラム温度：30℃付近の一定温度

移動相：水／アセトニトリル／リン酸混液（620：380：1）

流量：毎分 1.0 mL（[6]-ギンゲロールの保持時間約 15 分）

システム適合性

システムの性能：標準溶液 10 μL につき，上記の条件で操作するとき，[6]-ギンゲロールのピークの理論段数及びシンメトリー係数は，それぞれ 5000 段以上，1.5 以下である．

システムの再現性：標準溶液 10 μL につき，上記の条件で試験を 6 回繰り返すとき，[6]-ギンゲロールのピーク面積の相対標準偏差は 1.5％以下である．

医薬品各条の部　センナの条生薬の性状の項及び確認試験の項（2）の目を次のように改める.

セ　ン　ナ

生薬の性状　本品はひ針形〜狭ひ針形を呈し，長さ1.5〜5 cm，幅0.5〜1.5 cm，淡灰黄色〜淡灰黄緑色である．全縁で先端はとがり，基部は非相称，小葉柄は短い．ルーペ視するとき，葉脈は浮き出て，一次側脈は辺縁に沿って上昇し，直上の側脈に合一する．下面は僅かに毛がある．

本品は弱いにおいがあり，味は苦い．

本品の横切片を鏡検〈*5.01*〉するとき，両面の表皮は厚いクチクラを有し，多数の気孔及び厚壁で表面に粒状突起のある単細胞毛があり，表皮細胞はしばしば葉面に平行な隔壁によって2層に分かれ，内層に粘液を含む．両面の表皮下には1細胞層の柵状組織があり，海綿状組織は3〜4細胞層からなり，シュウ酸カルシウムの集晶及び単晶を含む．維管束に接する細胞は結晶細胞列を形成する．

確認試験

(2)　本品の粉末2 gにテトラヒドロフラン／メタノール／希塩酸混液（16：4：1）20 mLを加えて5分間振り混ぜた後，ろ過し，ろ液を試料溶液とする．別にセンノシドA標準品又は薄層クロマトグラフィー用センノシドA 1 mgをテトラヒドロフラン／水混液（7：3）1 mLに溶かし，標準溶液とする．これらの液につき，薄層クロマトグラフィー〈*2.03*〉により試験を行う．試料溶液及び標準溶液5 μLずつを薄層クロマトグラフィー用シリカゲルを用いて調製した薄層板にスポットする．次に1-プロパノール／酢酸エチル／水／酢酸（100）混液（40：40：30：1）を展開溶媒として約7 cm展開した後，薄層板を風乾する．これに紫外線（主波長365 nm）を照射するとき，試料溶液から得た数個のスポットのうち1個のスポットは，標準溶液から得た赤色〜暗赤色の蛍光を発するスポットと色調及びR_f値が等しい．

医薬品各条の部　センナ末の条確認試験の項（2）の目を次のように改める.

セ　ン　ナ　末

確認試験

(2)　本品2 gにテトラヒドロフラン／メタノール／希塩酸混液（16：4：1）20 mLを加えて5分間振り混ぜた後，ろ過し，ろ液を試料溶液とする．別にセンノシドＡ標準品又は薄層クロマトグラフィー用センノシドＡ 1 mg をテトラヒドロフラン／水混液（7：3）1 mL に溶かし，標準溶液とする．これらの液につき，薄層クロマトグラフィー〈*2.03*〉により試験を行う．試料溶液及び標準溶液 5 μL ずつを薄層クロマトグラフィー用シリカゲルを用いて調製した薄層板にスポットする．次に 1-プロパノール／酢酸エチル／水／酢酸（100）混液（40：40：30：1）を展開溶媒として約 7 cm 展開した後，薄層板を風乾する．これに紫外線（主波長 365 nm）を照射するとき，試料溶液から得た数個のスポットのうち 1 個のスポットは，標準溶液から得た赤色〜暗赤色の蛍光を発するスポットと色調及び R_f 値が等しい．

医薬品各条の部　無コウイ大建中湯エキスの条定量法の項（2）の目を次のように改める．

無コウイ大建中湯エキス

定 量 法

（2）［6］-ショーガオール　本品約 0.5 g を精密に量り，薄めたメタノール（3 → 4）50 mL を正確に加えて 15 分間振り混ぜた後，遠心分離し，上澄液を試料溶液とする．別に定量用［6］-ショーガオール約 10 mg を精密に量り，薄めたメタノール（3 → 4）に溶かし，正確に 100 mL とする．この液 10 mL を正確にとり，薄めたメタノール（3 → 4）を加えて正確に 50 mL とし，標準溶液とする．試料溶液及び標準溶液 20 μL ずつを正確にとり，次の条件で液体クロマトグラフィー〈*2.01*〉により試験を行い，それぞれの液の［6］-ショーガオールのピーク面積 A_T 及び A_S を測定する．

［6］-ショーガオールの量（mg）$= M_S \times A_T / A_S \times 1/10$

M_S：qNMR で含量換算した定量用［6］-ショーガオールの秤取量（mg）

試験条件

検出器：紫外吸光光度計（測定波長：225 nm）

カラム：内径 4.6 mm，長さ 15 cm のステンレス管に 5 μm の液体クロマトグラフィー用オクチルシリル化シリカゲルを充填する．

カラム温度：50℃付近の一定温度

移動相：シュウ酸二水和物 0.1 g を水 600 mL に溶かした後，アセトニトリル 400 mL を加える．

流量：毎分 1.0 mL（[6]-ショーガオールの保持時間約 30 分）
システム適合性
システムの性能：標準溶液 20 μL につき，上記の条件で操作するとき，[6]-ショーガオールのピークの理論段数及びシンメトリー係数は，それぞれ 5000 段以上，1.5 以下である．
システムの再現性：標準溶液 20 μL につき，上記の条件で試験を 6 回繰り返すとき，[6]-ショーガオールのピーク面積の相対標準偏差は 1.5% 以下である．

医薬品各条の部　チョウジの条基原の項を次のように改める．

チ　ョ　ウ　ジ

本品はチョウジ *Syzygium aromaticum* Merrill et L. M. Perry（*Eugenia caryophyllata* Thunberg）（*Myrtaceae*）のつぼみである．

医薬品各条の部　チョウジ油の条基原の項を次のように改める．

チ　ョ　ウ　ジ　油

本品はチョウジ *Syzygium aromaticum* Merrill et L. M. Perry（*Eugenia caryophyllata* Thunberg）（*Myrtaceae*）のつぼみ又は葉を水蒸気蒸留して得た精油である．
本品は定量するとき，総オイゲノール 80.0 vol% 以上を含む．

医薬品各条の部　チョウトウコウの条定量法の項を次のように改める．

チ　ョ　ウ　ト　ウ　コ　ウ

定 量 法　本品の中末約 0.2 g を精密に量り，共栓遠心沈殿管にとり，メタノール / 希酢酸混液（7：3）30 mL を加えて 30 分間振り混ぜた後，遠心分離し，上澄液を分取する．残留物にメタノール / 希酢酸混液（7：3）10 mL を加えて更に 2 回，同様に操作する．全抽出液を合わせ，メタノール / 希酢酸混液（7：3）を加えて正確に 50 mL とし，試料溶液とする．別に定量用リンコフィリン約 5 mg を精密に量り，メタノール / 希酢酸混液（7：3）に溶かして正確に 100 mL とする．この液

1 mLを正確に量り，メタノール / 希酢酸混液（7：3）を加えて正確に10 mLとし，標準溶液（1）とする．別にヒルスチン1 mgをメタノール / 希酢酸混液（7：3）100 mLに溶かし，標準溶液（2）とする．試料溶液，標準溶液（1）及び標準溶液（2）20 μLずつを正確にとり，次の条件で液体クロマトグラフィー〈*2.01*〉により試験を行う．試料溶液のリンコフィリン及びヒルスチンのピーク面積A_{Ta}及びA_{Tb}並びに標準溶液（1）のリンコフィリンのピーク面積A_Sを測定する．

総アルカロイド（リンコフィリン及びヒルスチン）の量（mg）

$$= M_S \times (A_{Ta} + 1.405A_{Tb}) / A_S \times 1/20$$

M_S：定量用リンコフィリンの秤取量（mg）

試験条件

検出器：紫外吸光光度計（測定波長：245 nm）

カラム：内径4.6 mm，長さ25 cmのステンレス管に5 μmの液体クロマトグラフィー用オクタデシルシリル化シリカゲルを充塡する．

カラム温度：40℃付近の一定温度

移動相：酢酸アンモニウム3.85 gを水200 mLに溶かし，酢酸（100）10 mLを加え，水を加えて1000 mLとする．この液にアセトニトリル350 mLを加える．

流量：リンコフィリンの保持時間が約17分になるように調整する．

システム適合性

システムの性能：定量用リンコフィリン5 mgをメタノール / 希酢酸混液（7：3）100 mLに溶かす．この液5 mLにアンモニア水（28）1 mLを加えて50℃で2時間加熱，又は還流冷却器を付けて10分間加熱する．冷後，反応液1 mLを量り，メタノール / 希酢酸混液（7：3）を加えて5 mLとする．この液20 μLにつき，上記の条件で操作するとき，リンコフィリン以外にイソリンコフィリンのピークを認め，リンコフィリンとイソリンコフィリンの分離度は1.5以上である．

システムの再現性：標準溶液（1）20 μLにつき，上記の条件で試験を6回繰り返すとき，リンコフィリンのピーク面積の相対標準偏差は1.5％以下である．

医薬品各条の部　桃核承気湯エキスの条定量法の項（1）の目を次のように改める．

桃核承気湯エキス

定量法

(1)　アミグダリン　本品約0.5 gを精密に量り，薄めたメタノール（1→2）50 mLを正確に加えて15分間振り混ぜた後，ろ過する．ろ液5 mLを正確に量り，あらかじめ，カラムクロマトグラフィー用ポリアミド2 gを用いて調製したカラムに入れ，水で流出させ，流出液を正確に20 mLとし，試料溶液とする．別に定量用アミグダリン約10 mgを精密に量り，薄めたメタノール（1→2）に溶かして正確に50 mLとし，標準溶液とする．試料溶液及び標準溶液10 μLずつを正確にとり，次の条件で液体クロマトグラフィー〈*2.01*〉により試験を行い，それぞれの液のアミグダリンのピーク面積A_T及びA_Sを測定する．

アミグダリンの量（mg）$= M_S \times A_T / A_S \times 4$

M_S：定量用アミグダリンの秤取量（mg）

試験条件
検出器：紫外吸光光度計（測定波長：210 nm）
カラム：内径4.6 mm，長さ15 cmのステンレス管に5 μmの液体クロマトグラフィー用オクタデシルシリル化シリカゲルを充塡する．
カラム温度：45℃付近の一定温度
移動相：0.05 mol/Lリン酸二水素ナトリウム試液／メタノール混液（5：1）
流量：毎分0.8 mL（アミグダリンの保持時間約12分）

システム適合性
システムの性能：標準溶液10 μLにつき，上記の条件で操作するとき，アミグダリンのピークの理論段数及びシンメトリー係数は，それぞれ5000段以上，1.5以下である．
システムの再現性：標準溶液10 μLにつき，上記の条件で試験を6回繰り返すとき，アミグダリンのピーク面積の相対標準偏差は1.5％以下である．

医薬品各条の部　トウニンの条定量法の項を次のように改める．

ト　ウ　ニ　ン

定量法　本品をすりつぶし，その約0.5 gを精密に量り，薄めたメタノール（9→10）40 mLを加え，直ちに還流冷却器を付けて30分間加熱し，冷後，ろ過し，薄めたメタノール（9→10）を加えて正確に50 mLとする．この液5 mLを正確に量り，水を加えて正確に10 mLとした後，試料溶液とする．別に定量用アミグダリン約10 mgを精密に量り，薄めたメタノール（1→2）に溶かして正確に50 mLとし，標準溶液とする．試料溶液及び標準溶液10 µLずつを正確にとり，次の条件で液体クロマトグラフィー〈*2.01*〉により試験を行い，それぞれの液のアミグダリンのピーク面積A_T及びA_Sを測定する．

$$アミグダリンの量 (mg) = M_S \times A_T / A_S \times 2$$

M_S：定量用アミグダリンの秤取量（mg）

試験条件
　検出器：紫外吸光光度計（測定波長：210 nm）
　カラム：内径4.6 mm，長さ15 cmのステンレス管に5 µmの液体クロマトグラフィー用オクタデシルシリル化シリカゲルを充塡する．
　カラム温度：45℃付近の一定温度
　移動相：0.05 mol/Lリン酸二水素ナトリウム試液/メタノール混液（5：1）
　流量：毎分0.8 mL（アミグダリンの保持時間約12分）
システム適合性
　システムの性能：標準溶液10 µLにつき，上記の条件で操作するとき，アミグダリンのピークの理論段数及びシンメトリー係数は，それぞれ5000段以上，1.5以下である．
　システムの再現性：標準溶液10 µLにつき，上記の条件で試験を6回繰り返すとき，アミグダリンのピーク面積の相対標準偏差は1.5％以下である．

医薬品各条の部　トウニン末の条定量法の項を次のように改める．

ト　ウ　ニ　ン　末

定量法　本品約0.5 gを精密に量り，薄めたメタノール（9→10）40 mLを加え，直ちに還流冷却器を付けて30分間加熱し，冷後，ろ過し，薄めたメタノール（9 → 10）を加えて正確に50 mLとする．この液5 mLを正確に量り，水を加えて正確に10 mLとした後，試料溶液とする．別に定量用アミグダリン約10 mgを精密に量り，薄めたメタノール（1 → 2）に溶かして正確に50 mLとし，標準溶液とする．試料溶液及び標準溶液10 µLずつを正確にとり，次の条件で液体クロマトグラフィー〈*2.01*〉により試験を行い，それぞれの液のアミグダリンのピーク面積A_T及びA_Sを測定する．

アミグダリンの量（mg）$= M_S \times A_T / A_S \times 2$

M_S：定量用アミグダリンの秤取量（mg）

試験条件
検出器：紫外吸光光度計（測定波長：210 nm）
カラム：内径4.6 mm，長さ15 cmのステンレス管に5 µmの液体クロマトグラフィー用オクタデシルシリル化シリカゲルを充塡する．
カラム温度：45℃付近の一定温度
移動相：0.05 mol/Lリン酸二水素ナトリウム試液 / メタノール混液（5：1）
流量：毎分0.8 mL（アミグダリンの保持時間約12分）
システム適合性
システムの性能：標準溶液10 µLにつき，上記の条件で操作するとき，アミグダリンのピークの理論段数及びシンメトリー係数は，それぞれ5000段以上，1.5以下である．
システムの再現性：標準溶液10 µLにつき，上記の条件で試験を6回繰り返すとき，アミグダリンのピーク面積の相対標準偏差は1.5％以下である．

医薬品各条の部　ニガキの条生薬の性状の項の次に次を加える．

ニ　ガ　キ

確認試験　本品の粉末0.1 gにメタノール5 mLを加えて5分間振り混ぜた後，ろ過し，ろ液を試料溶液とする．この液につき，薄層クロマトグラフィー〈*2.03*〉により試験を行う．試料溶液2 µLを薄層クロマトグラフィー用シリカゲルを用いて調製した薄層板にスポットする．次に酢酸エチル / ヘキサン混液（20：1）を展開溶媒として約7 cm展開した後，薄層板を風乾する．これに紫外線（主波長365 nm）を照射するとき，R_f値0.35付近に青白色の蛍光を発するスポットを認める．

医薬品各条の部　ニガキ末の条生薬の性状の項の次に次を加える．

ニ　ガ　キ　末

確認試験　本品 0.1 g にメタノール 5 mL を加えて 5 分間振り混ぜた後，ろ過し，ろ液を試料溶液とする．この液につき，薄層クロマトグラフィー〈*2.03*〉により試験を行う．試料溶液 2 μL を薄層クロマトグラフィー用シリカゲルを用いて調製した薄層板にスポットする．次に酢酸エチル / ヘキサン混液（20：1）を展開溶媒として約 7 cm 展開した後，薄層板を風乾する．これに紫外線（主波長 365 nm）を照射するとき，R_f 値 0.35 付近に青白色の蛍光を発するスポットを認める．

医薬品各条の部　ニクズクの条日本名別名の項を次のように改める．

ニ　ク　ズ　ク

肉豆蔲

肉豆蒄

肉豆寇

肉豆蔻

医薬品各条の部　八味地黄丸エキスの条定量法の項（1）の目を次のように改める．

八味地黄丸エキス

定 量 法

(1)　ロガニン　乾燥エキス約 0.5 g（軟エキスは乾燥物として約 0.5 g に対応する量）を精密に量り，薄めたメタノール（1 → 2）50 mL を正確に加えて 15 分間振り混ぜた後，ろ過し，ろ液を試料溶液とする．別に定量用ロガニン約 10 mg を精密に量り，薄めたメタノール（1 → 2）に溶かして正確に 100 mL とし，標準溶液とする．試料溶液及び標準溶液 10 μL ずつを正確にとり，次の条件で液体クロマトグラフィー〈*2.01*〉により試験を行い，それぞれの液のロガニンのピーク面積 A_T 及び A_S を測定する．

ロガニンの量（mg）$= M_S \times A_T / A_S \times 1/2$

M_S：qNMRで含量換算した定量用ロガニンの秤取量（mg）

試験条件

検出器：紫外吸光光度計（測定波長：238 nm）

カラム：内径4.6 mm，長さ15 cmのステンレス管に5 μmの液体クロマトグラフィー用オクタデシルシリル化シリカゲルを充塡する．

カラム温度：50℃付近の一定温度

移動相：水/アセトニトリル/メタノール混液（55：4：1）

流量：毎分1.2 mL（ロガニンの保持時間約25分）

システム適合性

システムの性能：標準溶液10 μLにつき，上記の条件で操作するとき，ロガニンのピークの理論段数及びシンメトリー係数は，それぞれ5000段以上，1.5以下である．

システムの再現性：標準溶液10 μLにつき，上記の条件で試験を6回繰り返すとき，ロガニンのピーク面積の相対標準偏差は1.5%以下である．

医薬品各条の部　ハマボウフウの条基原の項を次のように改める．

ハマボウフウ

本品はハマボウフウ *Glehnia littoralis* F. Schmidt ex Miquel（*Umbelliferae*）の根及び根茎である．

医薬品各条の部　半夏厚朴湯エキスの条定量法の項(3)の目を次のように改める．

半夏厚朴湯エキス

定量法

(3)　［6］-ギンゲロール　乾燥エキス約0.5 g（軟エキスは乾燥物として約0.5 gに対応する量）を精密に量り，薄めたメタノール（7→10）50 mLを正確に加えて15分間振り混ぜた後，ろ過し，ろ液を試料溶液とする．別に定量用［6］-ギンゲロール約10 mgを精密に量り，メタノールに溶かし，正確に100 mLとする．この液5 mLを正確に量り，メタノールを加えて正確に50 mLとし，標準溶液とする．試料溶液及び標準溶液10 μLずつを正確にとり，次の条件で液体クロマトグラフィー〈*2.01*〉により試験を行い，それぞれの液の［6］-ギンゲロールのピーク面積A_T及びA_Sを測定する．

［6］-ギンゲロールの量（mg）$= M_S \times A_T / A_S \times 1/20$

M_S：qNMRで含量換算した定量用［6］-ギンゲロールの秤取量（mg）

試験条件

検出器：紫外吸光光度計（測定波長：282 nm）

カラム：内径4.6 mm，長さ15 cmのステンレス管に5 μmの液体クロマトグラフィー用オクタデシルシリル化シリカゲルを充塡する．

カラム温度：30℃付近の一定温度

移動相：水/アセトニトリル/リン酸混液（620：380：1）

流量：毎分1.0 mL（［6］-ギンゲロールの保持時間約15分）

システム適合性

システムの性能：標準溶液10 μLにつき，上記の条件で操作するとき，［6］-ギンゲロールのピークの理論段数及びシンメトリー係数は，それぞれ5000段以上，1.5以下である．

システムの再現性：標準溶液10 μLにつき，上記の条件で試験を6回繰り返すとき，［6］-ギンゲロールのピーク面積の相対標準偏差は1.5％以下である．

医薬品各条の部　ボウイの条基原の項を次のように改める．

ボ　ウ　イ

本品はオオツヅラフジ *Sinomenium acutum* Rehder et E. H. Wilson (*Menispermaceae*)のつる性の茎及び根茎を，通例，横切したものである．

医薬品各条の部　麻黄湯エキスの条定量法の項（2）の目を次のように改める．

麻　黄　湯　エ　キ　ス

定 量 法

（2）　アミグダリン　乾燥エキス約0.5 g（軟エキスは乾燥物として約0.5 gに対応する量）を精密に量り，薄めたメタノール（1 → 2）50 mLを正確に加えて15分間振り混ぜた後，ろ過する．ろ液5 mLを正確に量り，あらかじめ，カラムクロマトグラフィー用ポリアミド2 gを用いて調製したカラムに入れ，水で流出させ，流出液を正確に20 mLとし，試料溶液とする．別に定量用アミグダリン約10 mgを精密に量り，薄めたメタノール（1 → 2）に溶かして正確に50 mLとし，標準溶液とする．試料溶液及び標準溶液10 μLずつを正確にとり，次の条件で液体クロマトグラフィー〈*2.01*〉により試験を行い，それぞれの液のアミグダリンのピーク面積A_T及びA_Sを測定する．

アミグダリンの量（mg）$= M_S \times A_T / A_S \times 4$

M_S：定量用アミグダリンの秤取量（mg）

試験条件

検出器：紫外吸光光度計（測定波長：210 nm）

カラム：内径4.6 mm，長さ15 cmのステンレス管に5 μmの液体クロマトグラフィー用オクタデシルシリル化シリカゲルを充塡する．

カラム温度：45℃付近の一定温度

移動相：0.05 mol/Lリン酸二水素ナトリウム試液 / メタノール混液（5：1）

流量：毎分0.8 mL（アミグダリンの保持時間約12分）

システム適合性

システムの性能：標準溶液10 μLにつき，上記の条件で操作するとき，アミグダリンのピークの理論段数及びシンメトリー係数は，それぞれ5000段以上，1.5以下である．

システムの再現性：標準溶液10 μLにつき，上記の条件で試験を6回繰り返すとき，アミグダリンのピーク面積の相対標準偏差は1.5％以下である．

医薬品各条の部　モクツウの条基原の項を次のように改める．

モ　ク　ツ　ウ

本品はアケビ *Akebia quinata* Decaisne，ミツバアケビ *Akebia trifoliata* Koidzumi 又はそれらの種間雑種（*Lardizabalaceae*）のつる性の茎を，通例，横切したものである．

医薬品各条の部　ヤクチの条生薬の性状の項の次に次を加える．

ヤ　ク　チ

確認試験　本品の粉末1.0 g に水 / メタノール混液（1：1）6 mL 及びヘキサン 3 mL を加えて5分間振り混ぜた後，遠心分離し，上澄液の上層を試料溶液とする．別に薄層クロマトグラフィー用ノオトカトン 1 mg をヘキサン 1 mL に溶かし，標準溶液とする．これらの液につき，薄層クロマトグラフィー〈*2.03*〉により試験を行う．試料溶液 20 µL 及び標準溶液 10 µL を薄層クロマトグラフィー用シリカゲルを用いて調製した薄層板にスポットする．次にヘキサン / 酢酸エチル混液（3：1）を展開溶媒として約 7 cm 展開した後，薄層板を風乾する．これに 2,4-ジニトロフェニルヒドラジン試液を均等に噴霧するとき，試料溶液から得た数個のスポットのうち1個のスポットは，標準溶液から得たスポットと色調及び R_f 値が等しい．

医薬品各条の部　ヤクモソウの条生薬の性状の項を次のように改める．

ヤ　ク　モ　ソ　ウ

生薬の性状　本品は茎，葉及び花からなり，通例，横切したもの．茎は方柱形で，径0.2～3 cm，黄緑色～緑褐色を呈し，白色の短毛を密生する．髄は白色で切面中央部の多くを占める．質は軽い．葉は対生し，有柄で3全裂～3深裂し，裂片は羽状に裂け，終裂片は線状ひ針形で，先端は鋭形，又は鋭尖形，上面は淡緑色を呈し，下面は白色の短毛を密生し，灰緑色を呈する．花は輪生し，がくは筒状で上端は針状に5裂し，淡緑色～淡緑褐色，花冠は唇形で淡赤紫色～淡褐色を呈する．

本品は僅かににおいがあり，味は僅かに苦く，収れん性である．

本品の茎の横切片を鏡検〈*5.01*〉するとき，四稜を認め，*Leonurus sibiricus* の稜は一部がこぶ状に突出する．表皮には，1～3細胞からなる非腺毛，頭部が1～

4 細胞からなる腺毛及び 8 細胞からなる腺りんが認められる．稜部では表皮下に厚角組織が発達し，木部繊維の発達が著しい．皮層は数細胞層の柔細胞からなる．維管束は並立維管束で，ほぼ環状に配列する．師部の外側には師部繊維を認める．皮層及び髄中の柔細胞にシュウ酸カルシウムの針晶又は板状晶が認められる．

医薬品各条の部　抑肝散エキスの条の次に次の一条を加える．

抑肝散加陳皮半夏エキス

Yokukansankachimpihange Extract

本品は定量するとき，製法の項に規定した分量で製したエキス当たり，サイコサポニン b_2 0.6 ～ 2.4 mg，グリチルリチン酸（$C_{42}H_{62}O_{16}$：822.93）10 ～ 30 mg 及びヘスペリジン 18 ～ 72 mg を含む．

製　法

	1)	2)
トウキ	3 g	3 g
チョウトウコウ	3 g	3 g
センキュウ	3 g	3 g
ビャクジュツ	4 g	−
ソウジュツ	−	4 g
ブクリョウ	4 g	4 g
サイコ	2 g	2 g
カンゾウ	1.5 g	1.5 g
チンピ	3 g	3 g
ハンゲ	5 g	5 g

1）又は 2）の処方に従い生薬をとり，エキス剤の製法により乾燥エキス又は軟エキスとする．

性　状　乾燥エキス　本品は灰褐色～帯赤黄褐色の粉末で，特異なにおいがあり，味は初め甘く，僅かに辛く，後に苦い．

軟エキス　本品は褐色の粘性のある液体で，特異なにおいがあり，味は苦く，僅かに甘い．

確認試験

(1)　乾燥エキス 2.0 g（軟エキスは 6.0 g）に水 10 mL を加えて振り混ぜた後，ジエチルエーテル 10 mL を加えて振り混ぜ，遠心分離する．ジエチルエーテル層を分取し，水酸化ナトリウム試液 10 mL を加えて振り混ぜた後，遠心分離し，ジエチルエーテル層を試料溶液とする．別に薄層クロマトグラフィー用 (*Z*)-リグスチリド試液を標準溶液とする．これらの液につき，薄層クロマトグラフィー〈*2.03*〉により試験を行う．試料溶液及び標準溶液 10 μL ずつを薄層クロマトグラフィー用シリカゲルを用いて調製した薄層板にスポットする．次に酢酸ブチル / ヘキサン混液（2：1）を展開溶媒として約 7 cm 展開した後，薄層板を風乾する．これに紫外線（主波長 365 nm）を照射するとき，試料溶液から得た数個のスポットのうち 1 個のスポットは，標準溶液から得た青白色の蛍光を発するスポットと色調及び R_f 値が等しい（トウキ及びセンキュウ）．

(2)　乾燥エキス 2.0 g（軟エキスは 6.0 g）に水 20 mL 及びアンモニア試液 2 mL を加えて振り混ぜた後，ジエチルエーテル 20 mL を加えて振り混ぜ，ジエチルエーテル層を分取し，低圧（真空）で溶媒を留去した後，残留物にメタノール 1 mL を加えて試料溶液とする．別に薄層クロマトグラフィー用リンコフィリン及び薄層クロマトグラフィー用ヒルスチン 1 mg ずつをメタノール 1 mL に溶かし，標準溶液とする．これらの液につき，薄層クロマトグラフィー〈*2.03*〉により試験を行う．試料溶液 10 μL 及び標準溶液 2 μL を薄層クロマトグラフィー用シリカゲル（蛍光剤入り）を用いて調製した薄層板にスポットする．次に酢酸エチル /1-プロパノール / 水 / 酢酸（100）混液（7：5：4：1）を展開溶媒として約 7 cm 展開した後，薄層板を風乾する．これに紫外線（主波長 254 nm）を照射するとき，試料溶液から得た数個のスポットのうち少なくとも 1 個のスポットは，標準溶液から得た 2 個の暗紫色のスポットのうち少なくとも 1 個のスポットと色調及び R_f 値が等しい（チョウトウコウ）．

(3)　（ビャクジュツ配合処方）乾燥エキス 1.0 g（軟エキスは 3.0 g）に水 10 mL を加えて振り混ぜた後，ジエチルエーテル 25 mL を加えて振り混ぜる．ジエチルエーテル層を分取し，低圧（真空）で溶媒を留去した後，残留物にジエチルエーテル 2 mL を加えて試料溶液とする．別に薄層クロマトグラフィー用アトラクチレノリドⅢ 1 mg をメタノール 2 mL に溶かし，標準溶液とする．これらの液につき，薄層クロマトグラフィー〈*2.03*〉により試験を行う．試料溶液及び標準溶液 5 μL ずつを薄層クロマトグラフィー用シリカゲルを用いて調製した薄層板にスポットする．次にヘキサン / 酢酸エチル混液（2：1）を展開溶媒として約 7 cm 展開した後，薄層板を風乾する．これに 1-ナフトール・硫酸試液を均等に噴霧し，105℃で 5 分間加熱した後，放冷するとき，試料溶液から得た数個のスポットのうち 1 個のスポットは，標準溶液から得た赤色～赤紫色のスポットと色調及び R_f 値が等しい（ビャクジュツ）．

(4)　（ソウジュツ配合処方）乾燥エキス 2.0 g（軟エキスは 6.0 g）に水 10 mL を加

えて振り混ぜた後，ヘキサン 25 mL を加えて振り混ぜる．ヘキサン層を分取し，低圧（真空）で溶媒を留去した後，残留物にヘキサン 2 mL を加えて試料溶液とする．この液につき，薄層クロマトグラフィー〈*2.03*〉により試験を行う．試料溶液 20 µL を薄層クロマトグラフィー用シリカゲル（蛍光剤入り）を用いて調製した薄層板にスポットする．次にヘキサン／アセトン混液（7：1）を展開溶媒として約 7 cm 展開した後，薄層板を風乾する．これに紫外線（主波長 254 nm）を照射するとき，R_f 値 0.5 付近に暗紫色のスポットを認める．また，このスポットは，噴霧用 4-ジメチルアミノベンズアルデヒド試液を均等に噴霧し，105℃で 5 分間加熱した後，放冷するとき，帯緑褐色を呈する（ソウジュツ）．

(5)　乾燥エキス 1.0 g（軟エキスは 3.0 g）に水 10 mL を加えて振り混ぜた後，1-ブタノール 10 mL を加えて振り混ぜ，遠心分離し，1-ブタノール層を試料溶液とする．別に薄層クロマトグラフィー用サイコサポニン b_2 1 mg をメタノール 1 mL に溶かし，標準溶液とする．これらの液につき，薄層クロマトグラフィー〈*2.03*〉により試験を行う．試料溶液 10 µL 及び標準溶液 2 µL を薄層クロマトグラフィー用シリカゲルを用いて調製した薄層板にスポットする．次に酢酸エチル／エタノール（99.5）／水混液（8：2：1）を展開溶媒として約 7 cm 展開した後，薄層板を風乾する．これに噴霧用 4-ジメチルアミノベンズアルデヒド試液を均等に噴霧し，105℃で 5 分間加熱した後，紫外線（主波長 365 nm）を照射するとき，試料溶液から得た数個のスポットのうち 1 個のスポットは，標準溶液から得た黄色の蛍光を発するスポットと色調及び R_f 値が等しい（サイコ）．

(6)　乾燥エキス 1.0 g（軟エキスは 3.0 g）に水 10 mL を加えて振り混ぜた後，1-ブタノール 10 mL を加えて振り混ぜ，遠心分離し，1-ブタノール層を試料溶液とする．別に薄層クロマトグラフィー用リクイリチン 1 mg をメタノール 1 mL に溶かし，標準溶液とする．これらの液につき，薄層クロマトグラフィー〈*2.03*〉により試験を行う．試料溶液及び標準溶液 1 µL ずつを薄層クロマトグラフィー用シリカゲルを用いて調製した薄層板にスポットする．次に酢酸エチル／メタノール／水混液（20：3：2）を展開溶媒として約 7 cm 展開した後，薄層板を風乾する．これに希硫酸を均等に噴霧し，105℃で 5 分間加熱した後，紫外線（主波長 365 nm）を照射するとき，試料溶液から得た数個のスポットのうち 1 個のスポットは，標準溶液から得た黄緑色の蛍光を発するスポットと色調及び R_f 値が等しい（カンゾウ）．

(7)　乾燥エキス 1.0 g（軟エキスは 3.0 g）に水 10 mL を加えて振り混ぜた後，1-ブタノール 10 mL を加えて振り混ぜ，遠心分離し，1-ブタノール層を試料溶液とする．別に薄層クロマトグラフィー用ヘスペリジン 1 mg をメタノール 1 mL に溶かし，標準溶液とする．これらの液につき，薄層クロマトグラフィー〈*2.03*〉により試験を行う．試料溶液 20 µL 及び標準溶液 10 µL を薄層クロマトグラフィー用シリカゲルを用いて調製した薄層板にスポットする．次に酢酸エチル／アセトン／

水／酢酸（100）混液（10：6：3：1）を展開溶媒として約 7 cm 展開した後，薄層板を風乾する．これに，2,6-ジブロモ-*N*-クロロ-1,4-ベンゾキノンモノイミン試液を均等に噴霧し，アンモニアガス中に放置するとき，試料溶液から得た数個のスポットのうち 1 個のスポットは，標準溶液から得た青色のスポットと色調及び R_f 値が等しい（チンピ）．

純度試験

(1)　重金属〈*1.07*〉　乾燥エキス 1.0 g（軟エキスは乾燥物として 1.0 g に対応する量）をとり，エキス剤（4）に従い検液を調製し，試験を行う（30 ppm 以下）．

(2)　ヒ素〈*1.11*〉　乾燥エキス 0.67 g（軟エキスは乾燥物として 0.67 g に対応する量）をとり，第 3 法により検液を調製し，試験を行う（3 ppm 以下）．

乾燥減量〈*2.41*〉　乾燥エキス　10.0％以下（1 g，105℃，5 時間）．

軟エキス　66.7％以下（1 g，105℃，5 時間）．

灰　分〈*5.01*〉　換算した乾燥物に対し 9.0％以下．

定 量 法

(1)　サイコサポニン b_2　乾燥エキス約 0.5 g（軟エキスは乾燥物として約 0.5 g に対応する量）を精密に量り，ジエチルエーテル 20 mL 及び水 10 mL を加えて 10 分間振り混ぜる．これを遠心分離し，ジエチルエーテル層を除いた後，ジエチルエーテル 20 mL を加えて同様に操作し，ジエチルエーテル層を除く．水層にメタノール 10 mL を加えて 30 分間振り混ぜた後，遠心分離し，上澄液を分取する．残留物に薄めたメタノール（1 → 2）20 mL を加えて 5 分間振り混ぜた後，遠心分離し，上澄液を分取し，先の上澄液と合わせ，薄めたメタノール（1 → 2）を加えて正確に 50 mL とし，試料溶液とする．別に定量用サイコサポニン b_2 標準試液を標準溶液とする．試料溶液及び標準溶液 10 μL ずつを正確にとり，次の条件で液体クロマトグラフィー〈*2.01*〉により試験を行い，それぞれの液のサイコサポニン b_2 のピーク面積 A_T 及び A_S を測定する．

$$\text{サイコサポニン } b_2 \text{ の量 (mg)} = C_S \times A_T / A_S \times 50$$

C_S：定量用サイコサポニン b_2 標準試液中のサイコサポニン b_2 の濃度（mg/mL）

試験条件

検出器：紫外吸光光度計（測定波長：254 nm）

カラム：内径 4.6 mm，長さ 15 cm のステンレス管に 5 μm の液体クロマトグラフィー用オクタデシルシリル化シリカゲルを充塡する．

カラム温度：40℃付近の一定温度

移動相：0.05 mol/L リン酸二水素ナトリウム試液／アセトニトリル混液（5：3）

流量：毎分 1.0 mL

システム適合性

システムの性能：標準溶液10 μLにつき，上記の条件で操作するとき，サイコサポニン b_2 のピークの理論段数及びシンメトリー係数は，それぞれ5000段以上，1.5以下である．

システムの再現性：標準溶液10 μLにつき，上記の条件で試験を6回繰り返すとき，サイコサポニン b_2 のピーク面積の相対標準偏差は1.5％以下である．

(2)　グリチルリチン酸　乾燥エキス約0.5 g（軟エキスは乾燥物として約0.5 gに対応する量）を精密に量り，ジエチルエーテル20 mL及び水10 mLを加えて10分間振り混ぜる．これを遠心分離し，ジエチルエーテル層を除いた後，ジエチルエーテル20 mLを加えて同様に操作し，ジエチルエーテル層を除く．水層にメタノール10 mLを加えて30分間振り混ぜた後，遠心分離し，上澄液を分取する．残留物に薄めたメタノール（1→2）20 mLを加えて5分間振り混ぜた後，遠心分離し，上澄液を分取し，先の上澄液と合わせ，薄めたメタノール（1→2）を加えて正確に50 mLとし，試料溶液とする．別にグリチルリチン酸標準品（別途10 mgにつき，電量滴定法により水分〈*2.48*〉を測定しておく）約10 mgを精密に量り，薄めたメタノール（1→2）に溶かして正確に100 mLとし，標準溶液とする．試料溶液及び標準溶液10 μLずつを正確にとり，次の条件で液体クロマトグラフィー〈*2.01*〉により試験を行い，それぞれの液のグリチルリチン酸のピーク面積 A_T 及び A_S を測定する．

グリチルリチン酸（$C_{42}H_{62}O_{16}$）の量（mg）$= M_S \times A_T / A_S \times 1/2$

M_S：脱水物に換算したグリチルリチン酸標準品の秤取量（mg）

試験条件

検出器：紫外吸光光度計（測定波長：254 nm）

カラム：内径4.6 mm，長さ15 cmのステンレス管に5 μmの液体クロマトグラフィー用オクタデシルシリル化シリカゲルを充塡する．

カラム温度：40℃付近の一定温度

移動相：酢酸アンモニウム3.85 gを水720 mLに溶かし，酢酸（100）5 mL及びアセトニトリル280 mLを加える．

流量：毎分1.0 mL

システム適合性

システムの性能：分離確認用グリチルリチン酸一アンモニウム5 mgを希エタノール20 mLに溶かす．この液10 μLにつき，上記の条件で操作するとき，グリチルリチン酸に対する相対保持時間約0.9のピークとグリチルリチン酸の分離度は 1.5 以上である．

システムの再現性：標準溶液 10 μL につき，上記の条件で試験を 6 回繰り返すとき，グリチルリチン酸のピーク面積の相対標準偏差は 1.5％以下である．

(3)　ヘスペリジン　乾燥エキス約 0.1 g（軟エキスは乾燥物として約 0.1 g に対応する量）を精密に量り，薄めたテトラヒドロフラン（1 → 4）50 mL を正確に加えて 30 分間振り混ぜた後，遠心分離し，上澄液を試料溶液とする．別に定量用ヘスペリジンをデシケーター（シリカゲル）で 24 時間以上乾燥し，その約 10 mg を精密に量り，メタノールに溶かして正確に 100 mL とする．この液 10 mL を正確に量り，薄めたテトラヒドロフラン（1 → 4）を加えて正確に 100 mL とし，標準溶液とする．試料溶液及び標準溶液 10 μL ずつを正確にとり，次の条件で液体クロマトグラフィー〈*2.01*〉により試験を行い，それぞれの液のヘスペリジンのピーク面積 A_T 及び A_S を測定する．

ヘスペリジンの量（mg）＝ $M_S \times A_T / A_S \times 1/20$

M_S：定量用ヘスペリジンの秤取量（mg）

試験条件

検出器：紫外吸光光度計（測定波長：285 nm）

カラム：内径 4.6 mm，長さ 15 cm のステンレス管に 5 μm の液体クロマトグラフィー用オクタデシルシリル化シリカゲルを充塡する．

カラム温度：40℃付近の一定温度

移動相：水 / アセトニトリル / 酢酸（100）混液（82：18：1）

流量：毎分 1.0 mL

システム適合性

システムの性能：定量用ヘスペリジン及び薄層クロマトグラフィー用ナリンギン 1 mg ずつを薄めたメタノール（1 → 2）に溶かし，100 mL とする．この液 10 μL につき，上記の条件で操作するとき，ナリンギン，ヘスペリジンの順に溶出し，その分離度は 1.5 以上である．

システムの再現性：標準溶液 10 μL につき，上記の条件で試験を 6 回繰り返すとき，ヘスペリジンのピーク面積の相対標準偏差は 1.5％以下である．

貯　法　容器　気密容器．

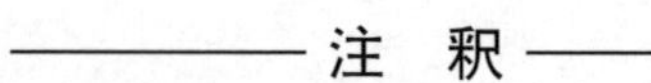

本 質　52　漢方製剤　神経症改善薬，不眠症改善薬

しばり　虚弱な体質で神経がたかぶる人

適応症　神経症，不眠症，小児夜なきや疳の虫の治療

参照紫外可視吸収スペクトル

参照紫外可視吸収スペクトル　改正事項

参照紫外可視吸収スペクトルの部に次の四条を加える.

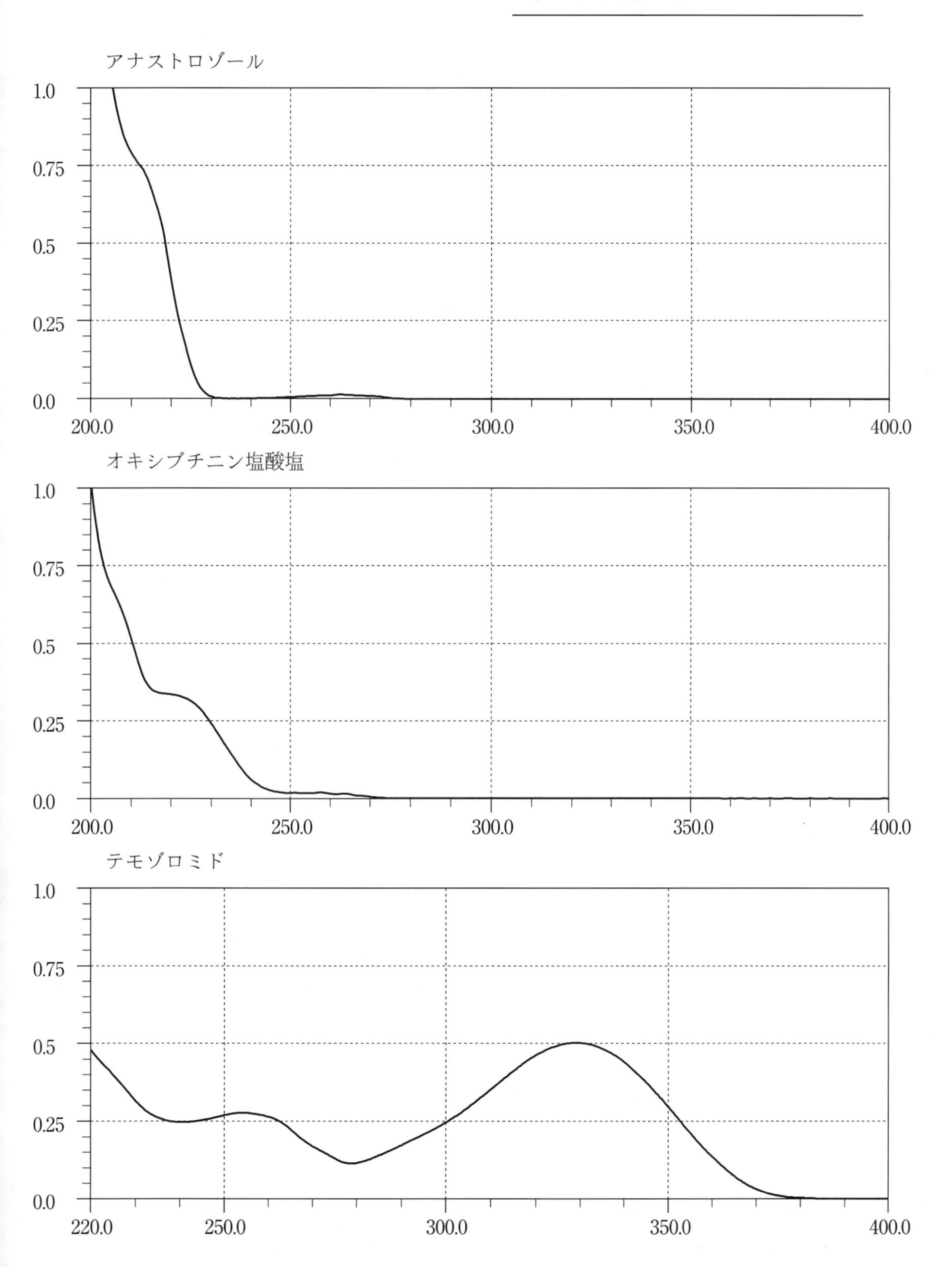
アナストロゾール
1.0
0.75
0.5
0.25
0.0
200.0
250.0
300.0
350.0
400.0
オキシブチニン塩酸塩
1.0
0.75
0.5
0.25
0.0
200.0
250.0
300.0
350.0
400.0
テモゾロミド
1.0
0.75
0.5
0.25
0.0
220.0
250.0
300.0
350.0
400.0

ブデソニド

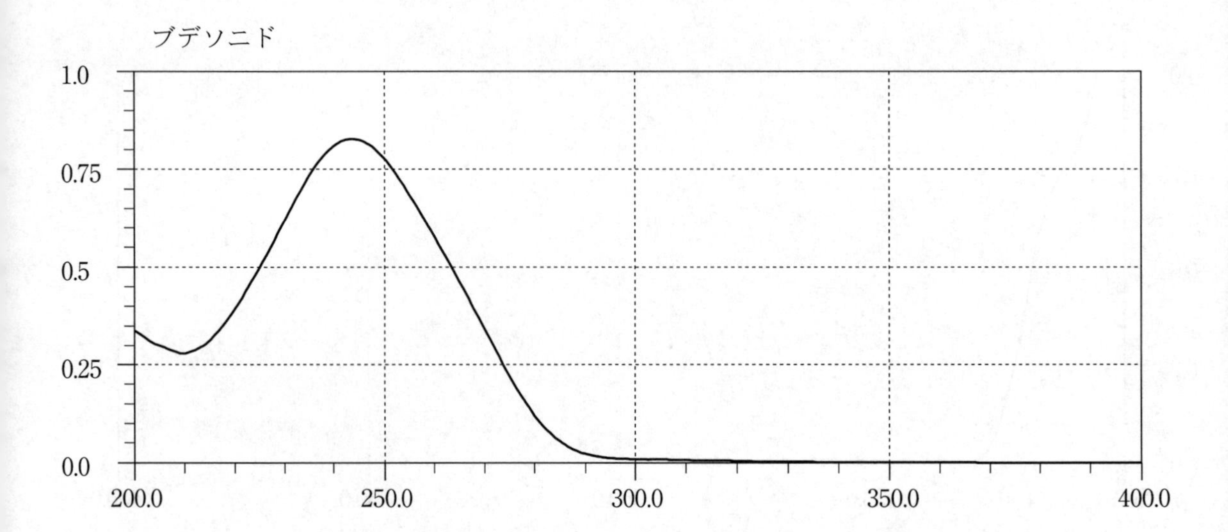

参照赤外吸収スペクトル

参照赤外吸収スペクトル　改正事項

参照赤外吸収スペクトルの部に次の七条を加える．

日本薬局方の医薬品の適否は，その医薬品各条の規定，通則，生薬総則，製剤総則及び一般試験法の規定によって判定する．（通則５参照）

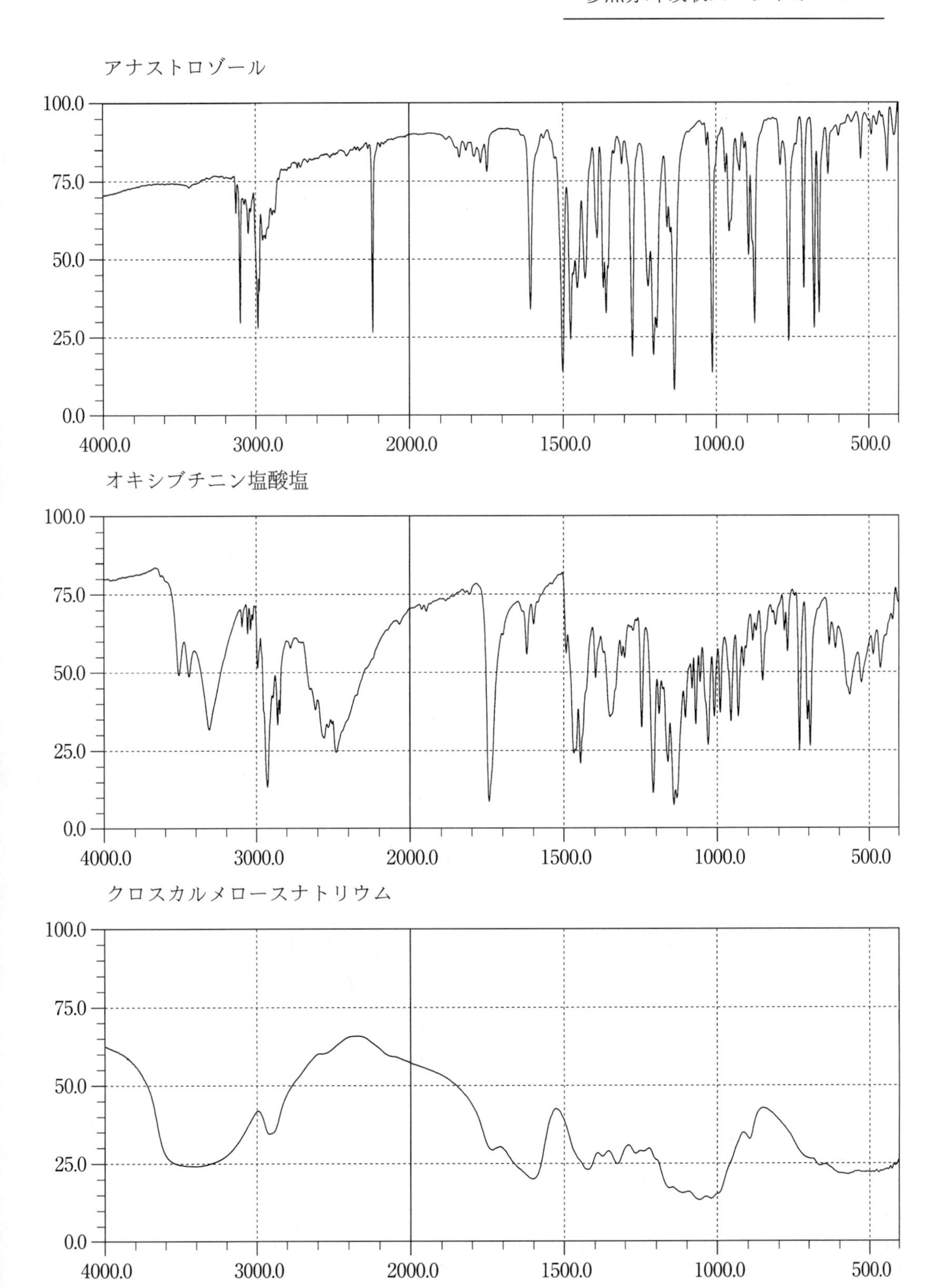
アナストロゾール
100.0
75.0
50.0
25.0
0.0
4000.0
3000.0
2000.0
1500.0
1000.0
500.0
オキシブチニン塩酸塩
100.0
75.0
50.0
25.0
0.0
4000.0
3000.0
2000.0
1500.0
1000.0
500.0
クロスカルメロースナトリウム
100.0
75.0
50.0
25.0
0.0
4000.0
3000.0
2000.0
1500.0
1000.0
500.0

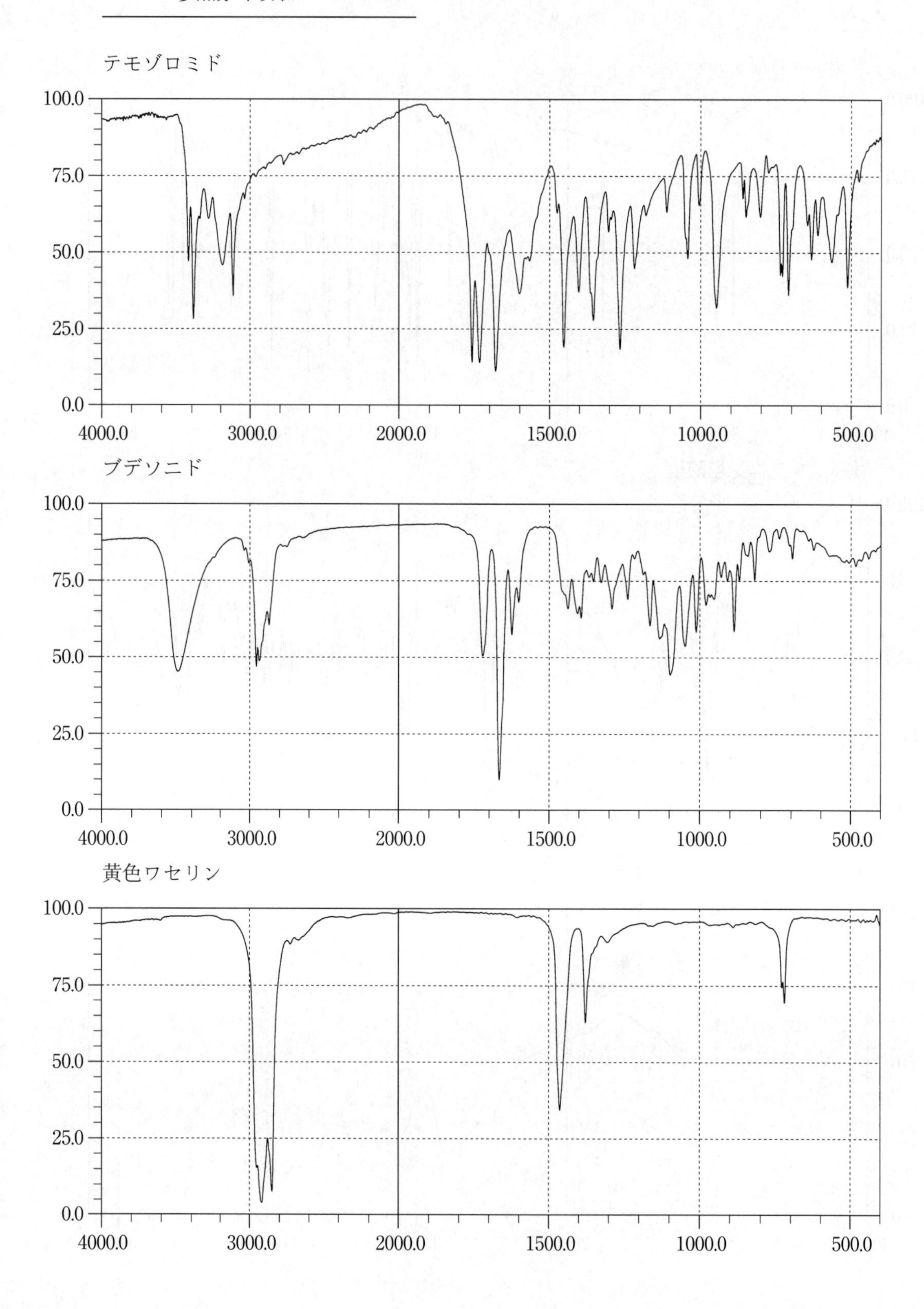
テモゾロミド
100.0
75.0
50.0
25.0
0.0
4000.0
3000.0
2000.0
1500.0
1000.0
500.0
ブデソニド
100.0
75.0
50.0
25.0
0.0
4000.0
3000.0
2000.0
1500.0
1000.0
500.0
黄色ワセリン
100.0
75.0
50.0
25.0
0.0
4000.0
3000.0
2000.0
1500.0
1000.0
500.0

白色ワセリン

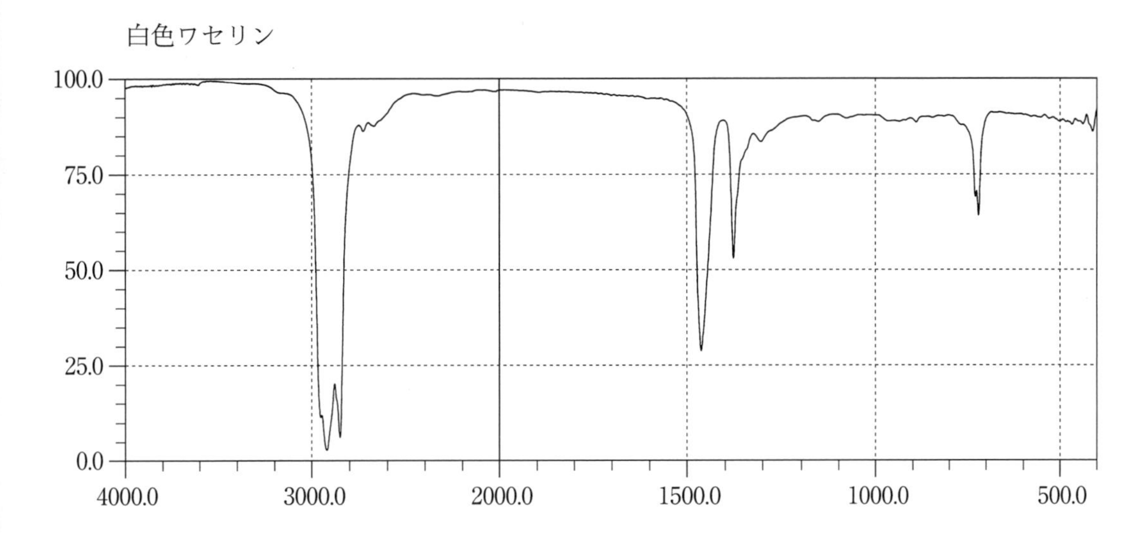

参考情報

参 考 情 報

参考情報は，医薬品の品質確保の上で必要な参考事項及び参考となる試験法を記載し，日本薬局方に付したものである．したがって，医薬品，医療機器等の品質，有効性及び安全性の確保等に関する法律に基づく承認の際に規定された場合を除き，医薬品の適否の判断を示すものではないが，日本薬局方を補足する重要情報として位置付けられている．参考情報を日本薬局方と一体として運用することにより，日本薬局方の質的向上や利用者の利便性の向上に資することができる．

参考情報はその内容により以下のカテゴリーに分類し，それぞれに固有の番号を付している．固有番号は三つのブロックで構成され，左ブロックはカテゴリー番号，中央ブロックはカテゴリー内での番号を示す．右ブロックの数字は，左から2桁で直近改正（改正のない場合は新規作成）時の日局を示し，3桁目は大改正を0，第一追補を1，第二追補を2，一部改正を3とする．参考情報間で引用を行う場合は，該当する参考情報の番号を〈　〉を付して示す．

G0．医薬品品質に関する基本的事項
G1．理化学試験関連
G2．物性関連
G3．生物薬品関連
G4．微生物関連
G5．生薬関連
G6．製剤関連
G7．容器・包装関連
G8．標準品関連
GZ．その他

本改正の要旨は次のとおりである．

1．参考情報のカテゴリー分類に「G9．医薬品添加剤関連」を新設した．

2．新たに作成したものは次のとおりである．

(1)　液の色に関する機器測定法〈*G1-4-181*〉

(2) クロマトグラフィーのライフサイクル各ステージにおける管理戦略と変更管理の考え方 (クロマトグラフィーのライフサイクルにおける変更管理) 〈*G1-5-181*〉

(3) せん断セル法による粉体の流動性測定法〈*G2-5-181*〉

(4) 微生物試験における微生物の取扱いのバイオリスク管理〈*G4-11-181*〉

(5) 製剤に関連する添加剤の機能性関連特性について〈*G9-1-181*〉

3. 改正したものは次のとおりである.

(1) 化学合成される医薬品原薬及びその製剤の不純物に関する考え方〈*G0-3-181*〉

(2) システム適合性〈*G1-2-181*〉

(3) 日本薬局方収載生薬の学名表記について〈*G5-1-181*〉

(4) 錠剤の摩損度試験法〈*G6-5-181*〉

(5) 製薬用水の品質管理〈*GZ-2-181*〉

4. 廃止したものは次のとおりである.

(1) 近赤外吸収スペクトル測定法〈*G1-3-161*〉

参考情報　改正事項

参考情報　G0．医薬品品質に関する基本的事項　化学合成される医薬品原薬及びその製剤の不純物に関する考え方　を次のように改める．

化学合成される医薬品原薬及びその製剤の不純物に関する考え方〈*G0-3-181*〉

1．化学合成医薬品中に含まれる不純物の種類とその管理に際して準拠すべきガイドライン

化学合成医薬品中に存在する不純物は，有機不純物，無機不純物及び残留溶媒に大別される．新有効成分含有医薬品では，以下に示す医薬品規制調和国際会議（以下「ICH」という）で合意されたガイドラインに基づきこれらの不純物は管理されている．すなわち，有機不純物については，原薬は平成9年4月1日以降の製造承認申請から，また，製剤は平成11年4月1日以降の製造承認申請から，それぞれ「新有効成分含有医薬品のうち原薬の不純物に関するガイドラインについて（平成7年9月25日薬審第877号）」（以下「ICH Q3A ガイドライン」という）[1] 並びに「新有効成分含有医薬品のうち製剤の不純物に関するガイドラインについて（平成9年6月23日薬審第539号）」（以下「ICH Q3B ガイドライン」という）[2] に基づいて規格が設定されている．一方，無機不純物については，日局の基準値や既知の安全性データに基づいて設定されていたところであるが，平成29年4月1日以降の製造販売承認申請から「医薬品の元素不純物ガイドラインについて（平成27年9月30日薬食審査発0930第4号）」（以下「ICH Q3D ガイドライン」という）が，残留溶媒については，平成12年4月1日以降の製造承認申請から「医薬品の残留溶媒ガイドラインについて（平成10年3月30日医薬審第307号）」（以下「ICH Q3C ガイドライン」という）が適用されている．不純物の中でもDNA反応性不純物については，主として平成28年1月15日以降の製造承認申請から「潜在的発がんリスクを低減するための医薬品中DNA反応性（変異原性）不純物の評価及び管理ガイドラインについて（平成27年11月10日薬生審査発1110第3号）」が適用されている．また，有機不純物の一種である光学対掌体については，ICH Q3A ガイドラインは対象外としているものの，その後に公表された「新医薬品の規格及び試験方法の設定について（平成

13年5月1日医薬審発第568号)」(以下「ICH Q6A ガイドライン」という)では管理すべき不純物として規定され，測定可能な場合にはICH Q3A ガイドラインの原則に従い，管理されるべきであるとされた．

品質確保の観点から新有効成分含有医薬品以外の医薬品においても上記ガイドラインに準じた不純物の管理が求められているところであり，製造販売承認申請（あるいは製造販売承認事項一部変更承認申請）がなされる場合に適宜これらのガイドラインが適用される．残留溶媒は日局17の通則で，全ての日局収載医薬品が医薬品各条において規定する場合を除き，原則として一般試験法の残留溶媒に係る規定に従って管理されなければならないことが明記され，管理されることとなった．また，元素不純物に関しては日局への取込みとして試験法と管理方法の収載を段階的に進めてきた．日局18では，通則34の項においてICH Q3D ガイドラインに基づく元素不純物に係る規定を設け，併せて一般試験法「元素不純物試験法〈*2.66*〉」と参考情報「製剤中の元素不純物の管理」を統合すると共にICH Q3D ガイドラインの改正を反映した一般試験法「元素不純物〈*2.66*〉」を収載した．

2. 有機不純物の管理に関するICH Q3A 及びQ3B ガイドラインの考え方

ICH Q3A 及びQ3B ガイドラインは，新薬の開発段階において得られる情報を基に有機不純物の規格値を設定することを求めている．ICH Q3A ガイドラインでは，原薬中の不純物について，化学的観点並びに安全性の観点から検討対象とすべき事項に言及している．ICH Q3B ガイドラインはQ3A ガイドラインを補完するものであり，基本的考え方は同一である．化学的観点の事項としては，不純物の分類と構造決定と報告の方法，規格の設定及び分析法の検討が含まれ，安全性の観点の事項としては，安全性試験及び臨床試験に用いられた原薬のロット中に全く存在しなかったか，あるいはかなり低いレベルでしか存在しなかった不純物の安全性を確認するための指針が含まれている．

安全性の確認とは，規格に設定された限度値のレベルでの個々の不純物又は不純物全体の安全性を立証するために必要なデータを集めて評価する作業のことである．不純物の判定基準の妥当性に関する安全性の側面からの考察を製造販売承認申請時の添付資料に記載することとする．既に安全性試験や臨床試験で十分安全であることが確かめられている新原薬中に存在しているすべての不純物については，試験に用いられた試料中に存在するレベルまでは安全性が確認されたものと通常考えることができる．

ガイドラインに従い得られたデータに基づき，個別規格設定不純物，個別規格が設定されない不純物及び不純物総量が設定される．原薬の場合，個別規格を設定しない不純物の閾値は，1日当たりの原薬の摂取量に依存して定められており，最大1日投与量が2g以下の場合0.10%と規定されており，0.10%を超える不純物は個別規格を設定する必要がある．

また，製剤に関しては，ICH Q3B ガイドラインでは，原薬の分解生成物又は原薬と添加剤若しくは一次包装との反応による生成物を対象としている．したがって，原薬中の分解生成物以外の有機不純物（副生成物や合成中間体など）は，製剤中の不純物として認められたとしても既に原薬の規格として管理されていることから，個別規格を設定する必要はないが，製剤中で増加する分解生成物は規格を設定する必要がある．

3.　日局収載品目における有機不純物の管理の原則

従前より，日局においては，ICH Q3A 及び Q3B ガイドラインに従って不純物を管理していた医薬品については日局収載時に ICH Q3A 及び Q3B ガイドラインに従って，個別規格設定不純物，個別規格が設定されない不純物及び不純物総量が設定されている（なお，収載時期が古くこれらガイドラインが適用される前に収載された医薬品についてはこの限りでない．ただし，これらの日局収載医薬品であっても，新たに製造販売承認申請などがなされる場合には，必要に応じて ICH Q3A 及び Q3B ガイドラインに準じた不純物の管理が求められる場合がある）．設定に際しては，原案作成会社から提出される開発時の分析データに加え，製造が安定した後の商業生産時のロットの不純物の分析データが評価の対象となる．安全性の評価は，承認時に実施されていることから，日局収載時に改めて実施されることはない．

ICH Q3A 及び Q3B ガイドラインでは，化学的合成法で製造される原薬及びこの原薬を用いて製造される製剤中の不純物を対象としており，日局においても同様に，生物薬品（バイオテクノロジー応用医薬品 / 生物起源由来医薬品），ペプチド，オリゴヌクレオチド，放射性医薬品，醗酵生成物，醗酵生成物を原料とした半合成医薬品，生薬及び動植物由来の医薬品は対象としない．

ICH Q3A 及び Q3B ガイドラインの原則に従って評価された有機不純物を日局純度試験として収載する際に，日局の運用上の合理性を考慮し，独自の修正がなされている．①例外的な場合を除き不純物標準品は設定されず，不純物を液体クロマトグラフィーで同定する場合には，原薬に対する不純物の相対保持時間により行われる．②高純度の医薬品で特定されない不純物（0.1％以下）のみが設定されている場合，不純物総量の設定は通例免除される．③規格値を実測値ベースのみで設定すると，多数の不純物が少しずつ異なる規格値を有することになる場合は，代表的な少数の規格値から構成されるように考慮する．④不純物の化学構造情報や化学名は開示しない．これらの措置により，不純物標準品を使用することなく不純物の管理が可能であり，高純度の医薬品に関しては，システム適合性試験を簡略化することを可能としている．

一方，相対保持時間を利用して不純物を同定する方法は，カラム依存的であり，適切なカラムが入手できないと分析が困難になることから，日局 17 では，原薬の純度試験の設定に際して，不純物標準品を用いる分析方法も並行して認めることとした．さらに，原則として光学対掌体を含め，不純物の情報として化学名及び構造式を日局においても開示する方針とされた．

なお，ICH Q3A ガイドラインでも言及されているように，不純物の構造決定は不完全な場合も存在する．そのため，各条中のその他の項で開示する化学構造は，NMRなどにより確定されている構造の他，合成経路などから推定される化学的に妥当な構造を含めて示している．その際，立体化学が確定していない場合には，当該部分の構造は波線を用いて表記し，当該炭素に結合している水素は記載せず（構造を示すうえで必須である場合を除く），化学名にはR体とS体，E体とZ体の別を記載しないこととする．

製剤の有機不純物に対する純度試験に関しても日局に収載される際に独自の配慮がなされる場合がある．日局においても，製剤中の不純物として，原薬と添加剤若しくは一次包装との反応による生成物に由来する不純物が規定される．これら不純物は，処方依存的であり，異なる処方では，生成してこない場合もある．多様な処方を許容する公定書である日局においては，一律に各条において規定することが適当でない場合には，「別に規定する」として承認の際の規定に委ねられる場合がある．

新たに日局各条に医薬品を収載する際に不純物の規格を見直す場合には，以下の考え方に従って不純物の規格値が再検討される場合がある．すなわち，ICH Q6A ガイドラインは，製造販売承認申請時に得られているデータには限りがあり，それが判定基準を設定するのに影響を及ぼし得ることを考慮する必要があることを指摘している．不純物に関しても，製造段階では，開発段階で得られた不純物のプロファイルと異なる不純物プロファイルが得られることがあり，製造段階における不純物プロファイルの変化については，必要に応じて考慮されるべきであるとされている．この考えに従い，日局収載時に規格設定の対象となる不純物については，開発段階で得られる情報のほか，製造段階における不純物プロファイルの変化がある場合にはその情報，更に製品製造が安定生産に至った後の段階（以下「安定製造段階」という）での情報も考慮される．

しかしながら，安定製造段階で十分に低いレベルとなった，若しくは検出されなくなった不純物について，個別規格設定の候補化合物リストからむやみに外すことは望ましくない．日局収載医薬品については，医薬品各条の規格に適合することで医薬品として認められることになるが，原案作成会社の原薬とは製造方法が同一ではない後発医薬品などの場合，不純物のプロファイルが異なり，それらの不純物を含有することも想定されるからである．日局収載時に開発段階で検出された結果に基づき情報を提供することは，日局医薬品として流通する原薬及び製剤に含まれる不純物を網羅することにつながる可能性がある．

したがって，安定製造段階で十分に低いレベルとなった，若しくは検出されなくなった不純物について，日局の個別規格設定リストから外す際には，ICH Q3A 及び Q3B ガイドラインの考え方に基づき安全性の観点から十分に設定の必要性が検討される．

また，不純物標準物質を用いて不純物を特定する方法で承認された原薬については，日局各条においても，原則として，特定された不純物が同定可能となるように適切に規格及び試験方法を設定することが望ましい．なお，製造時における不純物の管理に関しては，出荷試験，工程内試験及び工程パラメーターの管理を含め適切な管理戦略を設定し，不純物を管理することが可能である．

4.　参考資料

1）ICH: Guideline for Q3A, Impurities in New Drug Substances.
2）ICH: Guideline for Q3B, Impurities in New Drug Products.

参考情報　G1.　理化学試験関連　システム適合性　を次のように改める．

システム適合性〈*G1-2-181*〉

試験結果の信頼性を確保するためには，日本薬局方などに収載されている試験法を含め，既存の試験法を医薬品の品質試験に適用する際に，試験を行う施設の分析システムを使って当該試験法が目的に適う試験結果を与えることをあらかじめ検証することが肝要であり，そうした検証を行った上で分析システムの稼働状態を日常的に確認する試験としてシステム適合性の試験を行う必要がある．

1.　システム適合性の意義

「システム適合性」とは，試験法の適用時に目的に適う試験結果を与えることが検証された分析システムが，実際に品質試験を行う際にも適切な状態を維持していることを確認するための試験方法と適合要件について規定したものであり，通常，一連の品質試験ごとに適合性を確認するための試験が行われる．システム適合性の試験方法及び適合要件は，医薬品の品質規格に記載される試験方法の中で規定する．規定されたシステム適合性の適合要件が満たされない場合には，その分析システムを用いて行った品質試験の結果を採用してはならない．

システム適合性は，機器分析法による多くの規格試験法に不可欠な規定である．この規定は，装置，電子的情報処理系，分析操作及び分析試料，更には試験者から構成される分析システムが，全体として適切な状態にあることを確認するための試験方法と適合要件を当該試験法の中に規定することによって，システムとして完結するとの考え方に基づいている．

2.　システム適合性設定時の留意事項

規格試験法中に設定すべきシステム適合性の項目は，試験の目的と用いられる分析法のタイプに依存している．また，システム適合性の試験は，日常的に行う試験であることから，使用する分析システムが目的とする品質試験を行うのに適切な状態を維持していることを確認するのに必要な項目を選び，迅速かつ簡便に行えるような試験として設定することが望ましい．

例えば，液体クロマトグラフィーやガスクロマトグラフィーを用いた定量的な純度試験の場合には，システムの性能（試験対象物質を特異的に分析し得ることの確認），システムの再現性（繰返し注入におけるばらつきの程度の確認），検出の確認（限度値レベルでのレスポンスの数値的信頼性の確認）などの項目について設定する．ただし，面積百分率法において，マトリックスの影響が評価され，分析対象物の性質を考慮して管理すべき最低濃度レベルの溶液を用いる等，適切な検出の確認が設定されている場合，システムの再現性の規定が不要な場合がある．

クロマトグラフィーにおけるシステム適合性の規定は，クロマトグラフィー総論〈*2.00*〉，又は，液体クロマトグラフィー〈*2.01*〉に従う．日本薬局方一般試験法「液体クロマトグラフィー〈*2.01*〉」に記載されたシステム適合性の規定を補完する事項について以下に記載する．

2.1.　液体クロマトグラフィー及びガスクロマトグラフィーのシステムの再現性について

2.1.1.　許容限度値の設定

日本薬局方一般試験法「液体クロマトグラフィー〈*2.01*〉」のシステム適合性の項に「繰返し注入の回数は6回を原則とする」，また，「システムの再現性の許容限度値は，当該試験法の適用を検討した際のデータと試験に必要とされる精度を考慮して，適切なレベルに設定する．」と規定されていることから，6回繰返し注入における許容限度値を下記の記載を参考にして設定する．なお，日本薬局方収載の医薬品各条に規定された試験法により試験を行う場合には，当該各条に規定された許容限度値に従う．

(ｉ) 原薬の定量法（原薬の含量がほぼ100%，あるいはそれに近い場合）：分析システムが，製品中の有効成分含量のばらつきの評価に適切な精度で稼働していることを確認できるレベルに設定する．例えば，含量規格の幅が，液体クロマトグラフィーを用いた定量法において含量規格として設定されることの多い98.0～102.0%の場合のように，5%以下の場合には「1.0%以下」を目安として適切に設定する．

(ⅱ) 製剤の定量法：製剤の含量規格の幅，並びに原薬の定量法におけるシステム再現性の規定（原薬と製剤に同様の試験法が用いられている場合）を考慮に入れて，適切に設定する．

(ⅲ) 類縁物質試験：標準溶液やシステム適合性試験用溶液など，システム再現性の試験に用いる溶液中の有効成分濃度を考慮して，適切に設定する．試料溶液を希釈し，0.5～1.0%の有効成分濃度の溶液を調製して，システム再現性の試験に用いる場合には，通例，「2.0%以下」を目安として適切に設定する．

なお，上記の目安は，ガスクロマトグラフィーの場合には適用しない．

2.1.2.　システムの再現性の試験の質を落とさずに繰返し注入の回数を減らす方法

日本薬局方一般試験法「液体クロマトグラフィー〈*2.01*〉」のシステム適合性の項

に「繰返し注入の回数は6回を原則とするが，グラジエント法を用いる場合や試料中に溶出が遅い成分が混在する場合など，1回の分析に時間がかかる場合には，6回注入時とほぼ同等のシステムの再現性が担保されるように達成すべきばらつきの許容限度値を厳しく規定することにより，繰返し注入の回数を減らしてもよい.」と規定されている．これと関連して，システムの再現性の試験の質を落とさずに繰返し注入の回数を減らす方法を以下に示した．この方法により，必要な場合には，繰返し注入の回数を減らして設定することができ，また変更可能である.

システムの再現性の試験の質を繰返し注入の回数が6回（$n = 6$）の試験と同等に保つために，$n = 3 \sim 5$ の試験で達成すべきばらつきの許容限度値を下記の表に示した.

しかしながら，繰返し注入の回数を減らすということは，システムの再現性を確認する上での1回の試験の重みが増すということであり，装置が適切に維持管理されることがより重要となることに留意する必要がある.

表　システムの再現性の試験の質を $n = 6$ の試験と同等に保つために $n = 3 \sim 5$ の試験で達成すべきばらつきの許容限度値 *

		許容限度値（RSD）					
$n = 6$ の試験に規定されたばらつきの許容限度値		1.0%	2.0%	3.0%	4.0%	5.0%	10.0%
達成すべきばらつきの許容限度値	$n = 5$	0.88%	1.76%	2.64%	3.52%	4.40%	8.81%
	$n = 4$	0.72%	1.43%	2.15%	2.86%	3.58%	7.16%
	$n = 3$	0.47%	0.95%	1.42%	1.89%	2.37%	4.73%

* 排除すべき性能の分析システムがシステム適合性の試験に合格する確率を5％とした.

参考情報 G1. 理化学試験関連 近赤外吸収スペクトル測定法 を削る.

参考情報 G1. 理化学試験関連 に液の色に関する機器測定法 及び クロマトグラフィーのライフサイクル各ステージにおける管理戦略と変更管理の考え方（クロマトグラフィーのライフサイクルにおける変更管理） を加える.

液の色に関する機器測定法〈*G1-4-181*〉

本試験法は，三薬局方での調和合意に基づき規定した試験法である.

なお，三薬局方で調和されていない部分のうち，調和合意において，調和の対象とされた項中非調和となっている項の該当箇所は「◆ ◆」で，調和の対象とされた項以外に日本薬局方が独自に規定することとした項は「◇ ◇」で囲むことにより示す.

三薬局方の調和合意に関する情報については，独立行政法人医薬品医療機器総合機構のウェブサイトに掲載している.

1. 原理

測定される物質の色は第一にその物質の吸収特性に依存する．しかし，光源の違い，光源のスペクトルのエネルギー，測定者の視感度，サイズの違い，背景の違い及び見る方向の違いのような種々の条件によっても色の見え方は異なる．色相，明度(又は輝度) 及び彩度は色の三属性とされている．決められた条件のもとで機器分析を行えば色の数値化は可能である．どのような色の機器分析においても，ヒトの目が3タイプの受容体を通して色を見るということに基づいている.

色の測定において，機器分析法は目視による色の主観的な観察よりも客観的なデータを得ることができる．適切な保守管理及び校正を行うことで機器分析法により正確で，精度よく，更に経時的に変化しない一定の色の測定値を得ることができる．正常な色覚を持つヒト被験者による広範囲なカラーマッチング実験を通して，分散係数(荷重係数) を可視スペクトル範囲のそれぞれの波長で求めて，その波長の光による各受容体の相対的な刺激量を求めた．国際照明委員会（CIE）は，測色標準観測者が対象（視野）を認識する光源及び光の角度を考慮したモデルを開発した．溶液の色の目視テストにおいては視角2°の視野及び散乱昼光を用いる必要がある．ヒトの目の平均的な感受性は $\bar{x}_\lambda$，$\bar{y}_\lambda$ 及び $\bar{z}_\lambda$ の分散係数で表される（図1).

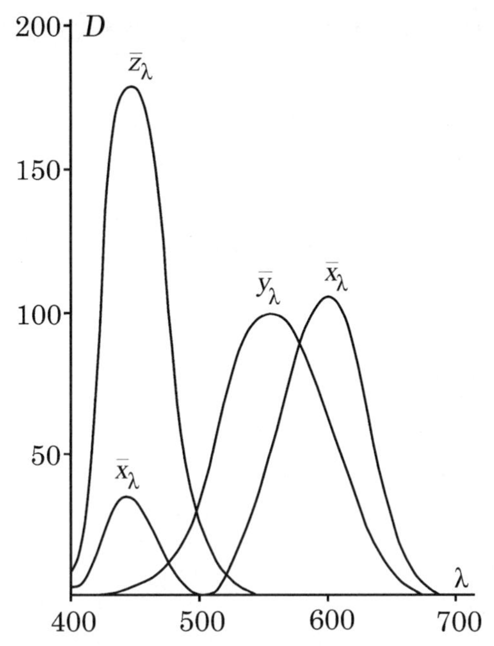

図1　CIE 視角 2° の視野でのヒトの目の平均的感受性（*D*：分散係数；*λ*：波長 nm）

全ての色における各受容体タイプの刺激量は 3 刺激値（X，Y 及び Z）によって定義される．

分散係数と 3 刺激値（X，Y 及び Z）の関係は次の積分で表される．◇日本産業規格 Z 8120 の定義によると，一般に可視光の波長範囲の短波長限界は 360 〜 400 nm，長波長限界は 760 〜 830 nm にあると考えてよい．◇

$$X = k\int_0^\infty f_\lambda \bar{x}_\lambda S_\lambda d\lambda$$

$$Y = k\int_0^\infty f_\lambda \bar{y}_\lambda S_\lambda d\lambda$$

$$Z = k\int_0^\infty f_\lambda \bar{z}_\lambda S_\lambda d\lambda$$

$$k = 100 \Big/ \int_0^\infty f_\lambda \bar{y}_\lambda S_\lambda d\lambda$$

k：一つの受容体タイプと使用した光源を特徴付ける基準化係数

S_λ：光源の相対分光分布
$\overline{x}_\lambda$，$\overline{y}_\lambda$ 及び $\overline{z}_\lambda$：CIE 視角 2° の視野の測色標準観測者におけるカラーマッチング分散係数
f_λ：物質の分光透過率係数 T_λ
λ：波長（nm）

実際の 3 刺激値の計算において，積分は次式に示すように近似的な和で求める．

$$X = k\sum_\lambda T_\lambda \overline{x}_\lambda S_\lambda \Delta\lambda$$
$$Y = k\sum_\lambda T_\lambda \overline{y}_\lambda S_\lambda \Delta\lambda$$
$$Z = k\sum_\lambda T_\lambda \overline{z}_\lambda S_\lambda \Delta\lambda$$
$$k = \frac{100}{\sum_\lambda S_\lambda \overline{y}_\lambda \Delta\lambda}$$

3 刺激値を用いて CIE の *Lab* 色空間座標：L^*（明度又は輝度），a^*（赤色－緑色）及び b^*（黄色－青色）を計算することができる．これらは次のように定義される．

$$L^* = 116f(Y/Y_n) - 16$$
$$a^* = 500[f(X/X_n) - f(Y/Y_n)]$$
$$b^* = 200[f(Y/Y_n) - f(Z/Z_n)]$$

ここで，
$X/X_n > (6/29)^3$ のとき $f(X/X_n) = (X/X_n)^{1/3}$

それ以外の場合は

$f(X/X_n) = 841/108(X/X_n) + 4/29$
$Y/Y_n > (6/29)^3$ のとき $f(Y/Y_n) = (Y/Y_n)^{1/3}$

それ以外の場合は

$f(Y/Y_n) = 841/108(Y/Y_n) + 4/29$
$Z/Z_n > (6/29)^3$ のとき $f(Z/Z_n) = (Z/Z_n)^{1/3}$

それ以外の場合は

$$f(Z/Z_n) = 841/108(Z/Z_n) + 4/29$$

X_n，Y_n 及び Z_n は精製水の 3 刺激値である．

分光光度法において，透過率は，可視スペクトルの全範囲の異なる任意の波長で得られる．そしてそれらの値と視角 2° の視野の測色標準観測者及び CIE 標準光源 C の荷重係数 $\overline{x}_\lambda$，$\overline{y}_\lambda$ 及び $\overline{z}_\lambda$ を使って 3 刺激値を計算する（CIE の刊行物参照）．

2.　分光光度法

装置に添付されている操作法に従い適切に分光光度計を操作し，10 nm 以下の間隔で少なくとも 400 nm から 700 nm で透過率 T を求める．透過率は％で表わせる．3 刺激値 X，Y 及び Z 並びに色空間座標 L^*，a^* 及び b^* を計算する．

3.　色調の測定

装置に添付されている操作法に従い装置の校正を行う．システムの性能試験は装置の使用状況によって各測定前又は決められた間隔ごとに行う．そのために測定範囲において適切な標準物質（装置の製造元が求める保証されたフィルター又は標準液）を用いる．

装置の操作法に従い操作し，同じ測定条件（例えば，セル長，温度など）で検液と標準液を測定する．

透過率の測定には，標準として精製水を用い，可視スペクトルの全ての波長で透過率を 100.0％とする．

CIE 標準光源 C の荷重係数 $\overline{x}_\lambda$，$\overline{y}_\lambda$ 及び $\overline{z}_\lambda$ を使い，色空間座標 $L^* = 100$，$a^* = 0$ 及び $b^* = 0$ に対する 3 刺激値を適切に計算する．

標準測定は，精製水又は新たに調製した色の比較液の色空間座標を用いて行われるか，若しくは同じ条件で測定された装置の製造元のデータベースにあるそれぞれの色空間座標を用いて行われる．

検液が濁っていたり，霞んでいたりしているときは，ろ過又は遠心分離する．ろ過又は遠心分離しない場合は，濁りや霞を結果として報告する．気泡が入らないようにし，入った場合は除去する．

色，色差又は決められた色との差に関して，機器分析法を用いて二つの溶液を比較する．検液 t と色の比較液 r の色差 ΔE^*_{tr} を次式で求める．

$$\Delta E^*_{tr} = \sqrt{(\Delta L^*)^2 + (\Delta a^*)^2 + (\Delta b^*)^2}$$

ここで，ΔL^*，Δa^* 及び Δb^* は色空間座標における差である．

CIELab 色空間座標の代わりに CIELCh 色空間座標を用いることもできる．

4.　$L^*a^*b^*$ 色空間内の位置の評価

測定機器から $L^*a^*b^*$ 色空間の範囲内で検液の実際の位置に関する情報が得られる．適切なアルゴリズムを用いることによって，対応する色の比較液との比較（「検液は色の比較液 XY と同じ」又は「検液は色の比較液 XY に近い」若しくは「検液は色の比較液 XY と XZ の間」など）ができる．

クロマトグラフィーのライフサイクル各ステージにおける管理戦略と変更管理の考え方（クロマトグラフィーのライフサイクルにおける変更管理）〈*G1-5-181*〉

医薬品の分析法（分析手法）は，目的に適った試験結果を与えるよう設定されなければならず，このことは，分析法のデザインから，開発，適格性評価，そして継続的検証に至るまでの分析法ライフサイクル全体において考慮される必要がある．医薬品開発の特に製造管理及び品質管理の分野においては，品質リスクアセスメントによるライフサイクル全体にわたる系統立った品質確保の取り組みが実践されている（参考情報「品質リスクマネジメントの基本的考え方」〈*G0-2-170*〉）．同様の取り組みを分析法のライフサイクル各ステージにおける管理戦略として適用する取り組みが示されている[1)-4)]．

医薬品やその構成成分，不純物の分析手法の中で各種クロマトグラフィーが汎用されている．このような中，クロマトグラフィーを用いた試験法に関する国際調和に伴い，分析条件の変更に関する手引きが示された（クロマトグラフィー総論〈*2.00*〉）．しかし，分析条件変更の要因やタイミングは様々であり，ライフサイクル全般における位置づけを考慮した変更管理が必要となる．そこで，本参考情報では，クロマトグラフィーのライフサイクル各ステージにおける管理戦略策定の方法論を段階ごとに概括し，分析法の変更を含む分析法の管理がより効率的に行われることを目的とする．下記に示す方法論は，新たな規制要件の追加や緩和を意図するものではなく，従来，試験室で行われてきた作業を系統的に文書化したものととらえることができる．また，公的試験検査機関での医薬品品質試験においても本文書に記載の変更管理の考え方が参考となる．

1.　試験の目的に適う試験結果を与える分析法

分析法をデザイン・開発する前に，まずは，分析法開発の目的・目標（目標プロファイル）が暫定的に設定され，開発後期にかけて最終化されていく．クロマトグラフィーを有効成分などの定量分析に用いる場合は，報告される結果が，不純物や添加剤などの存在下で，表示量を含む一定の範囲にわたり，ある真度と精度により分析対象物を定量できなければならない．また，不純物の定量試験では，報告の閾値[5)] から規格限度値の 120％の範囲内で，試料中に存在する様々な成分の存在下で，ある真度と精度により不純物を定量できなければならない．5項で述べるように，例えば，不純物プロファイルの変化などにより，分析法を変更する，あるいは分析法自体が不要となることもあるが，この分析法の目標プロファイルはライフサイクル全般にわたり，分析性能特性が適切であるかどうかの指標となり得る[1]．ここで，分析性能特性とは，主として，参考情報「分析法バリデーション」〈*G1-1-130*〉の“分析能パラメーター”で評価される特性である．（日本薬局方に規定する試験法では，医薬品各条に示された規格値や判定基準が目標プロファイルとなり得る．）

2.　クロマトグラフィー案の策定と開発

分析法の目標プロファイルが提案されると，これを基に分析法の案を策定し，分析法の確立を行う．確立の過程においては，リスクアセスメントを行うことで，分析システムを含む一連の分析操作における変動要因とそれらが報告値に与える影響の理解が深まる．特性要因図（石川ダイアグラム）などの手法により変動要因を探り，その原因を探り，排除していくことになる．その際，真度や精度だけでなく，それらに影響を与える特異性や直線性など，目標プロファイルで提案した関連する様々な分析能パラメーターの妥当性が確認される．一連の妥当性確認により，分析法の目標となるプロファイルはキーとなる分析性能特性に反映され[1]，同時にそれらの実験の結果から，変動要因を特定し，分析法を修正していくことが可能になる．また，実験計画法（DOE）などにより，変動要因間の関係性を明らかにすると共に，分析法が異なった状況で行われた場合に起こり得る変動の程度を調べることができる．そして，管理すべき変動要因とその許容可能な変動範囲が明確になり，分析法が最適化されていく．この分析法策定の過程で取得された適切な実験結果を，バリデーションデータに代わるものとして使用できる場合がある．

リスクアセスメントの結果から管理戦略を策定する．管理項目としては，例えば，温度，試料溶液の安定性，繰返しの回数なども含まれるだろう．後述のようにシステム適合性の要件もあるだろう．

変数的な変動要因（例えば移動相pHやカラムサイズ）として管理できない，分析法に残されている変動要因の影響を評価するため，適切なチェック試験としてシステム適合性試験（System suitability test）が設定される（参考情報「システム適合性」〈*G1-2-181*〉）．したがって，システム適合性試験は，以下に記す分析性能の適格性評価段階では，最小限の管理手法として考慮されるべきである．システム適合性試験は，影響され得る分析性能特性に焦点を当てて，目標プロファイルの要件を満たすと考えられることが保証されるように設定される必要がある．システム適合性試験では，例えば，分離度やシンメトリー係数などが設定される．

3.　適格性評価の準備段階

変動要因の明確化，集積された知識により，分析法の管理戦略が提案され，分析能力が適格となる準備が整う．

すなわち，既に日本薬局方に規定する試験法が存在する場合は，当該試験法をベースとして，更に実際の分析を行う試験室でどの程度追加の変動要因があるか，どこまで事前の情報が得られているかをあらかじめ把握・検討する必要がある．追加の変動要因には，例えば，試料，試薬，施設，機器，更に，それらの変動に伴い生じ得る繰返しの回数が挙げられる．日本薬局方に規定する試験法を適用する際，多くの場合は試験者が当該分析法の開発の間に得られた知識や理解を有していないため，試験者はこの追加の変動要因に起因するリスクの可能性を認識し，分析性能の適格性評価などにより，上記リスクが適切に軽減されるように保証する必要がある．（独立行政法人医薬品医療機器総合機構のウェブサイトで公開されているカラム情報などは事前の情報として有用だろう）．

4.　分析性能の適格性評価

適格性評価の目的は，日常的に使用される試験室で分析法が目標プロファイルを常に満たすことを確認することである．適格性評価のための試験実施に当たっては，プロトコールが作成され，手順書と適切な管理に従って実行される．試験の結果，例えば，報告値のばらつきが目標プロファイルの要件を超える恐れがある場合には，当該試験室に対して管理戦略が最適化されているか検討し，変動要因を特定し，分析法の管理戦略が改善・改訂されることもある．日常的に使用される試験室で分析法開発がなされた場合，分析性能の適格性評価を省略できる場合がある．

日本薬局方に規定する試験法適用の際も，実験室や機器が異なれば，異なる管理戦略が必要になる．日本薬局方に規定する試験法を実施する試験室における適格性評価のために，医薬品各条中の規格値や判定基準の意図する目標プロファイルに適うように分析法の品質リスクマネジメントのプロセスが考慮されるべきである．

日本薬局方に規定する試験法適用時の適格性評価では，分析法を確立する際と同程度に分析能パラメーターの妥当性確認を再度行うことは必須ではないが，参考情報の「分析法バリデーション」〈*G1-1-130*〉にある分析能パラメーターのうち適切なものを用いて適格性を確認する必要がある．実施内容は，分析法のタイプ，関連する機器などを考慮する．さらに，試験試料に由来する要素に留意すべきである．例えば，日本薬局方に規定する試験法適用の際に，原薬及び製剤により異なる可能性のある不純物は，当該試験法の「特異性」に影響を与え得る．システム適合性試験で分離度が設定されている場合は，まずは，分離度で影響を確認し，特異性が低下している場合には，分析結果に与える影響を精査する．分析性能が低下している場合は，分析条件の検討が必要になるであろう．その他，特に製剤の添加剤が異なることにより，分析対象物質への妨害（特異性），検出（検出限界），添加回収率（真度），定量値のばらつき（精度）に影響を与える可能性があるので，システム適合性試験や参考情報の「分析法バリデーション」〈*G1-1-130*〉にある分析能パラメーターのうち適切なものを用いて適格性評価を行う．

5.　分析法の継続的な検証

1）日常的なモニタリング：この段階では，分析法の性能に関わるデータ，例えば，分析結果，システム適合性への適否，規格値からのずれや特定の傾向などのデータを収集し，解析する．もし，システム適合性への不適合，規格値からのずれや特定の傾向が明らかになった場合には，その原因解明に向けて検討を行い，修正や予防対策が行われなければならない．

2) 分析法の変更：医薬品の製造と同様，分析法にも継続した改善活動や異なる環境での分析のために，変更を加えることもあるであろう．日本薬局方に規定する試験法を新たに適用する場合も，現在ある装置やカラムに合わせた変更が必要になる場合もあるであろう．さらに1）の日常的なモニタリングの結果，分析法の変更が必要となることも想定される．変更の程度に応じて，その変更が試験結果に及ぼす影響を評価するための作業内容や作業量は異なる．以下に想定される変更の事例を挙げる．

①分析法開発時に評価した分析手法の許容可能な変動範囲内で変更する場合は，その変更の影響評価はケースバイケースで行い，変更後の分析手法が目標プロファイルを常に満たしていることを確認することが必要である（ただし，分析法開発時にこのような変動範囲について検討していない場合には当てはまらない．）．なお，個々の条件変更は許容可能な変動範囲内であっても，複数の条件を変更することにより，以下の②と同様の対応を必要とする場合もある．

②分析法開発時に評価した分析手法の許容可能な変動範囲を超えて変更する場合は，リスクアセスメントを必要とするであろう．また，分析法開発時に品質リスクマネジメントにより変更許容範囲が検討されていない場合も，分析条件を変更する場合は，リスクアセスメントが必要となる．リスクアセスメントは，どの分析性能特性（分析能パラメーター）が変更により影響を受ける可能性があるかを考慮する．そして，変更により，分析性能が目標プロファイルを外れないことを確認するために適格性評価を行う（4. を参照）．具体的には，参考情報「分析法バリデーション」〈*G1-1-130*〉の分析能パラメーターのうち変更の影響を受ける可能性がある分析能パラメーターを用いて検証する．変更の影響を受ける可能性がある分析能パラメーターが，システム適合性試験の1項目として設定されている場合は，当該分析能パラメーターについてシステム適合性試験を用いて検証できる場合もある．さらにクロマトグラフィーにおけるカラムサイズや移動相組成などの変更においては，クロマトグラフィー総論〈*2.00*〉の「クロマトグラフィー条件の調整」を参考にし，変更に際して適切に分析性能の検証を行う．

③試験室を変更する，あるいは日本薬局方に規定する試験法を新たに適用する場合は，分析装置，試験者，試薬などの変化に伴い分析性能特性が影響を受ける可能性があるため，リスクアセスメントを行い，適切な適格性評価を行う（3.，4. を参照）．一方，同じ試験室において分析装置やカラムの更新，試験者の交替などを行う場合には，変更した分析システムにより，少なくともシステム適合性の試験を行って，変更前後で同等の結果が得られることを確認する．

④新しい分析法や技術へ変更する場合には，新しい手法が目標プロファイルに合致するか示すために，新しい分析法の開発時に適格性評価を行う必要がある（2.，3.，4. を参照）.

⑤目標プロファイルに影響するような変更（例えば，規格値の変更，元の目標プロファイルで考慮していなかった不純物などの新たな分析物量を測定するための手法への変更）の必要が出てきた場合は，目標プロファイルを更新し，分析法が新しい目標プロファイルの要求を満たすかどうか評価するために，現在の分析法と適格性評価の見直しが必要になるであろう（1.，2.，3.，4. を参照）.

分析法の変更が目的に適う試験結果を与えるかどうかを確認するための作業の程度は，①変更に伴うリスク，②当該分析法について得られている知識，③管理戦略，に依存する．どのような変更をしたとしても，程度の差はあれリスクアセスメントを行い，これにより変更された分析法が試験法の目的に適う（つまり，目標プロファイルで規定された範囲の）結果を与えることを確認する.

6. 参考資料

1）G.P. Martin, et al., Pharmacopeial Forum 39（5)，(2013).

2）Proposed New USP General Chapter: The Analytical Procedure life cycle<1220>, Pharmacopeial Forum 43（1)，(2017).

3）K.L. Barnett, et al., Pharmacopeial Forum 42（5)，(2016).

4）E. Kovacs, et al., Pharmacopeial Forum 42（5)，(2016).

5）ICH: Guideline for Q3A（R2), Impurities in New Drug Substances.

参考情報 G2. 物性関連 せん断セル法による粉体の流動性測定法 を加える.

せん断セル法による粉体の流動性測定法〈*G2-5-181*〉

医薬品の製造においては，混合機への原料投入や打錠機の臼への粉体充塡など，粉体の搬送及び供給を伴う工程が多い．粉体の流動性は，質量や含量均一性などの製剤特性に関連することから，医薬品の品質に大きな影響を与える．製剤処方及び製造工程，並びに製造装置を適切に設計するためにも，粉体の流動性評価は重要である．せん断セル法は粉体の流動性評価に有用な試験法の一つで，幅広い応力条件下で測定が行えるため，粉体動摩擦角や単軸崩壊応力，フローファンクションなどの，医薬品の製造における様々な粉体挙動の予測に役立つパラメーターを求めることができる.

1. 原理

ホッパーなどからの流出において粉体は，粒子同士の付着・凝集や複雑な表面形状による互いの動きへの干渉などのため，外から力が加えられても速やかに流れ出すとは限らず，加える力が十分に大きくなると急に流れ始めるようになる．また，容器中の準静的な条件下での粉体の流動性は，圧密応力に強く依存する．圧密とは，粉体層に荷重を加えて，そのかさ体積を減少させ，粉体層のかさ密度又は空間率を変化させる操作をいう．せん断セル法は，圧密した粉体に垂直応力を負荷しながら横滑りさせたとき，静止状態から流動状態に移行する過程の粉体の挙動，すなわち横滑りし始める直前の最大せん断応力や定常流動状態の動的摩擦力を測定する試験法である．

荷重下の粉体の流動性は，圧密の程度（かさ密度又は空間率，ε），垂直応力（σ）及びせん断応力（τ）の三つの条件によって決まる．三条件の関係を三次元的に表した図をロスコー状態図（図1）といい，せん断セル法は，このロスコー状態図あるいはロスコー状態図を構成する破壊包絡線を得るための試験法である．

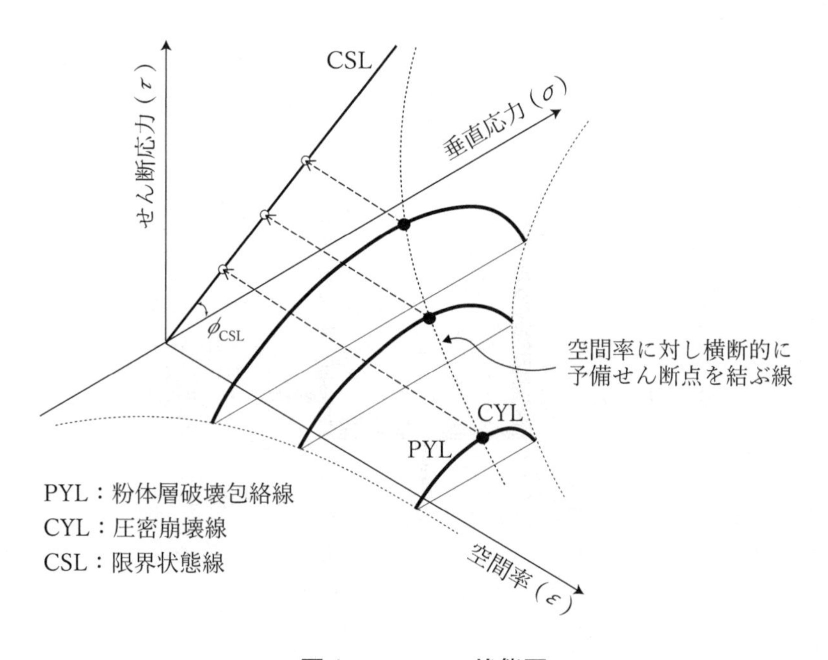

図1　ロスコー状態図

2.　装置

せん断セル法には，定荷重法と定容積法の二つの測定方法がある．どちらの方法でも，使用する装置は通例，せん断セル，試料に垂直応力を負荷するための分銅やプレス装置，試料をせん断するための機構，垂直応力及びせん断応力を計測するロードセルからなる．

2.1.　せん断セル

せん断セルは，上下に二分割できる容器（セル）に充填した粉体を，垂直応力を負荷しながら横滑りさせ，粉体層の内部にせん断面を生じさせることのできる構造を持つものが多い．定荷重法の場合，上部セルに嵌合する蓋はせん断応力が負荷されると上下し，粉体の収容容積が変化する．定容積法では，蓋を押し込むプレス機などにより蓋の位置が固定される．

せん断セルは，せん断応力を与える運動が並進か回転かにより，2 種類に分類される．

2.1.1.　並進せん断セル

並進せん断セルでは，上部あるいは下部セルの一方を固定し，他方を直線的に水平移動（並進）させて，二つのセルに充填した粉体層にせん断応力を負荷する．せん断面は，下部セル中の粉体とリング状の上部セル中の粉体の境界に生じる．並進せん断セルには，円筒型のもの（図 2）と試料を上下 2 枚の平板ではさんだ側壁のないものがあり，前者の代表例としてジェニケセル，後者の代表例として平行平板セルが挙げられる．

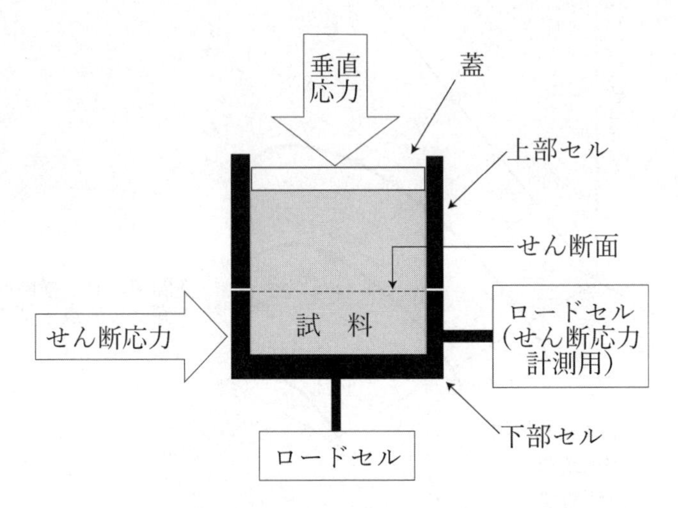

図 2　並進せん断セルの例

2.1.2.　回転せん断セル

回転せん断セルでは，上下一対のセルの一方を固定し，他方を回転運動させて，二つのセルに充填した粉体層にせん断応力を負荷する．円筒型のものと環状型のもの（図 3）がある．いずれの回転せん断セルでも，粉体がセル内壁との界面で滑らないよう，セルの内側に何らかの表面加工を施してある場合が多い．回転セルの試料に接する面には複数の刃を放射状に取り付けるなどして，粉体を噛み込む作りにしてある．粉体を充填した固定セルに回転セルを押し入れて回転させることにより，回転セル直下の粉体層にせん断面が形成される．

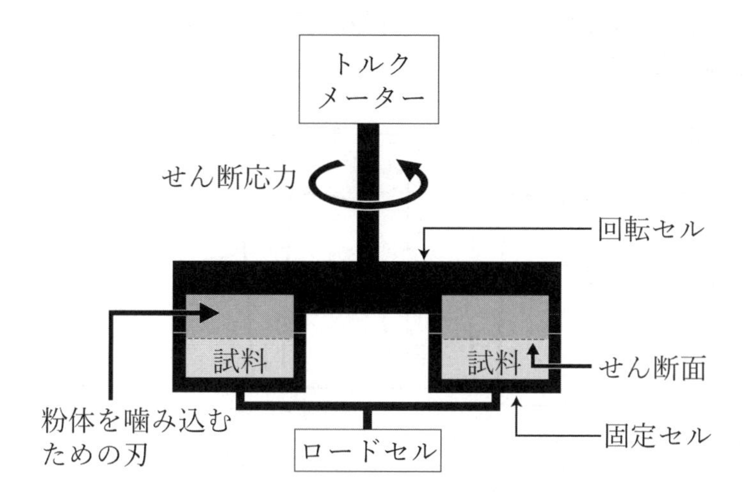

図 3　回転せん断セルの例

2.2.　その他の構成部分

ロードセルは，バネや圧電素子などを利用したセンサーで，荷重やトルクを検出し，加えられた力を電気信号に変換する装置である．ロードセル及び試料に垂直応力を負荷するための分銅などは，計量トレーサビリティの保証された標準によって定期的に校正を行う．

3.　測定

測定環境は，温度 20 ± 5℃，相対湿度 50 ± 10％が推奨される．試料は，測定ごとに新しいものを用いる．ただし，圧密履歴を経ていないことが明白な試料や希少な試料について，再使用した旨の記載を残す場合は，この限りではない．スパーテルや試料の最大粒子径より大きい目開きのふるいなどを用いて，静かにせん断セルに試料を充填する．このとき，粉体層内に空洞が生じないように注意する．充填した試料の表面は，スパーテルなどでならしておく．定荷重法では，1 回の測定中は空間率を一定にして試験を行うため，初めに試料の圧密（予圧密）を行う．

ジェニケセルなどを用いた定荷重法における測定の手順を，図 4 に模式図で示す．試験に先立ち，垂直方向の予圧密応力（σ_{pre}）を負荷しながら，せん断応力が定常値（τ_{pre}）になるまで予備せん断を行う（図 4(a) A）．定荷重法では予備せん断中，粉体の容積が減少あるいは場合によっては増加し，定常状態に至ると一定になる．言い換えれば，ある垂直応力の条件下でせん断応力が定常値になった粉体層の空間率は，その粉体の流動特性から一つに決まる．以下の本試験では，この空間率を有する試料についての測定を行う．せん断応力をゼロとした後 σ_{pre} の垂直応力を取り除き，新たに垂直応力（σ_{sx}, x = 1, 2, 3 …）を負荷してせん断応力を測定する（図 4(a) B）．せん断応力を徐々に増加させたとき，粉体層が横滑りし始める直前の最大せん断応力が τ_{sx}（x = 1, 2, 3 …）である．σ_{pre} 以下の 3 〜 5 点の σ_{sx} において A 〜 B

の操作を繰り返し，得られた結果から粉体層破壊包絡線（PYL：powder yield locus，図4(b)）を描くことができる．

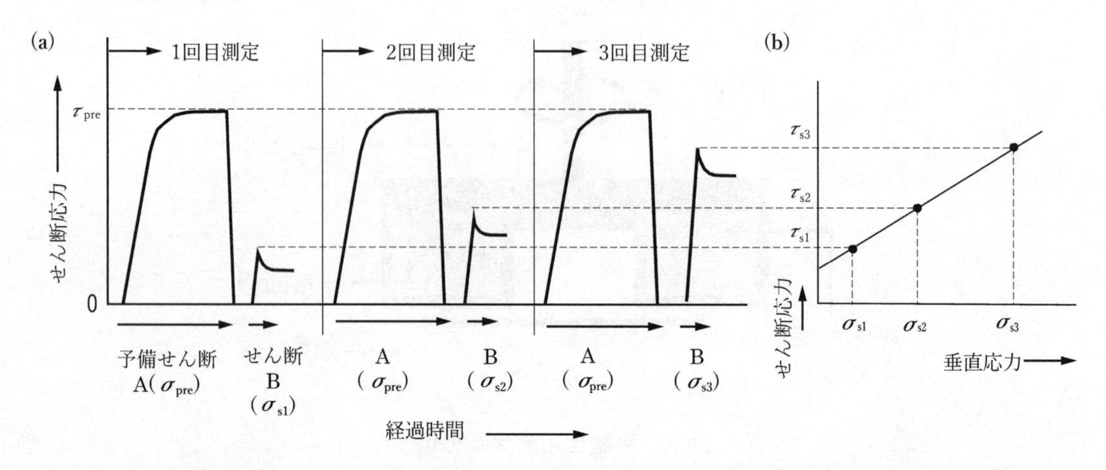

図4　測定中の垂直応力及びせん断応力の時間経過図（a）と粉体層破壊包絡線（b）の例

一方，定容積法では，プレス機などで蓋の位置を制御して空間率を所定値に保ちながら，垂直応力を徐々に変化させて，せん断応力を連続的に測定する．常に一定の空間率で測定が可能なため，せん断により粉体層が圧密崩壊する垂直応力領域では，図1中の圧密崩壊線（CYL：consolidation yield locus）が得られる．PYLとCYLは予備せん断点を共有し，1本の破壊包絡線（YL：yield locus）としてつながる．

4.　データ解析

せん断応力には，粉体が流動していない（静的）状態で測定される値と，流動している（動的）状態で測定される値がある．

前項の図4(b)で示した各（σ_{sx}，τ_{sx}）を結ぶ近似線は，圧密した粉体層が横滑りし始める直前，つまり静的な状態での垂直応力に対するせん断応力の関係を表し，PYLと呼ばれる．ここに，垂直応力σ_{pre}を負荷して行った予備せん断により定常状態に至ったときのせん断応力τ_{pre}をプロットする（図5）．この点は，動的な状態における測定値で，予備せん断点と呼ばれる．次に，垂直応力軸上に中心を持つ，予備せん断点を通りPYLに接する円（図5中の大きい方の半円）と原点を通りPYLに接する円（図5中の小さい方の半円）を描く．垂直応力軸上に中心を持ちPYLに接する円を，モール円と呼ぶ．

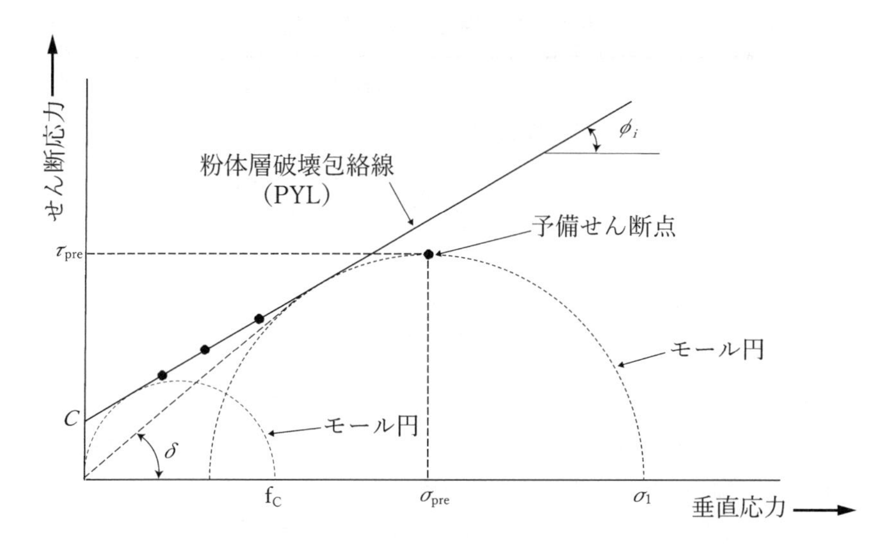

図 5　粉体層破壊包絡線からの各種パラメーターの求め方

粉体の流動性を記述する各種パラメーターは，PYL とモール円から求められる．

4.1.　せん断付着力（*C*）

PYL と τ 軸の交点の値であり，垂直応力が負荷されていない状態でのせん断応力に相当する．

4.2.　内部摩擦角（ϕ_i）

PYL と σ 軸がなす角度．PYL の勾配（tan ϕ_i）は，測定を行った圧密条件下での，粉体粒子同士の摩擦係数である．

4.3　有効内部摩擦角（δ）

原点を通り，図 5 中の大きい方のモール円に接する直線が σ 軸となす角度．粉体の流動が定常状態にあるときの，内部摩擦力の相対的な指標として用いられることがある．

4.4.　フローファンクション（FF）

図 5 中の大きい方のモール円の最大主応力（σ_1）と，小さい方のモール円の最大主応力（単軸崩壊応力：f_c）の比（σ_1/f_c：ff_c）は，粉体の流動性を定性的に分類する際の指標として用いられることがある（表 1）．同一の試料について複数の圧密条件下で測定した σ_1 と f_c の関係から得られる線図，すなわち FF は，ホッパーを設計する際などの粉体の流動性解析に活用される．

表1　流動性の一般的な分類

ff_c	流動性
＜1	流動しない
1～2	付着性が高く，流動しにくい
2～4	付着性があり，やや流動しにくい
4～10	流動しやすい
10＜	極めて流動しやすい

上記の各パラメーターは，所定の空間率を有する試料において測定された垂直応力とせん断応力の関係を表す図5から求められるため，同じ粉体でも，圧密の程度が異なれば，違う値になることに注意する必要がある．

一方，図1の限界状態線（CSL：critical state line）は，複数の空間率で得られた予備せん断点（図中の黒丸）を$\sigma-\tau$面上に投影して得られる線で，原点を通る直線になる．動的な状態における垂直応力とせん断応力の関係を示すCSLは，測定に用いる装置の種類に依存せず，粉体の流動特性を反映する．CSLとσ軸のなす角度を粉体動摩擦角（ϕ_{CSL}）といい，小さいほど流動性が高いことを示す．

5.　結果の報告

同一条件での測定は，得られる値のばらつきに応じた適当な回数繰り返し行い，その平均値を結果とする．測定結果は，表2に挙げる項目と共に報告する．

表2　結果報告に記載する項目例

項目	内容
一般的事項	測定日時，測定者名，試料名，使用した装置（機種，型式・製造会社）とセルの種類，測定法（定荷重法又は定容積法）など
試料関連事項	粒子径及び粒子径分布，粒子径測定法の種類，かさ密度，水分含量，乾燥処理条件など
測定条件	測定時の温度及び相対湿度，使用したセルのサイズ，試料量，予圧密条件，せん断速度など
測定結果	本試験における測定回ごとの垂直応力とせん断応力，破壊包絡線を描いた$\sigma-\tau$図，粉体動摩擦角などの解析で得られた各種パラメーターの値
その他の特記事項	予圧密応力や測定回数などを通常の設定から変更した場合，あるいは試料を再使用した場合には，その旨の記載

参考情報　G4.　微生物関連　に微生物試験における微生物の取扱いのバイオリスク管理　を加える．

微生物試験における微生物の取扱いのバイオリスク管理 〈*G4-11-181*〉

本参考情報は，一般試験法の微生物学的試験法（4.02 抗生物質の微生物学的力価試験法，4.05 微生物限度試験法，4.06 無菌試験法），生薬試験法（5.02 生薬及び生薬を主たる原料とする製剤の微生物限度試験法），参考情報の G3. 生物薬品関連（日局生物薬品のウイルス安全性確保の基本要件〈*G3-13-141*〉，バイオテクノロジー応用医薬品 / 生物起源由来医薬品の製造に用いる細胞基材に対するマイコプラズマ否定試験〈*G3-14-170*〉），G4. 微生物関連（保存効力試験法〈*G4-3-170*〉，微生物迅速試験法〈*G4-6-170*〉，遺伝子解析による微生物の迅速同定法〈*G4-7-160*〉，蛍光染色による細菌数の迅速測定法〈*G4-8-152*〉，消毒法及び除染法〈*G4-9-170*〉）などの実施に際して考慮すべき微生物の安全な取扱いにおける基本要件を示すものである．

微生物を取り扱う作業に当たり，試験実施により生じるバイオリスクを的確に管理することが求められる．微生物を取り扱う際のリスクは，微生物の特性と取扱い作業内容により異なるため，そのリスクマネジメントにおいては，個々の作業ごとにリスクアセスメントを行ってリスクを特定，分析及び評価し，微生物取扱い者を防護すると共に，実験室バイオセーフティ上及びバイオセキュリティ上のリスクを低減することが必要である．その実践に際しては，組織内にバイオリスク管理に関する責任者及び担当者を置き，運営のための規則と計画の策定に当たる．リスクを低減するために安全管理，個人用防護具，安全機器及び物理的封じ込め施設・設備の 4 要素を組み合わせて実験室バイオセーフティ対策を行う．構築したリスクマネジメント方法は，継続的なリスクレビューにより更新する[1]．

微生物の取扱いにおけるバイオリスク管理に必要な基本的な考え方を以下に示す．

1.　用語の定義

本参考情報で用いる用語の定義は，次のとおりである．

1.1.　実験室（Laboratory）：検査，試験，研究のための実験などを行う目的で微生物を取り扱う施設・設備．

1.2.　バイオハザード（Biohazard）：生物及び生物由来物質による災害．

1.3.　微生物リスクレベル分類：微生物取扱い者及び関連者に対する微生物のリスクを分類したもの．

1.4.　実験室バイオセーフティ（Laboratory Biosafety）：バイオハザードのリスクに応じたリスク低減対策をバイオセーフティと呼ぶ．病原体又は毒素の意図しない曝露や拡散及び偶発的漏洩を予防するのが目的である．その中でも，実験室バイオセーフティは，安全管理，個人用防護具，安全機器及び物理的封じ込め施設・設備の 4 要素を組み合わせて行う．

1.5.　**実験室バイオセーフティレベル（Biosafety Level, BSL）**：実験室バイオセーフティを実践する 4 要素の組合せにより BSL1 から BSL4 に分けられ，個々の BSL に応じたリスク低減対応策を構築する．

1.6.　**バイオセキュリティ（Biosecurity）**：防護・監視を必要とする重要な生物材料（Valuable Biological Materials）への不正アクセス，紛失，盗難，濫用，悪用，流用又は意図的な放出を防止するための実験施設内における防御や制御を示す．

1.7.　**バイオリスク（Biorisk）**：実験室バイオセーフティ及びバイオセキュリティ上の両方を併合し，危害をもたらす有害的事象（偶発的感染，不正アクセス，紛失，盗難，濫用，悪用，流用又は意図的な放出など）が起こる可能性や機会の全てを含む．

1.8.　**バイオリスクマネジメント（Biorisk Management）**：リスクアセスメント（Assessment），リスク低減（Mitigation），実施（Performance）の 3 要素で構成されている．

1.9.　**微生物取扱い者**：実験室において直接微生物を取り扱う者及び実験室施設の維持管理のために実験室へ入室する者．

1.10.　**関連者**：微生物取扱い者と直接あるいは間接的に接触する実験室使用者，微生物取扱い者の同僚あるいは同居人など感染の可能性がある者．

1.11.　**標準微生物学実験手技（Good Microbiological Technique, GMT）**：微生物を安全に取り扱う標準的技術．技術取得のための教育プログラム，標準作業手順書，規則などの整備を含む．

1.12.　**個人用防護具（Personal Protective Equipment, PPE）**：微生物取扱い者をバイオハザードから防護するために個人で装着する用具一式．例えば，マスク，呼吸器保護具，ゴーグル，手袋，防護服，靴カバーなど．

1.13.　**安全機器（Safety Equipment）**：微生物取扱い者を生物学的危険物質曝露から防護する装置，機器，器材一式．例えば，電動ピペット，密閉容器，生物学用安全キャビネット（Biological Safety Cabinet）など．生物学用安全キャビネットは，機器内で発生したエアロゾルの機器外への漏出を防ぐことを目的とした装置のことで，開口部に気流によるエアバリアを形成して機器内外を隔絶する開放型と閉鎖されたグローブボックス型の装置がある．

1.14.　**物理的封じ込め施設・設備（Physical Containment）**：微生物リスクレベル分類に応じて微生物の取扱いを安全上管理する施設・設備．物理的封じ込めレベルにより P1 から P4 までの 4 段階に分類される．

1.15.　**管理区域**：バイオリスク管理が必要な区域．微生物取扱い実験室の他，バイオハザードのリスクがあると考えられる廃棄物処理施設・設備，排水処理施設・設備，空調機械室などを含む．

2.　微生物取扱いにおけるリスクアセスメント

個々の試験の実施計画において微生物取扱い作業に伴う以下のリスクについて評価する．

2.1.　実験室バイオセーフティ上問題になるリスク

2.1.1.　微生物の特性によるリスク

（ｉ）微生物のリスクレベル分類によるリスク

微生物は，分類上の種や株ごとにヒトに危害を及ぼす程度が異なることから，微生物に感染した場合の微生物取扱い者の症状や関連者への影響を考慮し，リスクが低いものから順に微生物リスクレベル1から4までに分類する（表1）．個々の微生物リスクレベルの分類は，国や地域，対象（ヒトや家畜），有効な治療法や予防法の有無，感染の成立に必要な最少感染量，感染経路，使用する量，作業内容などによって異なる．なお，国内に存在しない微生物は高いリスクレベルに分類する場合が多い．

表1　微生物リスクレベル分類

微生物リスクレベル	基準
1	微生物取扱い者及び関連者に対するリスクが無いか低いリスク．ヒトあるいは動物に疾病を起こす見込みがないもの（健康人に病気を発生させることのないもの）
2	微生物取扱い者に対する中程度のリスク，関連者に対する低いリスク．ヒトあるいは動物に感染すると疾病を起こし得るが，微生物取扱い者や関連者に対し，重大な健康被害を起こす可能性が低いもの．有効な治療法，予防法があり，関連者への伝播のリスクが低いもの，すでに多くの者が免疫をもっており感染を容易に予防できるもの．
3	微生物取扱い者に対する高いリスク，関連者に対する低いリスク．ヒトあるいは動物に感染すると重篤な疾病を起こすが，通常，感染者から関連者への伝播の可能性が低いもの．有効な治療法，予防法があるもの．
4	微生物取扱い者及び関連者に対する高いリスク．ヒトあるいは動物に感染すると重篤な疾病を起こし，感染者から関連者への伝播が直接又は間接に起こり得るもの．通常，有効な治療法，予防法がないもの．

（ii）微生物の感染経路や曝露経路によるリスク

微生物取扱い者に曝露が想定される微生物の感染経路を検討する．自然感染では口腔，鼻腔，眼の粘膜が感染経路になりやすく，粘膜への接触，経口感染，飛沫感染，空気感染，媒介昆虫の有無などを検討する．実験室内感染においては，針刺し感染，皮膚の傷からの感染，器具などの汚染物への接触による感染に留意する．

（iii）宿主の感受性によるリスク

使用する微生物に対する微生物取扱い者の感受性が異なるリスクについて検討する．ワクチンが存在する微生物の場合，適切なワクチン接種により微生物取扱い者に抵抗性を付与し，当該感染症の発症などのリスクを減らすことができる．

(iv) 関連法規に定める微生物によるリスク

法律[2-5]により定められている微生物種，株及び毒素は，それらの使用，所持，保管，移動などに当たり，関連する法律を遵守する．一般的事項については，それらを詳述した法令，通知，事務連絡などを参照する．

2.1.2.　取扱い作業によるリスク

(i) 取り扱う微生物の形状や量によるリスク

ピペット操作などは飛沫やエアロゾルを発生する場合が多く，微生物を含むエアロゾルは気流によって広範囲に拡散するリスクが大きい．取り扱う微生物種，株及び毒素の量が多くなるに従い，それらに付随するリスクが高くなることを考慮する．

(ii) 微生物取扱い者の技量によるリスク

取り扱う微生物に関する十分な知識を有しない者又は適切な微生物の取扱い方法について十分な教育・訓練を受けていない者の作業は，リスクが高くなることを考慮する．

(iii) 取り扱う器具の形状によるリスク

ガラス器具を作業に用いることは，破損によって微生物を含む内容物の汚染リスクが高くなるだけではなく，破損物で生ずる傷などを介して感染するリスクが高くなることを考慮し，ガラス器具を用いる際には，リスクを考慮して用途を検討する．

(iv) 作業内容に伴うリスク

液体又は粉体を含む容器の開封，ピペット又はピペッターを用いた液体の取扱い，ボルテックスミキサーによる液体の攪拌，遠心分離後の上清を他の容器に移し替える操作などは，エアロゾルを発生させるリスクが高くなることを考慮する．

(v) 作業工程ごとのリスク

作業工程が複数ある場合，各工程の作業内容によりリスクが異なることを考慮する．

(vi) 微生物の受入・分与のリスク

微生物，株及び毒素の受入・分与に伴い，新たなリスクが生じることを考慮する．

(vii) 微生物移動時のリスク

微生物を含む試料を移動する際には，管理区域内移動と管理区域外への移動の場合でリスク（外部への影響）が異なることを考慮する．

(viii) 感染性廃棄物のリスク

作業中に微生物で汚染した全ての器具や試料は，消毒，除染又は滅菌して微生物を不活化させるまでは感染のリスクがある感染性廃棄物として取り扱う．

(ix) 緊急時のリスク

微生物取扱い者の微生物曝露，施設・設備の汚染，微生物の管理区域外漏洩などが発生した時の緊急時対応を考慮する．

2.2.　バイオセキュリティ上問題になるリスク

微生物を取り扱う施設への入室管理や微生物の保管管理方法が適切にとられていない状況は，微生物への不正アクセス，紛失，盗難，濫用，悪用，流用，意図的な放出などがバイオセキュリティ上のリスクになる．

3.　微生物取扱いにおけるリスク低減対策

評価により明らかになった各リスクに対しては，微生物取扱い者や関連者にリスクを及ぼさないように，必要な対策を講じてリスクを低減する．実施に当たっては，以下の内容を含む．

3.1.　バイオリスクマネジメント体制の構築

微生物を保有し，取り扱う機関は，微生物取扱い者の人数に係わらず，バイオリスクマネジメントに関する管理組織の構築が求められる[6-8]．

・管理組織における役割，権限，責任を明確にする．
・バイオリスクマネジメントに関する責任者を置く．
・バイオリスクマネジメントの担当者を置く．
・バイオリスクマネジメント運営のための規則並びに計画を策定する．
　実施する内容には，以下のものがある．
・実験室バイオセーフティ上問題になるリスクを低減する．
・バイオセキュリティ上問題になるリスクを低減する．
・バイオリスク教育・訓練を実施する．
・管理区域の施設・設備の維持管理計画を策定して実施する．
・関連法規を遵守する．

3.2.　実験室バイオセーフティ上問題になるリスクの低減

微生物取扱いにおけるリスク低減対策には，主なものとして安全管理，個人用防護具，安全機器・器材，物理的封じ込め施設・設備の4要素がある．バイオリスクに応じて4要素を組み合わせた実験室バイオセーフティ対策（表2）を行い，リスクを低減する[9]．

（i）安全管理（Safety Management）

安全管理には，関連する全ての事項を含み，以下のものが必要である．

・微生物の安全な取扱いに必要な諸項目に関する規則を策定する．
・標準微生物学実験手技（GMT）に基づく標準作業手順書を整備する．
・標準微生物学実験手技（GMT）を取得するため，継続的な教育・訓練を行う．
・微生物取扱い者の健康管理に関し，使用する微生物に対するワクチンなどの効果的な予防法がある場合には，微生物取扱い者のワクチン接種歴を活用する仕組みを導入する．
・緊急時対策を整備する．
・バイオリスク教育・訓練を実施する．

（ii）個人用防護具

作業時には，適切な個人用防護具（PPE）を用い，微生物曝露のリスクを低減す

表2 実験室バイオセーフティレベル（BSL）分類と対策

BSL 分類	安全管理	個人用防護具	安全機器	施設・設備（物理的封じ込めレベル）
BSL1	標準微生物学実験手技及び管理体制（管理組織，取扱い手順書，教育・訓練）	個人用防護具	安全機器	P1（基本実験室）
BSL2	BSL1の要求に加えて，微生物リスクレベル2に対応した標準微生物学実験手技	BSL1の要求に加えて，微生物リスクレベル2に対応した個人用防護具	BSL1の要求に加えて，微生物リスクレベル2に対応した安全機器	P2（微生物リスクレベル2に対応した基本実験室）
BSL3	BSL2の要求に加えて，微生物リスクレベル3に対応した専用標準微生物学実験手技	BSL2の要求に加えて，微生物リスクレベル3に対応した専用個人用防護具	BSL2の要求に加えて，微生物リスクレベル3に対応した専用安全機器	P3（物理的封じ込め実験室）
BSL4	BSL3の要求に加えて，微生物リスクレベル4に対応した専用標準微生物学実験手技	BSL3の要求に加えて，微生物リスクレベル4に対応した専用個人用防護具	BSL3の要求に加えて，微生物リスクレベル4に対応した専用安全機器	P4（高度物理的封じ込め実験室）

各微生物リスクレベルに応じた総合的なリスクマネジメント方法をBSL1からBSL4に分類し，BSLの数値が上がるにつれて，新たに発生，懸念されるリスクに応じて対応策を順次追加，強化する．特にBSL3及びBSL4では，専用の標準微生物学実験手技，個人用防護具及び安全機器を用いる必要がある．

る．個人用防護具（PPE）は，取り扱う微生物の特徴と感染経路及び作業内容によって適切なものを選択する．

（iii）安全機器

電動ピペットなどを用い，微生物取扱い者が直接微生物に接触することが無いようにする．器具・器材は破損しにくい材質の漏出しない容器を使用する．注射針などの鋭利な器具を廃棄する際は，鋭利な器具が貫通しない容器（注射針回収容器など）に廃棄する．

微生物を開放系で取り扱う作業は，生物学用安全キャビネットなどの中で行い，発生するエアロゾルに含まれる微生物の曝露や作業場所への拡散のリスクを低減する．エアロゾル感染のリスクが高い試料は，エアロゾルを封じ込める対策を施した遠心機を使用する．生物学用安全キャビネットなどの中で使用した安全機器などは，生物学用安全キャビネットなどの中で消毒後に持ち出す．

微生物（芽胞や胞子を含む）は，封じ込め性能が担保されていないクリーンベンチで取扱わない．

(iv) 物理的封じ込め施設・設備

微生物の特性及び作業内容をもとにリスクアセスメントでリスクレベルを設定し，必要な物理的封じ込め施設・設備を使用する．施設・設備には，封じ込めレベルごとに定められた要件があり[10, 11]，物理的封じ込めレベル3（P3）以上の施設・設備では，作業中に発生する微生物を含むエアロゾルによる微生物取扱い者への曝露の防止と周辺への漏洩を防止する有効な対策が必要である．

(v) 微生物受入・分与時のリスク低減

受入及び分与に際しては，関連する法律[2-5]を遵守する．機関内に新たに微生物を受け入れる際には，その機関において微生物リスクをアセスメントして実験室バイオセーフティレベル（BSL）を設定すると共に，緊急時や曝露時の対応策など必要事項を事前に決めておく．分与に際しては，事前に分与先の実験室バイオセーフティを確認する．一般的事項については，それらを詳述した法令，通知，事務連絡などを参照する．

(vi) 微生物移動時のリスク低減

微生物試料を移動する際は，管理区域内での移動においても適切な漏洩防止策をとる．管理区域外に移動する際には，試料が漏れない三重梱包を施すことが基本となる[12]．施設外に移動する際には，法律[2-5]を遵守する．

(vii) 感染性廃棄物のリスク低減

感染性廃棄物は，対象となる微生物に適切な薬剤又は高圧蒸気滅菌法などにより確実に不活化する．不活化処理は，管理区域内で完結する．

(viii) 緊急時のリスク低減

微生物の曝露，漏洩などの緊急事態が発生した場合に備えて，適切な対処方法を文書化する．対処方法には，連絡方法，連絡網の整備，具体的な対処方法，必要な器材・器具の備蓄，それらに対する教育・訓練を含む．それらを実施する組織体制を確立しておく．

3.3.　バイオセキュリティ上問題になるリスクの低減

バイオセキュリティ上問題になるリスクの低減には，以下の内容を含む[13]．

(i) 微生物取扱い者のアクセスコントロール

- ID 管理
- 微生物取扱い者の登録管理
- 施錠
- 入退室管理

(ii) 微生物のコントロール

- 微生物の保管出納管理

3.4.　バイオリスク教育及び訓練

微生物取扱い者の技量の向上のため，微生物の取扱いに関するリスクの理解とその対策に関する教育訓練を行う．微生物の特性，作業によるリスク，標準微生物学実験手技（GMT）の取得と訓練，緊急時対応などが重要である．教育・訓練は，繰り返し行う．

3.5.　関連法規の遵守

法律[2-5]で指定される特定微生物などの取扱いについては，微生物や毒素の所持，出納管理，移動などについて，関連する法律を遵守する．一般的事項については，それらを詳述した法令，通知，事務連絡などを参照する．

4.　バイオリスクマネジメントのレビューと更新

バイオリスクマネジメントが有効に機能していることを評価するため，リスクアセスメント（Assessment），リスク低減（Mitigation），実施（Performance）が適切に行われていることを定期的にレビューし，マネジメント計画を更新する．適切に管理する手法として例えば計画 Plan- 実行 Do- 評価 Check- 改善 Act（PDCA サイクル）などがある．

5.　参考資料

1）第十八改正日本薬局方，参考情報「品質リスクマネジメントの基本的考え方〈*G0-2-170*〉」．

2）平成 10 年法律第 114 号「感染症の予防及び感染症の患者に対する医療に関する法律」（平成 11 年 4 月 1 日施行）．

3）昭和 26 年法律第 166 号「家畜伝染病予防法」（昭和 26 年 6 月 1 日施行）．

4）昭和 25 年法律第 151 号「植物防疫法」（昭和 25 年 5 月 4 日施行）．

5）平成 15 年法律第 97 号「遺伝子組換え生物等の使用等の規制による生物の多様性の確保に関する法律（カルタヘナ法）」（平成 16 年 2 月 19 日施行）．

6）CEN（European Committee for Standardization），CWA（CEN Workshop Agreement）15793「Laboratory biorisk management」，2011 年 9 月．

7）ISO/DIS 35001: 2019, Biorisk management for laboratories and other related organisations.

8）CEN（European Committee for Standardization），CWA（CEN Workshop Agreement）16393「Laboratory biorisk management-Guidelines for the implementation of CWA 15793: 2008」，2012 年 1 月．

9）WHO, Laboratory biosafety manual Third Edition, 2004. ISBN 92-4-154650-6.

10）昭和 36 年 2 月 1 日厚生省令第 2 号「薬局等構造設備規則」第八条「特定生物由来医薬品の製造者等の製造所の構造設備」．

11）平成 16 年 12 月 24 日厚生労働省令第 179 号「医薬品及び医薬部外品の製造管理及び品質管理の基準に関する省令」第二章第四節「生物由来医薬品の製造管理及び品質管理」．

12）WHO, Guidance on regulations for the Transport of Infectious Substances 2013-2014.

13）WHO, Biorisk management: Laboratory biosecurity guidance, 2006.

参考情報　G5.　生薬関連　日本薬局方収載生薬の学名表記について　のコウボク，サンシシ，チョウジ，チョウジ油，ハマボウフウ，ボウイ，モクツウの項を次のように改める．

日本薬局方収載生薬の学名表記について〈*G5-1-181*〉

日本薬局方の学名表記と分類学的に用いられる学名表記

生薬名	日本薬局方の学名表記 ＝分類学的に用いられている学名表記 - - - - - 日本薬局方の学名表記とは異なるが分類学的に同一あるいは同一とみなされることがあるもの及び収載種に含まれる代表的な下位分類群．*印のあるものは，日本薬局方で併記されているもの．	科名
コウボク	ホオノキ *Magnolia obovata* Thunberg ＝*Magnolia obovata* Thunb. - - - - - **Magnolia hypoleuca* Siebold et Zuccarini ＝*Magnolia hypoleuca* Siebold & Zucc.	*Magnoliaceae* モクレン科
	Magnolia officinalis Rehder et E. H. Wilson	
	Magnolia officinalis Rehder et E. H. Wilson var. *biloba* Rehder et E. H. Wilson	
サンシシ	クチナシ *Gardenia jasminoides* J. Ellis - - - - - *Gardenia jasminoides* J. Ellis f. *longicarpa* Z. W. Xie & M. Okada	*Rubiaceae* アカネ科
チョウジ チョウジ油	チョウジ *Syzygium aromaticum* Merrill et L. M. Perry ＝*Syzygium aromaticum*（L.）Merr. & L. M. Perry - - - - - **Eugenia caryophyllata* Thunberg ＝*Eugenia caryophyllata* Thunb. *Eugenia caryophyllus*（Spreng.）Bullock & S. G. Harrison	*Myrtaceae* フトモモ科
ハマボウフウ	ハマボウフウ *Glehnia littoralis* F. Schmidt ex Miquel ＝*Glehnia littoralis* F. Schmidt ex Miq.	*Umbelliferae* セリ科

<table>
<tr><td>ボウイ</td><td>オオツヅラフジ Sinomenium acutum Rehder et E. H. Wilson
=Sinomenium acutum（Thunb.）Rehder & E. H. Wilson</td><td>Menispermaceae
ツヅラフジ科</td></tr>
<tr><td rowspan="3">モクツウ</td><td>アケビ Akebia quinata Decaisne
=Akebia quinata（Thunb. ex Houtt.）Decne.</td><td rowspan="3">Lardizabalaceae
アケビ科</td></tr>
<tr><td>ミツバアケビ Akebia trifoliata Koidzumi
=Akebia trifoliata（Thunb.）Koidz.</td></tr>
<tr><td>上記種の種間雑種</td></tr>
</table>

参考情報　G6.　製剤関連　錠剤の摩損度試験法　を次のように改める．

錠剤の摩損度試験法〈*G6-5-181*〉

本試験法は，三薬局方での調和合意に基づき規定した試験法である．

三薬局方の調和合意に関する情報については，独立行政法人医薬品医療機器総合機構のウェブサイトに掲載している．

錠剤の摩損度試験法は，剤皮を施していない圧縮成型錠の摩損度を測定する方法である．ここに記載した試験手順はほとんどの圧縮成型錠に適用できる．摩損度の測定は，錠剤の硬度など他の物理的強度の試験を補足するものである．

装置

内径 283.0 ～ 291.0 mm，深さ 36.0 ～ 40.0 mm の内面が滑らかな透明な合成樹脂製で，静電気をおびにくいドラムを用いる（典型的な装置については図 1 参照）．ドラムの一方の側面は取り外しができる．錠剤はドラムの中央から外壁まで伸びている内側半径 75.5 ～ 85.5 mm の湾曲した仕切り板に沿ってドラムの回転ごとに転がり落ちる．中心軸リング部の外径は 24.5 ～ 25.5 mm とする．ドラムは，24 ～ 26 rpm で回転する装置の水平軸に取り付けられる．したがって，錠剤は各回転ごとに転がり若しくは滑ってドラム壁に又は他の錠剤の上に落ちる．

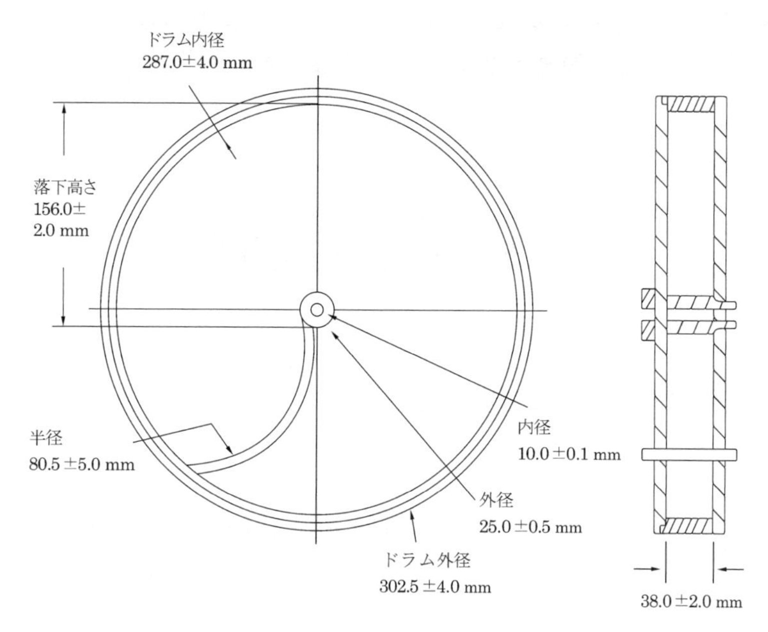

図1　錠剤の摩損度試験装置

操作法

1錠の質量が650 mg以下のときは，6.5 gにできるだけ近い量に相当する*n*錠を試料とする．1錠の質量が650 mgを超えるときは10錠を試料とする．試験前に注意深く錠剤に付着している粉末を取り除く．錠剤試料の質量を精密に量り，ドラムに入れる．ドラムを24～26 rpmで100回転させた後，錠剤を取り出す．試験開始前と同様に錠剤に付着した粉末を取り除いた後，質量を精密に量る．

通常，試験は一回行う．試験後の錠剤試料に明らかにひび，割れ，あるいは欠けの見られる錠剤があるとき，その試料は不適合である．もし結果が判断しにくいとき，あるいは質量減少が目標値より大きいときは，更に試験を二回繰り返し，三回の試験結果の平均値を求める．多くの製品において，一回の試験又は三回の試験の平均として得られる質量減少は，1.0%以下であることが望ましい．発泡錠やチュアブル錠の摩損度規格はこの範囲を超えることがある．

もし錠剤の大きさや形によって回転落下が不規則になるなら，錠剤が密集状態にあっても錠剤同士が付着して錠剤の自由落下を妨げることのないよう，水平面とドラムの装置下台との角度が約10°になるよう装置を調整する．

吸湿性の錠剤の場合の試験は，適切な湿度の雰囲気下で行う必要がある．

多くの試料を同時に試験できるよう設計された，仕切り板を二つ持ったドラムや二つ以上のドラムを備えた装置を利用してもよい．

参考情報 G8. 標準品関連 の次に G9. 医薬品添加剤関連のカテゴリー及び製剤に関連する添加剤の機能性関連特性について を加える.

G9. 医薬品添加剤関連

製剤に関連する添加剤の機能性関連特性について 〈*G9-1-181*〉

添加剤の機能性関連特性(Functionality Related Characteristics, FRC)とは,製剤の製造工程・保管・使用において,有効成分及び製剤の有用性の向上に密接に関連する添加剤の物理的・化学的特性である.

添加剤は製剤総則[1]製剤通則(6)に記載されるように,「その製剤の投与量において薬理作用を示さず,無害」でなくてはならず,「有効成分及び製剤の有用性を高める,製剤化を容易にする,品質の安定化を図る,又は使用性を向上させる」などの役割も担う.添加剤各条では,物質の確認と品質の確保を主な目的として,規格と試験法が規定されている.

FRC は,添加剤が上記の役割を果たすための有効な指標となるが,添加剤に求められる FRC の特性値は,使用目的や製剤処方に依存し,添加剤の安全性や安定性に直接関わる品質特性とは異なることから,試験法には規格を設定しない.また,本参考情報に記載された FRC の試験法は,他の適切な試験法の適用を制限するものではない.

黄色ワセリン及び白色ワセリンに関して,FRC となる項目とその試験法の例を以下に示す.

黄色ワセリン,白色ワセリン:稠度に関する試験法

黄色ワセリン及び白色ワセリンは石油から得た炭化水素類の混合物を精製したものであり,通常,軟膏剤などの半固形製剤の基剤として使用される.軟膏剤は製剤総則[3]製剤各条 11.4. 軟膏剤(3)において「本剤は,皮膚に適用する上で適切な粘性を有する.」とされており,当該剤形の流動学的性質の一つである硬さ・軟らかさは,特性値として稠度を測定することにより示すことができる.一般試験法「半固形製剤の流動学的測定法」の 2. 稠度試験法(penetrometry)を用いて本品の稠度を評価する場合の試験法を記載する.

(i)器具 標準円錐又はオプション円錐により試験を行う.なお,試料容器は直径 100 ± 6 mm,深さ 65 mm 以上の金属製の平底円筒形のものを用いる.

(ⅱ) 操作法　オーブンに必要数の空の試料容器を入れ，それらの容器と共に容器に入れた一定量の本品を 82 ± 2.5℃に加温する．融解した本品を 1 個以上の試料容器に注ぎ込み，試料容器の縁から 6 mm 以内まで満たす．通風を避けて 25 ± 2.5℃で 16 時間以上冷やす．試験開始 2 時間前に，試料容器を 25 ± 0.5℃の水浴中に入れる．室温が 23.5℃未満又は 26.5℃を超える場合には円錐を水浴中に入れて円錐の温度を 25 ± 0.5℃に調整する．試料の表面を乱さないように，試料容器をペネトロメーターの試料台に乗せ，円錐を，先端が試料容器の縁から 25 ～ 38 mm 離れた位置で試料の表面に接触するように下げる．ゼロ点を調整し，直ちに留金具を離し，5 秒間放置する．留金具を固定し，目盛りから進入の深さを読む．進入した部位が重ならないよう間隔を空けて 3 回以上測定する．進入の深さが 20 mm を超える場合には，別の試料容器を使用して各測定を行う．進入の深さは最短 0.1 mm まで読みとる．3 回以上の測定値の平均値を求める．

参考情報　GZ.　その他　製薬用水の品質管理　の 4.5.　理化学的モニタリング以降を次のように改める．

製薬用水の品質管理 〈*GZ-2-181*〉

4.5.　理化学的モニタリング

製薬用水システムの理化学的モニタリングは，通例，導電率及び有機体炭素 (TOC) を指標として行われる．導電率を指標とするモニタリングによれば，混在する無機塩類の総量の概略を知ることができ，TOC を指標とするモニタリング (TOC モニタリング) によれば，混在する有機物の総量を評価することができる．これらの理化学的モニタリングは，基本的に日本薬局方一般試験法に規定される導電率測定法 〈*2.51*〉 及び有機体炭素試験法 〈*2.59*〉 を準用して行われるが，モニタリングのための試験には，医薬品各条の試験とは異なる側面があることから，以下にはそれぞれの一般試験法で対応できない部分に対する補完的事項を記載する．

なお，各製造施設において，導電率及び TOC を指標とするモニタリングを行う場合，それぞれの指標について適切な警報基準値及び処置基準値を設定し，不測の事態に対する対応手順を定めておく必要がある．

4.5.1.　導電率を指標とするモニタリング

モニタリング用の導電率測定は，通例，流液型セル又は配管挿入型セルを用いてインラインで連続的に行われるが，製薬用水システムの適切な場所よりサンプリングし，浸漬型セルを用いてオフラインのバッチ試験として行うこともできる．

(1) オンライン又はインラインでの測定

インラインでの導電率モニタリングでは，通常，測定温度の制御は困難である．したがって，任意の温度でモニタリングしようとする場合には，下記の方法を適用する．

(i) 温度非補償方式により試料水の温度及び導電率を測定する．

(ii) 表3から，測定された温度における許容導電率を求める．測定された温度が表3に記載されている温度の間にある場合は，測定された温度よりも低い方の温度における値を許容導電率とする．

(iii) 測定された導電率が，許容導電率以下であれば，導電率試験適合とする．許容導電率を超える場合は，オフラインでの測定を行う．

表3　異なる測定温度における許容導電率 *

温度（℃）	許容導電率 (μS・cm^{-1})	温度（℃）	許容導電率 (μS・cm^{-1})
0	0.6		
5	0.8	55	2.1
10	0.9	60	2.2
15	1.0	65	2.4
20	1.1	70	2.5
25	1.3	75	2.7
30	1.4	80	2.7
35	1.5	85	2.7
40	1.7	90	2.7
45	1.8	95	2.9
50	1.9	100	3.1

* 温度非補償方式での導電率測定に対してのみ適用する．

(2) オフラインでの測定

(i) 下記の方法により，容器に採水後，強くかき混ぜることによって，大気中から二酸化炭素を平衡状態になるまで吸収させ，大気と平衡状態になった試料の導電率を測定する．

(ii) 十分な量の試料を適当な容器にとり，かき混ぜる．温度を 25 ± 1℃に調節し，強くかき混ぜながら，一定時間ごとにこの液の導電率の測定を行う．5分当たりの導電率変化が 0.1 μS・cm^{-1} 以下となったときの導電率を本品の導電率（25℃）とする．

(iii) 前項で得られた導電率（25℃）が 2.1 μS・cm^{-1} 以下であれば，導電率試験適合とし，それを超える場合は不適合と判定する．

4.5.2.　TOC モニタリング

「精製水」及び「注射用水」の TOC の規格限度値はいずれも「0.50 mg/L 以下」(500 ppb 以下)とされているが，製薬用水の各製造施設は，製薬用水システムの運転管理にあたり，別途警報基準値と処置基準値を定めて TOC モニタリングを行うことが望ましい．

推奨される TOC の処置基準値は，下記のとおりである．

処置基準値：≦ 300 ppb（インライン）
≦ 400 ppb（オフライン）

水道水（「常水」）の TOC の許容基準値は「3 mg/L 以下」(3 ppm 以下)（水道法第 4 条に基づく水質基準）であるが，上記の管理基準を考慮し，製薬用水製造の原水として使われる水についても，各製造施設において適切な警報基準値及び処置基準値を設けて TOC モニタリングによる水質管理を実施することが望ましい．

なお，日本薬局方では有機体炭素試験法〈*2.59*〉を定めており，通例，これに適合する装置を用いて TOC の測定を行うが，高純度の水（イオン性の有機物や分子中に窒素，硫黄，リン又はハロゲン原子を含む有機物が含まれていない純度の高い水）を原水として用いる場合に限り，米国薬局方の General Chapter < 643 > TOTAL ORGANIC CARBON 又は欧州薬局方の Methods of Analysis 2.2.44. TOTAL ORGANIC CARBON IN WATER FOR PHARMACEUTICAL USE に定める装置適合性試験に適合する装置を製薬用水システムの TOC モニタリングに用いることができる．

ただし，二酸化炭素を試料水から分離せずに測定した有機物の分解前後の導電率の差から TOC 量を求める方式の装置は，試料水中にイオン性の有機物が含まれている場合，若しくは分子中に窒素，硫黄，リン又はハロゲン原子を含む有機物が含まれている場合には，マイナス又はプラスの影響を受けることがあるので，測定対象の水の純度や装置の不具合発生時の汚染リスクを考慮して適切な装置を選択する．

4.6.　注射用水の一時的保存

注射用水の一時的な保存については，微生物の増殖を厳しく抑制するために高温で循環するなどの方策をとると共に，汚染並びに品質劣化のリスクを考慮し，バリデーションの結果に基づいて適切な保存時間を設定する．

5.　容器入りの水の品質管理に関する留意事項

製品として流通する容器入りの水（「精製水（容器入り）」，「滅菌精製水（容器入り）」及び「注射用水（容器入り）」）の品質管理に関しては，別途，留意すべき事項が幾つかある．

5.1.　滅菌した容器入りの水の製法について

「滅菌精製水（容器入り）」及び「注射用水（容器入り）」の製法としては，次の二つの異なる方法がある．

(ｉ)「精製水」又は「注射用水」を密封容器に入れた後，滅菌する．

（ii）あらかじめ滅菌した「精製水」又は「注射用水」を無菌的な手法により無菌の容器に入れた後，密封する．

製造された容器入りの水の無菌性を保証するには，（i）の製法では，最終の滅菌工程についてバリデーションを行えば良いのに対して，（ii）の製法では，全ての工程についてバリデーションを行う必要がある．これは，（ii）の製法があらかじめろ過滅菌などの方法によって滅菌したものを"無菌的に"容器に入れて密封することにより，無菌性を保証しようとするものであるためである．

5.2.　容器中での保存に伴う水質変化

5.2.1.　無機性不純物（導電率を指標として管理）

バルクの精製水又は注射用水の導電率が 1.3 μS•cm^{-1} 以下（25℃）で管理されている場合であっても，それを容器に入れたときには，容器への充填時の空気との接触や保存中におけるプラスチック膜透過に伴う空気中の二酸化炭素の溶け込み及び保存中における容器からのイオン性物質の溶出が原因となって，導電率が上昇する．特に，小容量のガラス容器を用いる場合には，保存中における導電率の変化に注意する必要がある．

5.2.2.　有機性不純物（過マンガン酸カリウム還元性物質又は TOC を指標として管理）

日本薬局方では，容器入りの水（「精製水（容器入り）」，「滅菌精製水（容器入り）」及び「注射用水（容器入り）」）中の有機性不純物に対しては，古典的な過マンガン酸カリウム還元性物質による管理を求めている．容器入りの水に対するこの規定は，バルクの水において，TOC による管理（限度値「0.50 mg/L 以下」（500 ppb 以下））を規定していることと対照的である．これは，容器中での保存により，TOC 量が著しく増加する事例があり，バルクの水に整合させて TOC により規格を設定することが困難と判断されたことによるものである．特に，小容量のプラスチック製容器入りの水については，保存中における容器からの溶出物の増加に十分注意する必要がある．

容器入りの水において，過マンガン酸カリウム還元性物質による有機性不純物の管理を求めているのは，容器の材質（ガラス，ポリエチレン，ポリプロピレンなど）やサイズ（0.5 ～ 2000 mL）及び保存期間の如何によらず，同一の試験法を用いて試験できるようにするための止むを得ない措置としてとられたものであり，溶存する有機性不純物の限度試験として最適なものとして規定されているわけではない．医薬品の製造業者の責任において，過マンガン酸カリウム還元性物質の代わりに TOC により品質管理を行うことが望ましい．TOC により品質管理を行う場合，下記のような目標値により管理することが望ましい．

内容量が 10 mL 以下のもの：TOC 1500 ppb 以下
内容量が 10 mL を超えるもの：TOC 1000 ppb 以下

ポリエチレン，ポリプロピレンなどのプラスチック製医薬品容器入りの水については，容器からのモノマー，オリゴマー，可塑剤などの溶出がまず懸念されるが，プラスチックにはガス透過性や水分透過性もあることから，アルコールなどの低分子の揮発性有機物や窒素酸化物などの低分子の大気汚染物質の透過による汚染が起こりうるので，保存場所・保存環境にも留意する必要がある．

5.2.3.　微生物限度（総好気性微生物数）

「精製水（容器入り）」には無菌性が求められているわけではないが，保存期間中を通して総好気性微生物数の許容基準「1 mL 当たり 10^2 CFU」に適合するためには，衛生的あるいは無菌的に製造する必要がある．また，流通上，微生物汚染には特段の注意が必要である．加えて，開封後はできるだけ短期間に使いきるように努めることが望ましい．

総好気性微生物数の許容基準「1 mL 当たり 10^2 CFU」は，「精製水」（バルク）の生菌数の処置基準値と同じであるが，精製水製造システムにおける微生物モニタリングとは違い，主に保存期間中に起こる可能性のある環境由来の微生物による汚染を検出するために，ソイビーン・カゼイン・ダイジェストカンテン培地を用いて試験を行う．

5.3.　容器入りの水を入手して医薬品の製造や試験に用いる場合の注意事項

市販の「精製水（容器入り）」，「滅菌精製水（容器入り）」又は「注射用水（容器入り）」を入手して，医薬品又は治験薬の製造用水，医薬品試験用の水として利用することができるが，下記の事項に留意する必要がある．

（i）製品の受入試験又は製造業者から提供された当該製品の試験成績書により日局各条への適合を確認した後，速やかに使用すること．

（ii）医薬品の製造に使用する場合は，当該医薬品の製造工程の一環としてプロセスバリデーションを実施しておくこと，また，治験薬の製造に使用する場合には，その品質に影響がないことを確認しておくこと．

（iii）滅菌した容器入りの水については，一回使いきりを原則とし，保存後の再使用はしないこと．

（iv）開封直後からヒト及び試験室環境などによる汚染又は水質変化が急速に進むことを前提として，使用目的に合わせた標準操作手順書を作成しておくこと．

索　引

日 本 名 索 引

＊印は通則，生薬総則，製剤総則及び一般試験法（試薬・試液を含む）の頁を示す．

なお，下線のついていないものは「第十八改正日本薬局方・条文と注釈」における頁を，下線のついているものは「第十八改正日本薬局方第一追補・条文と注釈」における頁を示す．

ア

イ

ウ

エ

オ

カ

キ

ケ

コ

サ

シ

ス

セ

ソ

タ

チ

ツ

テ

ト

ナ

ニ

ネ

ノ

ハ

ヒ

フ

へ

ホ

マ

ミ

ム

メ

モ

ヤ

ユ

ラ

リ

ル

レ

ロ

ワ

INDEX

＊印は製剤総則の頁を示す.

A

B

C

D

E

F

G

H

I

J

K

L

M

N

O

P

Q

R

S

T

U

V

INDEX NOMINUM

A

B

C

D

E

F

G

H

I

第十八改正

日本薬局方　第一追補

条文と注釈

定 価（本体 15,000 円＋税）

令和 5 年 3 月 13 日　第 1 刷発行

本書は令和 4 年 12 月 12 日付 厚生労働省 告示・公布に基づいて発行しております．

編者
著作権所有者　日本薬局方解説書編集委員会

発行者
出版権所有者　株式会社 廣川書店
代表者 廣川治男

東京都文京区本郷 3 丁目 27 番 14 号
電話〔03〕3815-3651（代表）
http://www.hirokawa-shoten.co.jp/

ISBN978-4-567-01546-2